La bibliothèque Gallimard

Source des illustrations

Couverture : Photo © image.com/Corbis.
C. Cabrol : 14. Corbis/N. Naplan Historic Photographs : 119. Corbis : 321. Keystone : 6, 7.
Roger Viollet : 10. Rue des Archives : 115, 213.

Shan Sa

La joueuse de go

Lecture accompagnée par
Marianne Jaeglé
agrégée de lettres modernes

La bibliothèque Gallimard

Florilège

«Là-haut, un dieu affronte une déesse en bousculant les étoiles.»

«Ma solitude ressemble à un rouleau de soie cramoisie enfermé au fond d'un coffre de bois.»

«La Mandchourie indépendante nous isole du reste de la Chine. C'est une usine de douceur où les vers à soie tissent leurs cocons délicats avant d'expirer dans un bain bouillant.»

«Les paupières closes, les joues en flammes, des cernes bleutés sous les yeux, Min m'embrasse avec l'ivresse d'un étudiant qui dévore un livre rare.»

«Les paroles de ma mère résonnent à mes oreilles : Entre la lâcheté et la mort, choisis sans hésiter la mort.»

«L'abstinence est la volupté de l'âme.»

«Mon affectation en Chine m'a permis de comprendre la grandeur et la misère du soldat. Conduit par l'ordre, il se déplace en ignorant la direction et le sens de sa marche. Un pion parmi d'autres. Il vit et meurt, anonyme, pour la victoire du Tout.»

«Mes pions sont des touches d'encre avec lesquelles je dessine les pleins et les vides. Au go, seule la perfection esthétique conduit à la victoire.»

«Le go est le jeu du mensonge. On encercle l'ennemi de chimères pour cette seule vérité qu'est la mort.»

Ouvertures

Chine et Japon : les frères ennemis

L'histoire de *La Joueuse de go*, qui se déroule de l'hiver 1936 à l'été 1937, s'enracine dans une rivalité sino-japonaise séculaire. Les destins des deux personnages principaux du roman, une jeune chinoise et un militaire japonais, ne sauraient être dissociés de celui des empires dont ils sont issus. Individuelles mais représentatives, leurs trajectoires prennent leur sens par rapport à la relation qu'ont entretenue ces deux pays asiatiques dont l'un – le Japon – a tenté d'envahir l'autre, un pays pourtant vingt-cinq fois plus grand que lui.

À travers la relation qui unit le soldat et la joueuse, le roman retrace quelques pages déterminantes d'une histoire commune à ces deux empires millénaires.

La Chine : un territoire sous influence

Les interventions extérieures – Au cours du XIXᵉ siècle, le pouvoir de la dynastie des Qing s'affaiblit et la Chine, qui subit une forte agitation sociale, une stagnation économique et une croissance démographique explosive, est en outre le théâtre d'ingérences de plus en plus marquées de la part des puissances occidentales. La volonté britannique d'ouvrir le commerce et notamment de poursuivre ses exportations d'opium aboutit à la première guerre de l'opium, en 1840, et se conclut par une défaite chinoise. La Grande-Bretagne obtient alors la cession de Hong-Kong au traité de Nankin en 1842, ainsi que l'ouverture d'autres ports au commerce européen. Par la suite, la Grande-Bretagne et d'autres puissances occidentales obtiennent des «concessions», c'est-à-dire de

D'un côté, le camp chinois, avec Hsueh Liang et Tchang Kaï-chek, ancien seigneur de guerre de la Mandchourie, en 1934...

petits territoires côtiers sous leur contrôle, ainsi qu'une empreinte dans de vastes régions voisines, et des privilèges commerciaux. La France s'empare de l'Indochine en 1885, et le Japon de la Corée en 1895. À l'aube du XXᵉ siècle, la Chine subit donc l'influence de ces diverses puissances occidentales et orientales à ses portes.

Les divisions intérieures – L'abdication du dernier empereur de la dynastie des Qing en 1911, la mort de l'empereur Yuan Shikai en 1916 inaugurent pour la Chine une période de troubles et d'instabilité politique. L'ère des «seigneurs de la guerre» s'ouvre, pendant laquelle le pays est ravagé par les luttes entre des coalitions mouvantes de chefs militaires provinciaux. Dans les années 1920, Sun Yat-sen commence à réunifier la nation. Recevant l'assistance des Soviétiques, il s'allie au petit Parti communiste chinois (PCC). À la mort de Sun en 1925, un de ses lieutenants, Tchang Kaï-chek, prend le contrôle de son parti, le Kuo-

… de l'autre, le camp japonais, avec l'empereur Hirohito et Puyi, empereur du Mandchoukouo, en 1935.

mintang (Parti national du peuple, KMT) et réussit à contrôler l'essentiel de la Chine.

Un dangereux affaiblissement – À partir de 1927, Tchang Kaï-chek se retourne contre les communistes, s'attaquant à leurs chefs comme à leurs troupes dans leurs bases du Sud et de l'Est. En 1934, défaits et chassés de leurs bases dans les montagnes, les communistes entreprennent la Longue Marche, à travers les régions les plus désolées du pays, vers le nord-ouest. Ils établissent leur nouvelle base de guérilla à Yan An, dans la province du Shanxi. Au cours de la Longue Marche, les communistes se réorganisent autour de Mao Tsé-toung (Mao Zedong). Ces dissensions et l'affaiblissement généralisé qui en résulte sont mis à profit par l'empire voisin : le Japon.

Le Japon à l'assaut du monde

Une politique expansionniste – L'empereur Hirohito monte sur le trône du Japon en 1926 à la mort de son père. Le Japon rencontre à cette époque maintes difficultés liées aux besoins économiques du pays. L'expansion se présente alors comme la meilleure solution. L'instauration d'un nouvel ordre en Asie, qui mettrait fin aux influences étrangères et notamment européennes sous la gouverne du Japon, devient donc le leitmotiv impérial. Cette revendication prend sa source non seulement dans la mentalité guerrière japonaise, mais aussi dans les besoins économiques du pays. L'impérialisme du Japon vise à lui assurer le contrôle des pays fournisseurs de riz, de soja et de minerai de fer, qui constituent d'autre part des débouchés pour ses produits textiles. Cet impérialisme est donc avant tout économique, mais il est également démographique : l'archipel, avec près de 50 millions d'habitants, est surpeuplé. Le tremblement de terre survenu à Tokyo en 1923 fait des milliers de victimes. En outre, les Japonais se voient volontiers maîtres des peuples asiatiques.

Les grandes entreprises ont beaucoup investi en Chine (plus particulièrement en Mandchourie), et sont, en leur qualité de trusts financiers géants, affiliées de près à l'armée japonaise dont elles sont les fournisseurs privilégiés. Dès lors, intérêts économiques, stratégiques et militaires convergent dans une politique expansionniste forcenée.

De la Corée au Mandchoukouo – La première victoire est remportée en Corée, contre l'influence chinoise : un protectorat japonais y est établi en 1895, puis ce pays se voit annexé en 1910. La guerre contre les Russes en 1904-1905, que les Japonais remportent à la surprise de tous, conforte la puissance de cet empire sur le plan mondial.

La construction de chemins de fer en Mandchourie et les possessions japonaises dans cette province nécessitent une « protection » de l'armée impériale. Progressivement, l'armée du Kuang-tung installée sur place va prendre de plus en plus d'autorité sur les régions où elle est établie. En septembre 1931, un incident près de Moukden, la capitale de la Mandchourie, sert de prétexte aux Japonais pour prendre le contrôle de la région, et permet à l'armée de se déployer sous le prétexte de mieux protéger les intérêts japonais. En quelques mois, la

Mandchourie passe entièrement en leur contrôle. En février 1932, l'État du Mandchoukouo est créé avec l'ancien empereur chinois Puyi à sa tête, sous la protection du Japon, afin de légaliser la position des attaquants sur le plan international. En réalité, ce territoire est dès lors considéré par les Japonais au même titre que la Corée, c'est-à-dire comme une possession de l'Empire.

L'Empire du milieu en proie à des troubles intérieurs – La réaction chinoise est assez faible, en raison des troubles qui agitent alors le pays. Dans le même temps, en effet, les nationalistes de Tchang Kaï-chek, les communistes de Mao Tsé-toung et les seigneurs de la guerre se disputent le pouvoir dans de violents affrontements. Tchang Kaï-chek détient une certaine avance sur ses ennemis, mais ne peut en aucun cas s'opposer à la puissante attaque des Japonais. De plus, il privilégie la lutte contre les communistes chinois plutôt que l'opposition aux Japonais. L'invasion et la prise de possession de la Mandchourie constituent donc une victoire éclatante pour le Japon. Ce faisant, il met la main sur d'immenses territoires regorgeant de ressources naturelles indispensables à l'économie japonaise.

Une subtile stratégie de défense – Le 7 juillet 1937, un incident près du pont Marco-Polo (appelé Pont des Roseaux dans le récit) est le prétexte au déclenchement d'une véritable guerre. L'avance japonaise est fulgurante : l'armée prend le contrôle des voies de communication et des grandes villes, telles que Pékin, Shanghai et, pour finir, Nankin, au prix de terribles massacres.

Tchang Kaï-chek déplace son armée à l'est, permettant aux Japonais de s'enfoncer à l'intérieur du pays. Les Chinois évitent ainsi la confrontation avec une armée japonaise mieux équipée et mieux entraînée. En outre, la grandeur de leur territoire avale les troupes ennemies, en leur donnant l'impression d'une victoire facile. Alors que la résistance chinoise s'organise, les Japonais tentent de convaincre les Chinois de participer à une sphère de « coprospérité asiatique ».

Dans la tourmente de la Seconde Guerre mondiale

Dans le même temps, les Européens s'inquiètent de la présence japonaise si près de leurs intérêts en Asie et dans le Pacifique. Cependant,

En 1937, la guerre sino-japonaise fait rage, et l'armée japonaise avance vite : quelques jours après la prise de la ville de Pékin, elle défile dans la Cité interdite.

leur attention est bientôt accaparée par la situation sur le continent européen, avec le risque grandissant d'une nouvelle guerre.

Lorsque l'Allemagne entreprend la conquête de l'Europe de l'Ouest à la fin du printemps 1940, le Japon prend simultanément le contrôle des colonies européennes, privées du support de leurs colonisateurs terrassés. C'est ainsi que l'Indochine permet bientôt aux militaires japonais l'utilisation de bases navales essentielles pour l'invasion japonaise dans le Pacifique du Sud-Ouest.

Ce sont les Japonais eux-mêmes qui déclenchent finalement une attaque aérienne sur Pearl Harbor le 7 décembre 1941, forçant du même coup l'entrée de l'Amérique dans la guerre. Ils se placent ainsi directement en position de conflit avec les Occidentaux, notamment les Américains, qui, du fait de leur présence, empêchaient leur domination en Asie.

Un conflit lourd de conséquences – Entré en guerre aux côtés de l'Allemagne, de l'URSS et de l'Italie, le Japon ne capitule que le 6 août

1945, après l'utilisation par les Américains de la première bombe atomique, larguée au-dessus de la ville d'Hiroshima, qui fit près de cent cinquante mille victimes.

Après la défaite japonaise, la guerre reprend entre les deux grands partis de Chine, le KMT et le PCC. En 1949, le PCC occupe l'essentiel du pays. Tchang Kaï-chek se réfugie dans l'île de Taïwan avec les restes du gouvernement et des forces armées du Kuomintang, et proclame Taipei capitale provisoire, déclarant vouloir reconquérir le continent. Le 1er octobre 1949 a lieu la proclamation de la République populaire de Chine à Pékin.

Histoire d'amour dans un pays en guerre – L'histoire de *La Joueuse de go* s'insère dans le cadre vaste et complexe de la relation entre deux civilisations attirées l'une par l'autre, mais constamment rivales. Le roman montre à diverses reprises les difficiles liens qu'établissent au fil des siècles les habitants de ces empires voisins. La nourrice pékinoise qu'a eue enfant le lieutenant japonais lui a sans nul doute insufflé l'amour de la Chine. Le capitaine Nakamura s'éprend, pour son malheur, d'une jeune fille de Tianjin. Enfin, le lieutenant entretient avec la joueuse une relation qui hésite longuement entre amour et antagonisme. À travers l'amour de ces deux personnages, se joue une lutte sans merci entre deux civilisations : « À présent, je suis forcé de me rappeler que les Chinois sont d'une race à part, et d'un autre monde. Mille ans d'histoire nous séparent », constate tristement le lieutenant (p. 240).

Bien plus qu'une toile de fond, le contexte historique constitue la trame même du récit, et pose en filigrane la question de la coexistence des contraires : « Comment un Japonais et une Chinoise pourraient-ils s'aimer ? » (p. 241).

À propos de Shan Sa

	Histoire et politique	Vie et œuvre de Shan Sa
1945	6 août : bombe américaine larguée sur Hiroshima. Capitulation japonaise.	
1946-1949	Guerre civile et victoire des communistes chinois.	
1949	Fondation de la République populaire de Chine.	
1972		Naissance à Pékin. Ses grands-parents, résistants pendant la guerre et ayant des activités politiques en Mandchourie, ont été humiliés et battus publiquement par les gardes rouges.
1983-1989	1987 : Li Peng devient Premier ministre.	Publication en Chine de quatre recueils de poésie.
1989	Événements de la place Tian'anmen : les étudiants de Beijing (Pékin) demandent la démocratisation du pays. Répression sanglante.	
1990		Arrivée en France. Elle apprend le français, réussit le baccalauréat et étudie la philosophie à l'université. 1994 : Rencontre avec le peintre Balthus.
1997	Hong Kong est rétrocédé à la Chine par l'Angleterre.	*Porte de la paix céleste*.
1999		*Les Quatre Vies du saule*.
2000		*Le Vent vif et le glaive rapide* (poésie).
2001		**La Joueuse de go**. Exposition de ses peintures à la galerie Navarin-Adler, Paris.
2002	Entrée de la Chine dans l'Organisation mondiale du commerce.	*Le Miroir du calligraphe* (poésie, essai et peinture). Exposition de ses peintures à la galerie Navarin-Adler, Paris.
2003		*Impératrice*. Exposition de ses peintures à la galerie Berthet-Aittouarés.

Un accueil particulier :
le prix Goncourt des lycéens

Le choix de la jeunesse

En novembre 2001, le jury du Goncourt des lycéens couronne Shan Sa pour *La Joueuse de go*. Créé par l'académie de Rennes en partenariat avec la Fnac, le Goncourt des lycéens est devenu presque aussi réputé que son illustre grand frère, décerné depuis 1903 par l'Académie Goncourt. Cette société littéraire, instituée par Edmond de Goncourt dans son testament devait à l'origine faire pendant à l'Académie française qualifiée d'«insuffisamment hardie et novatrice».

Le prix Goncourt devait initialement être décerné «à la jeunesse, à l'originalité du talent, aux tendances nouvelles et hardies de la pensée et de la forme». Sans entrer dans le débat concernant l'attribution des grands prix littéraires, on peut constater que le Goncourt des lycéens remplit à coup sûr cette fonction. S'il était encore de ce monde, Edmond de Goncourt se réjouirait sans doute de l'existence de cette société littéraire lycéenne renouvelée chaque année. Sans doute aurait-il apprécié le choix effectué par les lycéens en 2001.

Un jury ouvert à tous

Tous les types de lycées, toutes les séries et tous les niveaux de classes peuvent en effet participer au prix Goncourt des lycéens. Pendant deux mois, des élèves de toute la France lisent et commentent les romans sélectionnés officiellement par l'Académie Goncourt. Chaque classe participant au jury élit un délégué chargé de défendre les choix de la classe (trois livres doivent être retenus) lors du jury régional, lequel proclamera son tiercé gagnant et désignera à son tour deux représentants pour le vote national.

Une affirmation littéraire

Pendant cette période riche en lectures et débats, des rencontres avec auteurs et journalistes sont organisées, des articles rédigés par les lecteurs eux-mêmes paraissent dans le journal du Goncourt des lycéens,

Shan Sa.

un journal de bord est tenu au sein de chaque classe… Ce prix original constitue donc un trait d'union entre la littérature contemporaine et le jeune public. En distinguant leur œuvre préférée, les lycéens témoignent de leurs choix littéraires. Avec *La Joueuse de go*, ils ont récompensé en 2001 l'œuvre d'un jeune écrivain d'origine chinoise. Ils ont primé une belle histoire d'amour et ont témoigné de leur plaisir à découvrir d'autres cultures.

Avis de lectures : les élèves du lycée Bossuet de Lannion

« L'empereur de Chine règne sur la Mandchourie. L'armée japonaise hante le territoire. Une jeune lycéenne nous raconte la cruauté de cette guerre. Comment les gens doivent survivre à cela. Elle, elle joue au go, place des Mille Vents. Shan Sa rêve d'une autre vie, bien plus heureuse. Le go lui fait oublier cette boucherie humaine. Un jour, elle rencontre un jeune officier. Alors débute une difficile histoire d'amour. Shan Sa compare cette guerre avec le go. Comment va-t-elle faire pour aimer cet homme de camp adverse ? Shan Sa interpelle le lecteur, en le faisant intervenir comme une aide dans son désespoir. Comme s'il pouvait trouver une solution. Shan Sa se livre à un combat : un amour impossible contre la trahison de sa patrie. Ce livre fait participer le lecteur, avec des descriptions intéressantes. Cela fait vivre les personnages de l'histoire. Shan Sa fait durer le suspense jusqu'au bout, ses rêves se transforment en désillusions. Ce livre réserve bien des surprises. Paragraphe par paragraphe, Shan Sa raconte son histoire émouvante, à la fois mystérieuse et pleine d'ambitions. **»**

(Élodie Le Bonniec – Première L)

« Roméo et Juliette, Tristan et Iseult… Des histoires mythiques que l'on n'oublie pas. *La Joueuse de go* reflète, par son histoire, ces amours impossibles.

Une tragédie inévitable. Tout sépare deux êtres qui s'aiment : la religion, les coutumes, les pays, la guerre…

L'auteur décrit avec réalisme deux chemins opposés qui se rejoignent, place des Mille Vents, autour d'une partie de go. Ils se survolent, s'épient, s'attaquent. Leur amour est une partie de go. Pourront-ils un jour s'aimer avec dignité dans ce monde cruel ?

Une fiction qui est réalité. Ne peut-on pas rencontrer des histoires semblables aujourd'hui ? **»**

(Émilie Jacob – Première L)

La joueuse de go

À mes parents
À mon frère et à Wendy
À mes grands-parents
qui ont été l'âme
de la Mandchourie nouvelle

Place des Mille Vents, les joueurs couverts de givre sont pareils aux bonshommes de neige. Une vapeur blanche s'échappe des nez et des bouches. Des aiguilles de glace, poussées sous le rebord de leurs toques, pointent vers la terre. Le ciel est de nacre, le soleil, cramoisi, tombe, tombe. Où se situe le tombeau du soleil?

Quand l'endroit s'est-il transformé en lieu de rendez-vous des amateurs de go? Je l'ignore. Les damiers gravés sur les tables de granit, après des milliers de parties, sont devenus visages, pensées, prières.

Serrant dans mon manchon une chaufferette en bronze, je tape du pied pour me dégeler le sang. Mon adversaire est un étranger venu directement de la gare. Tandis que la lutte s'intensifie, une chaleur douce me pénètre. La lumière du jour décline et les pions se confondent. Soudain, quelqu'un craque une allumette. Une bougie apparaît dans la main gauche de mon adversaire. Les autres joueurs sont partis. Je sais que Mère sera malade de voir sa fille rentrer si tard. La nuit est descendue du ciel et le vent s'est levé. Pour protéger la flamme, l'homme la couvre avec la paume de sa main gantée. Je sors de ma poche une fiole d'alcool blanc qui me brûle la gorge. Je la mets sous le nez de l'inconnu. Il la regarde, incrédule. Son visage est barbu et on ne distingue pas son âge. Une longue balafre commence au sommet de son sourcil et traverse son œil droit qu'il garde fermé. Il grimace et vide la fiole d'un trait.

La lune est absente cette nuit, le vent gémit comme un nouveau-né. Là-haut, un dieu affronte une déesse en bousculant les étoiles.

L'homme compte et recompte les pions. Battu de dix-huit points, il pousse un soupir et me tend sa bougie. Il se lève en déployant sa taille de géant, ramasse son bagage et s'en va sans se retourner.

Je range les pions dans leurs pots de bois. Ils crissent sous mes doigts. Je suis seule, avec mes soldats, mon orgueil rassasié. Aujourd'hui, je fête ma centième victoire.

De petite taille, Mère m'arrive à la poitrine. Le deuil prolongé de son époux a asséché son corps. Quand je lui annonce mon affectation en Mandchourie, elle pâlit.

– Mère, je vous en prie, il est temps que votre fils accomplisse son destin de soldat.

Sans mot, elle se retire dans sa chambre. Toute la soirée, son ombre affligée se profile sur la cloison de papier blanc. Elle prie.

Ce matin, la première neige est tombée sur Tokyo. À genoux, les mains à plat sur le tatami, je me prosterne devant l'autel des ancêtres. Lorsque je me relève, mon regard rencontre le portrait de vénérable Père. L'homme me sourit. La pièce est emplie de sa présence. Puissé-je emporter une partie de lui jusqu'en Chine !

Au salon, ma famille m'attend. Assis sur leurs talons, tous observent un silence cérémonial. Je salue d'abord Mère, comme au temps où j'étais gamin et la quittais pour l'école. Je me mets à genoux et lui dis : Okasama[1], je m'en vais. Elle me rend un salut profond.

---

1. Mère, en japonais respectueux.

Je tire la porte coulissante et m'engage dans le jardin. Sans un mot, Mère, Petit Frère et Petite Sœur me suivent.

Je me retourne et m'incline jusqu'à terre. Mère pleure. La sombre étoffe du kimono bruit lorsqu'elle se courbe à son tour. Je me mets à courir. Elle perd son calme et s'élance après moi dans la neige.

Je m'arrête. Elle aussi. Craignant que je ne me jette dans ses bras, elle recule d'un pas.

– La Mandchourie est un pays frère, crie-t-elle. Malheureusement les terroristes cherchent à corrompre l'amitié de nos deux empereurs. Ton devoir est de veiller sur une paix difficile. Entre la mort et la lâcheté, choisis sans hésiter la mort !

L'embarquement se fait dans le tumulte des fanfares. Les familles des soldats se bousculent sur le quai pour nous lancer des rubans, des fleurs, des bravos qui ont le goût salé des larmes.

La rive s'éloigne, avec elle le grondement du port. L'horizon s'élargit, l'immensité nous submerge.

Nous débarquons en Corée à Pusan. Tassés dans un train, nous roulons vers le nord. Le troisième jour, au crépuscule, le convoi s'arrête. Nous sautons joyeusement à terre pour nous dégourdir les jambes et pisser. Je me soulage en sifflotant. Au-dessus de ma tête, dans le ciel, des oiseaux tournent. Soudain, j'entends un cri étouffé. Des hommes s'enfuient dans un bois. À une dizaine de pas, Tadayuki, frais émoulu de l'école militaire, est étendu à terre. Le sang jaillit de sa gorge en un flot continu. Ses yeux demeurent ouverts. Dans le train, je ne cesse de revoir son jeune visage déformé par un rictus d'étonnement.

Mourir, est-ce aussi léger que s'étonner?

Le train arrive à une gare mandchoue au milieu de la nuit. La terre, couverte de givre, scintille sous les réverbères. Dans le lointain, des chiens hurlent.

Cousin Lu m'a appris le go. J'avais quatre ans, il en avait le double.

Les longues heures de méditation face au damier étaient un martyre, mais le désir de la victoire me tenait immobile.

Dix ans plus tard, Lu était considéré comme un joueur exceptionnel. À la Capitale nouvelle [1], sa main de go était si connue que l'empereur de la Mandchourie indépendante [2] le reçut à sa cour. Il ne m'a jamais remerciée de l'avoir conduit à la gloire. Je suis son ombre, son secret, son meilleur adversaire.

À vingt ans, Lu est déjà un vieillard. Des mèches blanches couvrent son front. Il se déplace à petits pas, les mains croisées, le dos voûté. Les premiers poils sont apparus sur son menton, une barbiche de centenaire.

Il y a une semaine, j'ai reçu une lettre de lui :

1. Xin Jing, capitale de la Mandchourie indépendante, aujourd'hui la ville de Chang Chun.
2. Puyi, le dernier empereur. Après la naissance de la République démocratique chinoise, en 1912, il abdiqua. En 1932, avec l'aide japonaise, il s'enfuit de Tian Jing où il était en résidence surveillée. Pour légaliser l'occupation de la Chine du Nord depuis le 18 septembre 1931, les Japonais l'ont ensuite installé sur le trône de la Mandchourie, dont ils proclamèrent l'indépendance en mars 1932.

«Je viens pour toi, ma petite cousine. J'ai pris la décision de te parler de notre avenir…»

Le reste de la lettre est un aveu illisible. Ce cousin discret a trempé son pinceau dans de l'encre fade. Les idéogrammes en cursive évoluent entre les filigranes comme des grues blanches volant dans la brume. Interminable, indéchiffrable, sa lettre, tracée sur une longue feuille de riz, me met hors de moi.

La neige qui tombe en abondance interrompt l'entraînement. Encerclés par le gel, le froid et le vent, nous passons les journées dans nos chambres à jouer aux cartes.

Il paraît qu'à la campagne, au nord de la Mandchourie, les Chinois ne se lavent jamais et se protègent du froid en s'enduisant de graisse de poisson. À la caserne, suite à nos protestations, on a dressé une baraque de bains devant laquelle soldats et officiers font la queue.

À l'intérieur de la cabane, obscurcie par les vapeurs, les murs suintent. Sur le foyer, la neige furieuse bouillonne dans une marmite géante. Chacun puise sa ration dans un seau fendillé.

Je me déshabille et me nettoie avec une serviette trempée dans le liquide trouble. Non loin de moi, un cercle s'est formé. Occupés à se frotter le dos les uns les autres, des officiers commentent les actualités. En m'approchant, je reconnais l'homme qui vient de prendre la parole : le capitaine Mori, l'un des vétérans qui ont combattu pour la Mandchourie indépendante.

Le journal de ce matin[1] annonce que le commandant

---

1. Le 12 décembre 1936, Zhang Xueliang prend Chiang Kaï Tchek en otage. Il le libère le 25 décembre et le raccompagne à Nankin où siège le Guo Min Dang,

Zhang Xueliang a pris Chiang Kaï Tchek en otage, dans la ville de Xian, où lui et son armée exilés[1] se sont réfugiés depuis six ans. En échange de sa liberté, il exige du généralissime que le Guo Min Dang se réconcilie avec le parti communiste pour la reconquête de la Mandchourie.

– Zhang Xueliang est un fils indigne et un coureur de jupons, se moque le capitaine Mori. Au lendemain du 18 Septembre, lorsque notre armée encercla la ville de Shen Yang où se trouvait son quartier général, le débauché s'est enfui sans même tenter de résister. Quant à Chiang Kaï Tchek, c'est un menteur professionnel. Il ne tiendra pas sa promesse. Il embrassera les communistes pour mieux les étrangler.

– Aucune armée chinoise ne peut nous défier, lance un officier qui se fait frotter énergiquement le dos par son ordonnance. La guerre civile a ruiné la Chine. Un jour, nous annexerons l'ensemble de son territoire comme nous l'avons fait avec la Corée[2]. Vous verrez, notre armée descendra le long du chemin de fer qui relie la Chine du Sud au Nord. En trois jours, nous prendrons Pékin, six jours après, nous paraderons dans les rues de Nankin, huit jours plus tard, nous coucherons à Hong Kong qui nous ouvrira la porte de l'Asie du Sud-Est.

Leur bavardage confirme les rumeurs qui courent déjà au Japon au sein de notre infanterie. Malgré la réticence de notre gouvernement, la conquête de la Chine devient chaque jour plus inévitable.

---

parti démocratique populaire chinois. À la descente de l'avion, Chiang déchire leur accord et fait incarcérer Zhang pour une cinquantaine d'années.
1. Le 18 septembre 1931, l'armée japonaise défait les troupes de Zhang Xueliang et prend le contrôle de la Mandchourie.
2. De 1905 à 1910, le Japon réussit à évincer les forces russes et chinoises de Corée, puis colonise la péninsule en imposant sa langue et une politique d'assimilation culturelle.

Ce soir-là, je m'endors, détendu et heureux d'être propre.

Le bruissement des tissus me tire du sommeil. Je suis couché dans ma chambre et, dans la pièce voisine, Père est assis, enveloppé dans son yukata de coton bleu foncé. Mère marche. Le bas de son kimono gris-violet s'ouvre et se ferme sur un kimono de dessous rose pâle. Son visage est celui d'une jeune femme. Autour de ses yeux en amande, il n'y a pas une ride. Elle répand une odeur printanière. C'est le parfum que Père a fait venir de Paris !

Soudain, je me souviens qu'elle n'a plus touché ce flacon de parfum depuis le décès de Père.

Mon rêve disparaît, seules demeurent la douleur et la nostalgie.

Cousin Lu se voûte. Il imite l'allure d'un homme blasé. Sur son visage émacié, ses prunelles, d'une profondeur inquiétante, me traquent. Lorsque je lui demande en le fixant :

– Qu'as-tu, cousin Lu ?

Il se tait.

Je l'invite à jouer au go. Il pâlit et se tortille sur sa chaise. Ses pions trahissent l'instabilité de ses humeurs. Sur le damier, le terrain qu'il occupe est ou trop étroit ou trop vaste. Son génie se réduit à des figures étranges et peu efficaces. Je devine qu'il a encore lu des traités de go anciens, fournis par son voisin l'antiquaire, un faussaire de premier ordre. Je me demande même si, à force de lire ces manuscrits auxquels on attribue des origines divines, remplis de mystères tadistes, d'anecdotes tragiques, mon cousin ne va pas finir comme ces joueurs d'antan gagnés par la folie.

– Mon cousin, lui dis-je quand, au lieu de réfléchir sur ses pions, il rêve en regardant ma tresse, tu es devenu bizarre. Pourquoi ?

Lu rougit brusquement comme si j'avais percé son secret. Il toussote et prend la mine d'un vieillard gâteux. À bout de patience, je me moque de lui :

– Qu'as-tu découvert dans tes livres, mon cousin ? L'immortalité, peut-être ? Tu ressembles de plus en plus à ces alchimistes chevrotants qui détiennent le secret du cinabre pourpre.

Il ne m'écoute pas. Son regard se détourne du mien et se pose sur sa dernière lettre que j'ai laissée traîner sur la table.

Le garçon attendait depuis son arrivée ma réponse à ses interrogations illisibles. J'étais décidée à ne pas souffler mot.

Il rentre à la Capitale, grippé et abattu. Je l'accompagne à la gare. En voyant le train s'éloigner dans un tourbillon de neige, j'éprouve un étrange soulagement.

Enfin, ma première mission !

Notre détachement a reçu l'ordre de traquer une troupe terroriste qui défie notre autorité sur le sol mandchou. Déguisée en soldats japonais, elle a attaqué une réserve militaire pour s'emparer des armes et des munitions.

Durant quatre jours, nous longeons une rivière figée par la glace. Le vent s'oppose à notre marche. La neige tombée m'enlace les genoux. Malgré mon manteau neuf, le froid, plus tranchant qu'un sabre, me transperce. Je ne sens plus mes pieds ni mes mains. La marche me vide de toute pensée. Chargé comme un bœuf, tête enfoncée dans le col de mon uniforme, je rumine l'espoir de me réchauffer devant un feu de camp.

Au pied d'une colline, des coups de feu éclatent. Devant moi, plusieurs soldats tombent, foudroyés. Je me jette au sol. Nous sommes piégés ! Siégeant sur les hauteurs, l'ennemi nous mitraille sans que nous puissions répliquer. Une douleur aiguë me tord le ventre. Je suis blessé ! Je meurs. D'une main, je tâte. Aucune blessure : simple crampe provoquée par la peur. Cette découverte me couvre de honte. Je relève la tête et essuie la neige qui me colle aux yeux : nos soldats expérimentés se sont précipités sur la rivière gelée. À l'abri de la berge, ils ripostent. D'un bond, je me redresse et me mets à courir. Mille fois j'aurais pu être touché, mais à la guerre, la vie et la mort dépendent d'un mystérieux tirage au sort.

Nos mitrailleuses ouvrent le feu. Couverts par leurs tirs puissants, nous donnons l'assaut. Pour réparer ma lâcheté de tout à l'heure, je m'élance à la tête de la troupe en brandissant mon sabre.

Élevé dans un univers d'honneur, n'ayant connu ni crime, ni misère, ni trahison, je goûte pour la première fois la haine : un sentiment sublime, soif de justice et de vengeance.

Le ciel chargé de neige menace de s'écrouler. Des rochers géants abritent les bandits, mais la fumée qui s'élève des armes trahit leur position. Je lance deux grenades. Elles explosent. Des jambes, des bras, des lambeaux de chair jaillissent d'un tourbillon de neige et de flammes. Ce spectacle infernal me réjouit. Je pousse un hurlement. D'un bond, je sabre un survivant qui me visait. Sa tête roule dans la neige.

Enfin je peux regarder en face mes ancêtres. En me transmettant leur lame, ils m'ont légué leur courage. Je n'ai pas terni leur nom.

La bataille nous plonge dans un état second. Excités par la vue du sang, nous fouettons des captifs pour les faire craquer. Mais les Chinois, plus durs que le roc, ne bronchent pas. Lassés de ce jeu, nous les abattons. Deux balles dans la tête.

La nuit tombe. Craignant un nouveau piège, nous décidons de camper sur place. Nos blessés gémissent. Des râles se répondent puis se taisent. Le froid givre leurs lèvres, ils ne survivront pas.

Nous rassemblons les corps de nos soldats. La terre est si dure que nous ne parvenons même pas à creuser une fosse. Demain, les animaux affamés nettoieront le terrain.

Nous mettons sur nous tout ce que nous pouvons trouver : vêtements des morts, couvertures abandonnées, branches d'arbres, neige. Serrés comme des moutons, nous veillons.

Je m'endors après avoir longuement savouré la volupté mélancolique du vainqueur. Des bruits sourds me réveillent en sursaut. Les loups, las d'attendre notre retraite, se sont déjà jetés sur les cadavres.

Cousin Lu revient pour le Nouvel An.

À la foire du Temple du Cheval Blanc, égarés dans la foule, ayant perdu nos amis, nous nous retrouvons seuls. Il me supplie de marcher moins vite et me prend la main. Je la retire avec dégoût. Pressée de rejoindre les autres, je cours. Il me suit comme une ombre et m'exhorte à m'arrêter. Ma colère éclate. J'ordonne que nous retournions immédiatement à la maison. Il fait semblant de ne pas entendre. Devant un pavillon, sous le toit incliné où pendent des stalactites de glace, il me barre le chemin.

Ses yeux brillent, ses joues gelées par le froid sont deux morceaux de tissu pourpre, découpés et collés sur son visage blême. Entre ses sourcils et sa toque de renard scintille une épaisse couche de givre. Son expression douloureuse me répugne. Je m'enfuis. Il se lance à ma poursuite et me propose d'aller admirer les lanternes sculptées dans la glace.

J'accélère le pas.

Derrière moi, marchant à grandes enjambées, Lu me supplie de l'écouter. Sa voix tremble, bientôt secouée de sanglots.

Je me bouche les oreilles. Mais sa voix affaiblie continue de me hanter.

– Que penses-tu de ma lettre ? me crie-t-il.

Je m'arrête, furieuse.

Intimidé, il n'ose avancer.

– L'as-tu lue ? insiste-t-il.

Je ris méchamment.

– Je l'ai déchirée.

Je lui tourne le dos. Il se jette sur moi et m'étouffe dans ses bras :

– Écoute-moi !

Je le repousse.

– Cousin Lu, jouons une partie de go. Si tu gagnes, j'accepte toutes tes propositions. Si tu perds, nous ne nous verrons plus.

Les terroristes nous filent sans cesse entre les doigts et nous avons fêté le Nouvel An en compagnie des loups et des renards.

La neige d'aujourd'hui recouvre celle d'hier. Nous pourchassons l'ennemi jusqu'à ce qu'il ait épuisé vivres et munitions.

Comment décrire la sévérité de l'hiver de la Chine du Nord? Ici, le vent hurle et les arbres rompent sous le poids de la glace. Les sapins ressemblent à ces stèles mortuaires barbouillées de peinture noire et blanche. Parfois, un cerf ou une biche mouchetée apparaissent furtivement. Ils nous regardent, stupéfaits, puis détalent.

Nous marchons. Au bout d'une heure, l'effort est tel que nous étouffons de chaleur. Nous prenons à peine le temps de souffler, le froid s'engouffre dans nos manteaux et congèle nos membres.

L'ennemi, rusé et familier du terrain, nous attaque par surprise puis se retire. Malgré nos pertes, nous continuons à persévérer dans ce concours d'endurance.

Celui qui résistera à l'épuisement sortira vainqueur de cette chasse.

La partie commence à l'aube, dans un coin du salon, avant le lever du jour. Lu n'a pas dormi de la nuit. Les yeux injectés de sang, les cheveux en désordre, il avale tasse de thé sur tasse de thé pour se tenir éveillé, et pousse de gros soupirs. Ce matin, après deux jours de visite de vœux en ville, mes parents, vêtus du costume traditionnel, reçoivent. Enfermés dans ma chambre, nous fuyons en vain le tumulte des salutations. Sans arrêt, on vient nous chercher. Pour les uns, il faut se mettre à genoux et clamer la bonne année, la bonne fortune. Pour les autres, une courbette brève fait l'affaire. Les adultes sont toujours avides de compliments. Flattés, ils nous glissent de l'argent dans des enveloppes rouges et disent invariablement : «Les enfants, allez vous acheter des bonbons.»

Retourné au damier, méprisant, Lu jette ses enveloppes sur une table. Pour l'énerver, je décachette les miennes et compte les billets en faisant des commentaires.

– Arrête, me dit-il. Tu n'es plus une gamine.

Je lui réponds par une grimace.

– Tu vas avoir seize ans, murmure-t-il, exaspéré. C'est l'âge où les femmes se marient et deviennent mères.

– Et alors, tu comptes m'épouser ?

J'éclate de rire.

Lu devient sombre.

À midi, tambours, trompettes et pétards font trembler la terre. À travers les fenêtres, par-delà le mur, j'aperçois danseurs et danseuses vêtus de rouge, hissés sur de hautes échasses, évoluer dans le ciel, entre les arbres.

Lu se bouche les oreilles. Cette musique populaire, au lieu de me perturber, aiguise ma concentration. La lumière d'hiver, colorée par la gaieté de la rue, joue sur le damier. Les fêtes m'isolent du reste du monde. Ma solitude ressemble à un rouleau de soie cramoisi enfermé au fond d'un coffre de bois.

Après le déjeuner, mon cousin se perd dans de vagues méditations. Il essuie quelques larmes égarées au coin de ses yeux. Ne pouvant plus jouer l'idiote, je me tais. Un silence, pareil à un plat de nouilles froides et sans sel, se répand sur le damier.

Troublé, mon cousin appuie sa tête sur sa main et ne cesse de soupirer. Il commet une erreur vers les dix-neuf heures. Dans la soirée, sans attendre la fin de notre partie, je lui fais remarquer qu'il a déjà perdu, qu'il faut tenir notre pari.

Il repousse sa chaise et se lève.

Le lendemain matin, on m'informe de son départ. Son train est à neuf heures. J'ai le temps de le rattraper. À la gare, il attend que je lui exprime des remords. Il peut toujours espérer. Je n'irai pas le supplier. Cela encouragerait sa bêtise. Il m'a offensée, il doit se soumettre à la pénitence. Plus tard, je lui écrirai, je le rappellerai à moi lorsque ses désirs impurs auront cédé la place à l'humilité du vaincu.

Notre section encercle un village enseveli sous la neige. Avertis de notre arrivée, les femmes, les enfants, les hommes se sont enfuis. Seuls demeurent quelques vieillards blottis dans des chaumières que les maigres décorations du Nouvel An rendent plus misérables encore.

Nous les rassemblons au milieu du village. À peine vêtus, ils dissimulent leurs corps squelettiques dans des couvertures rapiécées et leurs regards niais sous leurs toques. Ils tremblent, gémissent, cherchent à éveiller notre pitié. J'ai beau tenter de parler avec eux en mandarin, ils ne comprennent rien et me répondent dans un dialecte inintelligible. Exaspéré, je les menace de mon pistolet. Soudain, trois d'entre eux se jettent à mes pieds, s'agrippent à mes jambes et clament leur innocence dans un mandarin parfait. Dégoûté, je tente de me dégager de leur étreinte à coups de crosse. Mais ils m'enlacent plus fort et frappent mon bas-ventre de leurs têtes.

Mon embarras provoque l'hilarité des soldats. Je m'adresse à l'un d'entre eux :

– Imbécile, viens m'aider.

Son rire se change en grimace. D'un geste preste, il

détache le fusil de son épaule et enfonce la baïonnette dans la jambe d'un des vieillards.

Hurlant de douleur, le blessé roule à terre. Ses deux compagnons, terrifiés, tombent à la renverse. Revenu de mon premier choc, je crie au soldat :

– Connard, tu aurais pu me blesser.

Un nouveau fou rire secoue les spectateurs.

La cruauté de nos militaires puise sa source dans la dureté de notre éducation. Gifles, coups de poing, insultes sont les réprimandes quotidiennes réservées aux enfants. Dans l'armée, pour cultiver la soumission et l'humilité, les officiers frappent les gradés inférieurs et les soldats jusqu'au sang, ou taillent leurs joues avec une règle en bambou aiguisée à cet effet.

Torturer des innocents me répugne. J'ai pitié de ces paysans chinois qui vivent dans l'ignorance, la pauvreté et la saleté. Pacifiques, ils obéissent indifféremment à un empereur mandchou, à un seigneur de guerre chinois ou à l'empereur du Japon, pourvu que leur ventre soit chaque jour rempli.

J'ordonne à mes soldats de panser le blessé et de ramener les vieillards chez eux. Nous fouillons leur maison et nous emparons de leurs réserves jusqu'au dernier grain de farine. Je promets de tout restituer s'ils nous indiquent la cachette des terroristes.

Le lendemain, avant l'aube, quelqu'un vient nous réveiller.

La faim lui a délié la langue. Nous n'attendons pas le lever du jour pour nous élancer dans la tempête de neige.

Dix jours plus tard, je reçois une lettre de Lu. Il me dit qu'il a obtenu un passeport pour les terres intérieures[1], et qu'au moment où je le lirai, il sera parti pour Pékin.

En déchiffrant ses mots, j'éprouve un étrange chagrin. Je me rends place des Mille Vents où les joueurs de go, imperturbables, s'adonnent à leur passion.

Petite fille, je suivais mon cousin partout où il jouait. Une fois, dévoré par la fièvre, il tomba évanoui sur le damier. Je gagnai le tournoi à sa place. Cette victoire fit de moi l'unique femme admise dans le cercle fermé des amateurs.

Les années ont passé et je contemple avec angoisse le crépuscule de mon enfance qui se couche pour ne plus se lever.

Lu ne m'a pas comprise. Il désire que je le rejoigne dans le monde des adultes, sans savoir que ce monde-là, triste et vaniteux, m'effraie.

1. Comme la Mandchourie est souvent nommée «le pays à l'extérieur de la Grande Muraille», on appelle aussi la partie intérieure de la Grande Muraille «les terres intérieures». Dès 1932, lors de l'indépendance de la Mandchourie, les Japonais ont instauré un système de passeports afin de mieux contrôler la circulation entre la zone sous leur influence et le reste de la Chine.

Un nouvel ordre nous parvient. Pour empêcher les terroristes de se ravitailler, nous devons incendier les greniers dans tous les villages.

Après le saccage, le hameau est lugubre comme un tombeau. Le hurlement du vent se mêle aux pleurs des paysans, prostrés devant les bûchers de flammes ocre et de fumée noire.

Depuis trois mois, la forêt enneigée nous isole du monde extérieur. La violence ne cesse de croître parmi mes soldats qui se soûlent et se chamaillent. Le blanc, le gris, les reflets, les marches interminables nous conduisent doucement vers la démence. Avant-hier, un caporal s'est dévêtu et s'est enfui. On l'a retrouvé évanoui dans un ravin. Nous sommes obligés de l'attacher et de le traîner, une corde autour du cou. Bercé par ses imprécations et ses rires stridents, je constate que les mêmes idées me reviennent et tournent dans mon esprit comme un refrain.

En attendant que la folie nous dévore, nous devons continuer d'avancer, dans la neige, vers la neige.

Au collège des filles, je m'ennuie.

L'éducation nationale forme des précieuses ridicules, et mes compagnes seront un jour de parfaites femmes du monde. Huong, la plus jolie d'entre elles, a des sourcils épilés si soigneusement qu'ils forment au-dessus de ses yeux deux croissants de lune. Elle les fronce, les plisse, les détend. Sa joie feinte, ses rires maniérés, ne sauraient cacher le mal-être de la puberté.

Zhou, la plus laide, possède pourtant la plus longue chevelure de la classe. L'ingratitude de son visage lui permet de s'exprimer avec mépris et aigreur. C'est là son charme. On dit que sa mère, nièce d'un maréchal, forte comme un lutteur mongol, a su imposer à la Capitale l'autorité de son poids.

Entre deux leçons, les filles parlent des stars de cinéma, de robes, de bijoux, du mariage, des liaisons secrètes de l'Impératrice. Personne ne lit la nouvelle littérature et ses critiques vénéneuses d'une société pourrie; personne n'évoque l'actualité politique de jour en jour plus affligeante. D'une main à l'autre, passent des romans d'amour qui tirent des larmes faciles. La Mandchourie indépendante nous isole du reste de la Chine. C'est une usine de douceur où les vers à soie tissent leurs cocons délicats avant d'expirer dans un bain bouillant.

Après la classe, je me rends sur la place des Mille Vents. Le jeu de go me propulse vers un univers de mouvement. Les figures sans cesse renouvelées me font oublier la platitude du quotidien.

À l'école, les filles me surnomment l'étrangère. Elles considèrent ma passion pour le go comme une folie exotique. Les joueurs, eux, préfèrent l'indulgence qui les honore et tolèrent l'extravagance d'une gamine.

Il y a vingt ans, après son mariage, Père convainquit Grand-père de l'envoyer étudier en Angleterre. Un an plus tard, à son retour, Père, occidentalisé, défia la tradition. Il confia ma sœur Perle de Lune aux soins de sa mère et entraîna son épouse dans ses tribulations vers l'ouest. Le scandale se répandit à Pékin où vivaient les deux familles. Grand-Père maternel, un dignitaire retiré de la Cour, rompit avec Grand-Père paternel, qui y occupait encore une fonction honorable. Je suis née dans la brume londonienne. Le mal de cette naissance déplacée se manifesta aussitôt dans les caprices de mon âme dérangée. De cette prime enfance, il ne me reste, hélas, aucun souvenir. Après l'effondrement de l'Empire, les deux vieillards se réconcilièrent, unis par leur haine des républicains. Ils moururent presque en même temps. Revenus pour porter le deuil, mes parents obéirent à l'ordre de ma grand-mère et nous quittâmes Pékin pour cette ville où mes ancêtres avaient bâti leur demeure de chasse.

Grand-Mère, qui rêvait de la paix, mourut au lendemain de la guerre du 18 septembre 1931. Cinq jours après leur défaite, les soldats chinois se réfugièrent dans notre ville. Ils brisèrent notre porte, occupèrent la maison et y installèrent leurs blessés.

Les Japonais nous assiégèrent. Le pilonnage dura trois jours. Une bombe s'abattit sur notre maison et une grande partie de nos meubles précieux alimentèrent le feu de joie. L'armée chinoise capitula. On ne revit plus ses soldats. Les rumeurs disent que trois mille hommes furent fusillés à l'extérieur de la ville.

Après le décès de Grand-Mère, notre vie reprit lentement son cours. Les Japonais installèrent un nouveau maire. Les barricades disparurent. Des drapeaux ennemis flottèrent sur les toits. Des magasins nippons s'ouvrirent et, dans les restaurants, la portière traditionnelle en coton blanc céda la place aux tissus imprimés de lettres japonaises. Des groupes de Nippones au haut chignon laqué se promenaient dans les rues. Contraintes par l'étroitesse de leur kimono, elles marchaient à petits pas en claquant leurs socques sur nos pavés.

Il nous fallut construire une nouvelle maison. L'inflation nous avait appauvris. Mère renvoya ses femmes de chambre et ne garda que la cuisinière et une femme de ménage. L'aristocratie ruinée fut remplacée par de nouveaux riches qui apportèrent à la ville une gaieté pompeuse. Des hôtels, des magasins de luxe, des restaurants élégants s'ouvrirent. Jamais nos avenues n'avaient été aussi prospères.

Mes parents trouvèrent chacun un moyen de fuir la réalité. Père s'acharna à rédiger une anthologie de la poésie anglaise. Mère s'occupa à recopier son manuscrit, calligraphiant soigneusement ses mots trop rapides.

Mère a scellé ses souvenirs d'outre-mer dans un coffre. Je profite de son absence pour en voler la clé cachée dans un vase. Des photos, des vêtements, des lettres, des tissus imprimés aux dessins extraordinaires exhalent une odeur envoûtante. Ni musc, ni cèdre, ni santal, ni fleurs de nos jardins, arbres de nos villes, ce parfum me plonge dans un autre monde.

Rêver accroît ma mélancolie.

Enfin! Après un mois de traque acharnée dans les montagnes, nous avons piégé les terroristes. Encerclés au bord d'un précipice, ils ne pourront s'enfuir qu'à tire-d'aile.

Il y a longtemps que nous avons consommé l'essentiel des provisions. Dans l'attente de ravitaillement, nous avons partagé les vivres. Chacun peut désormais compter sur les doigts d'une seule main les biscuits distribués, qu'il avalera avec de la neige.

Hier à midi, nos munitions épuisées, nous prîmes la décision de foncer sur les Chinois, baïonnette au canon.

Ce matin, un calme étrange règne sur la montagne. Pas un souffle de vent. De ce silence, se détache le cri des faisans. Je rédige mon testament. Les mots d'adieu apaisent mes nerfs.

Lentement, je tire le sabre de son fourreau. Avec mon mouchoir, j'en essuie le tranchant. Jamais cet acier forgé au début du XVIe siècle ne m'a paru aussi étincelant. Jadis au service de mes ancêtres, il a fauché d'innombrables têtes. Il est aujourd'hui le miroir reflétant la pureté menaçante de la mort.

Soudain, le son du clairon. D'un saut, je m'élance hors de

la tranchée et me précipite vers l'ennemi en poussant des cris de guerre. Au sommet de la montagne, rien ne bouge. Pas une ombre, pas un homme. Les terroristes se sont envolés ! Au bord du précipice, un soldat nous fait signe. Une centaine de mètres plus bas, des cadavres parsèment le blanc de la neige. Avant de se précipiter dans l'abîme, les bandits ont balancé leurs armes, leurs morts et leurs blessés. Je comprends alors pourquoi, hier, vers midi, après un violent échange de coups de feu, leurs fusils se sont tus.

Les munitions des deux camps s'étaient épuisées en même temps, chacun ignorant la pénurie de l'autre. Nous étions tous au bord de l'effondrement.

Les Japonais avaient choisi d'être glorieux dans l'action et les Chinois dans la mort. La grandeur pathétique de leur suicide collectif est entachée d'une triste ironie. Se tuer trop tôt est une capitulation honteuse. La civilisation chinoise, plusieurs fois millénaire, a nourri un nombre infini de philosophes, de penseurs, de poètes. Mais nul d'entre eux n'a compris l'énergie irremplaçable de la mort.

Seule notre civilisation, plus modeste, est allée à la rencontre de l'essentiel : agir, c'est mourir ; mourir, c'est agir.

Coutume importée d'Occident, le Nouvel An ouvre la saison des bals.

Ma sœur me revêt d'une de ses robes européennes. Après m'avoir tracé une raie sur le côté, elle barbouille mes cheveux de cire. Puis, elle ouvre sa boîte de maquillage. En une heure, je ne me reconnais plus. Mon visage est blanc comme un linge trop savonné. Mes paupières sont plus sombres que les ailes d'un papillon de nuit. Le frissonnement des faux cils me donne un air larmoyant.

Sur la place de la mairie, les guirlandes rivalisent avec les étoiles. Calèches, voitures glissent sur la neige, puis crachent des gentilshommes jouant avec leurs cannes à pommeau d'or, des femmes en fourrure, cheveux frisés, cigarette au bout d'un filtre d'ivoire glissé nonchalamment entre les lèvres.

Un bois de sapins sépare l'hôtel Impérial du reste du monde. Un sentier balayé en début de soirée zigzague entre ombres et flammes tremblantes des torches. La neige luit sur la cime des arbres. La silhouette des garçons d'hôtel, couverts d'une cape rouge, se profile sur la clarté glacée des vitres.

Une porte à tambour me projette dans une salle immense. Des colonnes de laque rouge s'élancent vers une coupole à laquelle sont suspendus des lustres de cristal, pareils à des bouquets de feux d'artifice. Sur les murs, ondulent des montagnes, des forêts et des mers; le soleil contemple la lune tandis que des grues prennent leur envol vers les nuages.

Ma sœur me traîne à une table où elle commande pour moi un café au lait, boisson à la mode qu'on consomme dans ce genre d'endroit. L'orchestre accompagne une chanteuse vêtue d'une robe rutilante de paillettes. Son corps se meut comme un serpent sous le charme. De sa gorge laiteuse s'échappe une voix plaintive.

Bientôt mon beau-frère invite ma sœur, et le couple s'élance sur la piste de danse. Yeux dans les yeux, mains dans les mains, beaux et élégants, ils avancent, reculent, tournent et virevoltent. La musique accélère. Souriante, rougissante, ma sœur se laisse emporter par le tourbillon. La valse se termine au milieu des applaudissements. Mon beau-frère l'embrasse tendrement sur l'épaule. Mon cœur se serre. Qui pourrait deviner qu'il la fait tant souffrir?

Mon regard balaie les tables et rencontre Huong qui m'observe depuis un moment. Ma camarade de classe me salue d'un signe de tête. J'aurais voulu disparaître sous terre pour cacher mon horrible maquillage. Que va-t-elle raconter demain? Je serai la risée de tous.

Au comble de mon embarras, elle me fait signe de venir à sa table. Je me lève lentement. En m'approchant d'elle, je distingue les fards épais étalés sur ses joues. Elle porte une robe qui laisse son dos entièrement nu. Cette extravagance me rassure. Je ne suis pas la seule à être une caricature.

Un homme me cède sa place et va chercher une chaise.

Huong me présente à ses amis qui me paraissent bien âgés. Elle me parle avec chaleur. Pour la première fois, je trouve gracieuses ses expressions recherchées. L'animosité disparue, je lui confesse mon hostilité envers cette société hypocrite et compassée.

Elle me regarde longuement et me tend son verre.

– Il faut boire. Sinon, tu seras toujours une étrangère.

Le champagne pétille dans ma gorge et me fait tousser. La gaieté me gagne. Encouragée par Huong, j'ose lever les yeux et affronter les regards masculins. Un homme m'invite à danser. Dans ses bras, je marche comme une ourse. Je reviens vers Huong qui me communique son fou rire. Cette fille que je n'aimais pas devient tout à coup ma complice.

À la sortie de l'hôtel, encore ivre, j'insiste pour qu'on rejoigne la voiture à pied. Ma sœur me gronde mais bientôt l'idée lui plaît. Il faut que je me dégrise avant d'arriver à la maison.

Une ombre se détache de la profondeur du bois. Un cadavre nu, les bras sur le ventre, dévisage le ciel.

L'été dernier, l'Union des Résistances s'est attaquée aux convois ennemis. Les Japonais ont alors brûlé les champs qui longent le chemin de fer. Depuis, des hordes de paysans ruinés errent dans notre ville pour mendier quelques grains de riz. Le malheureux est l'un d'entre eux, sans doute mort de faim. Les cadavres ne peuvent pas se défendre. Les autres mendiants l'auront dépouillé de tous ses vêtements.

Quelle joie de recevoir mes premières lettres ! Vénérable Mère me raconte en détail le déroulement de la fête du Nouvel An. J'apprends de Petite Sœur un fait qu'elle a préféré taire. Depuis mon départ, Mère se rend tous les jours au temple où elle prie des heures durant. Quant à Petite Sœur, elle a rêvé que Bouddha m'avait pris sous sa protection.

La lettre de Petit Frère est elliptique. Comme toujours, ce docteur en lettres classiques économise ses mots et ses émotions. Il concède que, à notre époque, la patrie a davantage besoin de soldats que d'écrivains.

En lisant ces lignes, j'ai les larmes aux yeux. Son message est clair, il me demande pardon de m'avoir si longtemps mal compris.

Adolescent, après le décès de Père, j'éprouvais pour mon frère un amour si angoissé que j'avais décidé d'entretenir avec lui une relation intense, pareille à celle qui lie le fils au père, l'athlète à son entraîneur, le soldat à son officier. Pour le hisser à la hauteur de mes exigences, je lui imposais l'apprentissage des jeux auxquels j'excellais. Petit Frère faisait semblant de m'obéir et guettait patiemment l'occasion de se révolter.

Le jour arriva. La nature veut qu'à un moment précis de

la vie, les aînés perdent leur supériorité sur les cadets. À seize ans, la taille de Petit Frère avait atteint la mienne. Il était devenu un jeune homme aux muscles saillants, à l'ossature solide. Un jour, au club de kendo, il me défia solennellement. En un rien de temps, je reçus un coup de sabre de bois en plein milieu du masque. Sa frappe fut si puissante que je vacillai. Lorsque je retrouvai mon équilibre, le vainqueur s'inclina et me remercia d'avoir accepté le combat. Il enleva son masque. Son visage luisant de sueur exprimait une secrète jouissance. Après m'avoir salué respectueusement, il sortit du dojo en habit de combat.

Plus tard, le garçon souhaita devenir écrivain et entra à l'université de Tokyo. Depuis ce jour, nos chemins ont divergé. À la faculté, à force de fréquenter les étudiants de gauche, il devint agressif et méprisant. Influencé par les auteurs anarchistes, il prit une attitude hostile vis-à-vis des militaires. Les accusant d'ingérence dans les affaires du gouvernement, il les qualifiait d'assassins de la liberté.

Je n'avais plus le temps ni la patience de corriger mon frère. D'ailleurs, il désertait la maison quand je m'y trouvais. Pour moi, Petit Frère était perdu, happé par la puissante vague rouge.

Pourquoi ce revirement? S'est-il disputé avec ses amis? Qui lui a révélé la vanité du marxisme et le ridicule de leur utopie?

Je lui réponds par une lettre aussi brève que la sienne :

«Mon frère, après ma première bataille, je n'idolâtre plus que le soleil. Cet astre représente la constance de la mort. Méfie-toi de la lune, miroir de ce monde de beauté. Elle croît, décroît, traîtresse et éphémère. Nous mourrons tous un jour. Seule la nation subsistera. Des milliers de générations de patriotes formeront la grandeur éternelle du Japon.»

À mon âge, une amitié en efface une autre, s'embrase, s'éteint, jamais constante, toujours ardente.

En invitant Huong à dîner chez moi, je lui dévoile mon univers. Habillée d'une robe chinoise bleue et ouatée, les cheveux noués en deux tresses, la collégienne sage et tranquille séduit mes parents. Après le repas, je lui offre du thé et lui ouvre la porte de ma chambre. Elle franchit le seuil avec la timidité de celle qui s'introduit dans un rêve.

Pour lui montrer la magie de cette pièce ancienne, une des seules à avoir échappé au bombardement, j'éteins les lampes et allume les bougies. Des rouleaux de calligraphie et de peinture surgissent de l'obscurité pour se mêler lentement aux fresques colorées des quatre murs. Une étagère remplie de livres impose sa majesté. Sur ma table laquée, des oiseaux peints s'ébattent dans le feuillage. Deux pots de pions de go trônent sur le haut d'une armoire sculptée et veillent sur mes nuits. Huong s'empare d'un manuel de go et le feuillette. Elle prend une des longues épingles à chignon en argent ciselé plaqué de plumes que je collectionne. Du bout du doigt, elle joue avec les perles. Un long moment de silence s'écoule.

Assise au bord du lit, elle m'ouvre son cœur.

Née à la campagne, elle perdit sa mère à l'âge de huit ans. Son père se remaria et s'écrasa devant la corpulence de sa nouvelle femme qui, tous les matins, une pipe à la bouche, allait diriger les travaux des champs. La belle-mère la détestait. Bientôt la naissance de ses demi-frères jumeaux détourna l'affection de son père. Elle n'était plus qu'une souillon. En grandissant, les garçons prirent goût à la faire souffrir. Ils la tourmentaient comme deux jeunes chats jouant avec un moineau blessé. Elle se faisait insulter par la belle-mère qui possédait l'éloquence des injures. Exilée dans une chambre de bonne, la nuit, elle comptait les gouttes de pluie qui tombaient sur le toit. Infinies, elles étaient pareilles à ses peines.

À douze ans, on l'envoya au collège. La belle-mère fut débarrassée de l'épine de ses yeux et Huong découvrit la liberté.

Ardente et déterminée, elle se défit de son accent et se transforma en jeune fille de la ville. En peu de temps, elle comprit les mécanismes qui font tourner les citadins et les mit à son service. Grâce à quelques pièces glissées dans la poche de la gardienne de la pension, deux, trois bouteilles de vin à la fin de l'année, elle obtint la permission de sortir à son gré. Partageant sa chambre avec des filles plus âgées, elle s'initia au champagne, au chocolat et à la valse. En les imitant, elle apprit à se maquiller, tricher avec son âge et se faire inviter au bal. Des hommes venaient la chercher en voiture, lui murmuraient des mots tendres et la complimentaient sur sa beauté.

Depuis, les vacances sont un supplice. Là-bas, la maison est humide, sombre, l'odeur des bêtes de trait vous donne la nausée. Le père crache par terre, la belle-mère glapit. Les deux frères, au lieu de s'asseoir à table, s'accroupissent sur les chaises pour mieux bâfrer.

La nuit avance et j'offre mon lit à Huong. Elle se blottit au fond, contre le mur. Elle me parle jusqu'à ce que ses mots deviennent confus et que sa voix faiblisse.

Longtemps je ne trouve pas le sommeil. Mon amie a dix-sept ans. Son père lui cherche un fiancé. Ce sera la fin d'une fête qui aura duré trois ans. Rencontrera-t-elle un jour un homme capable de changer son destin?

Il y a des jours où, animé d'une volonté fraîche, je regarde la mort en face avec joie et tranquillité. Guidé par l'appel de mon pays, j'exécute le destin d'un soldat impérial les yeux fermés. Or, le chemin d'un héros n'est pas aussi droit qu'on l'imagine. Il serpente dans la montagne abrupte du sacrifice.

Ce matin, je me réveille couché sur le ventre contre une terre asséchée par le soleil. Montant de la profondeur du sol, la chaleur me fait somnoler. Je mets longtemps à ouvrir des yeux encore lourds de sommeil pour apercevoir une stèle dressée à quelques centimètres de mon visage. Je me suis couché sur la tombe de ma mère.

J'étouffe un cri de détresse et me réveille cette fois-ci pour de vrai. Le soleil d'hiver n'est pas encore levé. La chambre réquisitionnée chez les paysans ressemble à un caveau. Dans les ténèbres, mes soldats ronflent. Qui pourrait me donner la clé de mon songe ? Comment savoir si ce rêve n'était pas prémonitoire ? Serait-il un message que m'adresse Mère avant de quitter ce monde ? Qui pourrait me le dire, ici et maintenant, à des milliers de kilomètres de Tokyo, Mère est-elle vivante et en bonne santé ?

Depuis des années, j'ai tant pensé à ma mort qu'elle est devenue aussi légère qu'une plume. Ne m'étant jamais préparé à la disparition de ma mère, je ne saurais en supporter le poids.

On ne peut pas réconcilier la patrie et la famille. Un soldat est celui qui assassine le bonheur des siens. Si mon existence a été utile, la nation le doit à l'abnégation d'une femme.

Dans le noir, en tâtonnant, je trouve un papier et un bout de crayon. Sans pouvoir distinguer ce que j'écris, je rédige une courte lettre dans laquelle j'exprime à Mère mes regrets. Je l'ai si longtemps négligée !

Je la glisse, pliée en quatre, sous mon oreiller. Combien de jours faudra-t-il encore endurer avant de reprendre contact avec le monde ?

Huong me fait une étrange confession :

– Mon père est très riche mais je suis sa mendiante. Il se met en colère lorsque je lui demande des sous et finit par jeter sur la table la moitié de la somme nécessaire.

Elle poursuit :

– J'épouserai un homme âgé qui saura me choyer.

Quelques jours plus tard, elle me laisse entendre qu'elle est éprise de quelqu'un.

– Un homme, tu comprends, est différent des garçons moustachus qui rôdent autour du collège. Il devine ta pensée, prévoit ton plaisir. À ses côtés, tu n'es plus une fille mais une déesse, une sage, une vieille âme qui a vécu toutes les époques et qu'il contemple avec la curiosité intense d'un nouveau-né.

Bien que Huong soit devenue ma meilleure amie, je ne saisis jamais tout à fait le sens de ses phrases. Son âme tortueuse se partage entre ombre et lumière. Tapageuse et discrète, sa vie est pleine de mystère malgré ses aveux. Ce lundi matin, elle arrive à l'école, agitée et épuisée. Ses nattes portent la trace d'une chevelure frisée puis défrisée. Ivre d'une joie dont elle seule connaît la cause, elle me dit :

– La meilleure preuve d'amour qu'un homme puisse donner, c'est sa patience à regarder une vierge mûrir.

Je rougis sans pouvoir ajouter un mot. Parler de ces choses intimes ne la gêne nullement. Cependant, je trouve dans ses confessions impudiques de la grandeur. Une partie du monde m'échappe. Je suis une aveugle qui ignore la beauté du soleil.

Je demande alors à Huong :

– Comment sortir des ténèbres qui nous enveloppent ?

Elle fait semblant de ne pas comprendre.

– Comment devenir une femme ?

Elle écarquille les yeux :

– Tu es folle, crie-t-elle. Le plus tard possible !

Retour au monde civilisé.

La ville de Ha Rebin se situe à l'extrême nord de la Mandchourie, point stratégique dans le conflit sino-russe. Sur le fleuve Amour, large de plusieurs kilomètres, nos navires de guerre défient la marine soviétique.

Quand le crépuscule descend sur cette ville bruyante, les coupoles des mosquées, les croix et les Vierges des églises, les toits inclinés des temples bouddhiques, se détachent sur le ciel ensanglanté. Dans cette métropole cosmopolite, Russes, Juifs, Japonais, Coréens, Chinois, Anglais, Allemands, Américains cohabitent. Chaque peuple a su reproduire son paysage et vit avec sa culture.

Hier, couché dans des bottes de paille, je dormais, bercé par les hurlements des loups et le gémissement du vent. Je buvais de la neige fondue. Je portais un uniforme troué, brûlé, trempé de sueur et de boue. Aujourd'hui, je retrouve le lit, la couverture en laine, la chambre chauffée, l'uniforme neuf. Avec quelques officiers, nous courons chez les filles. Je claque mes économies en choisissant une Japonaise.

Masayo, jeune prostituée originaire de Toyama, me sert à

boire. Son maquillage médiocre, son parfum fade, son kimono criard, sa façon gauche de tenir la bouteille de vin m'éblouissent pourtant. J'attrape sa main. Le contact avec la peau d'une femme me fait l'effet d'une décharge électrique. Je l'attire violemment et elle tombe dans mes bras. J'ouvre son kimono entrebâillé et déchire ses dessous. Deux seins blancs jaillissent.

Le rose de ses aréoles m'ôte la raison. Après des mois de solitude, je veux expirer dans un corps de femme. Je la pétris de mes mains. Je l'enfourche malgré ses plaintes. Mon sexe trouve le sien. À peine j'y entre qu'une souffrance voluptueuse me saisit et me retourne lentement.

Dans la rue, je marche avec allégresse, à la fois vidé et plein de force nouvelle. La pute vient de m'injecter la chaleur humaine que j'avais perdue.

Place de la mairie est noire de monde. Un panier au bras, je traîne Perle de Lune. Elle se plaint d'être bousculée, du prix des céréales, de la rareté du gibier. Volubile et nerveuse, elle critique tous nos achats. Exaspérée par ses gémissements continuels, j'ai hâte de m'en débarrasser.

Depuis trois ans, sa vie s'est changée en un fleuve de désespoir. Comme je regrette cette sœur de gaieté dont la noire chevelure était nouée en deux tresses attachées par des rubans couleur de feu. Elle marchait, tournait, s'asseyait pour rebondir aussitôt. Elle nous persécutait de son rire explosif.

Aujourd'hui, quelques mèches ondulées s'échappent du capuchon qu'elle porte et dansent mollement sur ses joues pâles. Ses cheveux qui ont perdu leur éclat sont à l'image de cette femme ternie.

Je la secoue par le bras :

– Enfin, divorce !

Elle me regarde en écarquillant ses beaux yeux bridés. Des larmes inondent son visage.

– Petite Sœur, il m'a aimée !… Il me jurait que je serais la seule femme de sa vie !… Je ne crois pas qu'il ait oublié son serment. C'est plus fort que lui… Hier soir, je l'ai suivi… Il est allé au théâtre avec une demi-mondaine, une dépravée qui s'est laissé caresser dans la loge…

Je ne sais que lui répondre. Les nouvelles mœurs ont condamné la polygamie, mais les hommes demeurent volages et les femmes ne sont pas affranchies de leur souffrance. Mes parents sont des personnes très éclairées. Dans une époque déchirée entre la tradition et la modernité, ils ont encouragé ma sœur à épouser l'homme de son choix. Ce mariage d'amour fut un grand malheur.

Les gens se retournent et nous jettent des coups d'œil. Perle de Lune, secouée de sanglots, ne se rend pas compte de son ridicule. Par chance, un pousse-pousse passe. Je l'arrête, installe ma sœur sur le banc et demande à l'homme de la conduire à la maison. Ivre de douleur, elle se laisse emmener.

Je continue les achats que Mère m'a chargée de faire. Tous les dimanches matin, les paysans et les chasseurs de la région sont au rendez-vous. Ils font la route la nuit et attendent l'ouverture des portes en grelottant au pied de la cité. Je termine mes courses quand le soleil approche du zénith. Ce matin, la neige a fondu et on marche dans une boue glacée. Je me dirige vers un salon de thé. Devant la porte, un fourneau a été dressé. Je m'assois devant le stand et commande un thé aux amandes et aux noisettes. Le garçon s'empresse de me servir : un filet d'eau brûlante jaillit du bec d'une bouilloire géante, ornée de dragons, pour se jeter dans un bol placé à un mètre de distance. Derrière moi, quelqu'un se met à chanter :

«Mon village se situe au creux du fleuve Amour
À l'orée d'un océan de pins
Comment pourrais-je oublier cette beauté ?

Ma mère, mes sœurs,

Comment pourrais-je les abandonner aux envahisseurs?»

Un frisson parcourt la foule. La chanson a été interdite. Celui qui ose la fredonner risque la prison. Je rencontre des regards étonnés, des visages qui pâlissent. À dix pas de moi, l'audacieux recommence, aussitôt suivi par d'autres voix. De plus en plus de monde rejoint le chœur et le chant se répand dans tout le marché.

Des policiers sifflent l'alarme. Des tirs éclatent. À cet appel, un paysan accroupi devant son panier d'œufs se lève, un pistolet à la main. Un peu plus loin, un autre tire de dessous des bottes de paille des fusils qu'il distribue. Les hommes armés remontent vers la mairie en bousculant les passants. Le stand de thé s'effondre dans un fracas assourdissant. La foule m'emporte.

Les gens pleurent, crient, délirent. On ne distingue plus ceux qui avancent pour s'attaquer aux gardes du gouvernement de ceux qui reculent pour s'enfuir. La marée humaine m'entraîne vers les grilles de la mairie où les échanges de coups de feu se font de plus en plus intenses. Je me débats. Mais les hommes excités ne s'en soucient guère. Je trébuche sur un corps et tombe. Mes mains effleurent une veste froide et mouillée. Un policier poignardé me fixe de ses yeux révulsés. Je me lève. Le coup de coude d'un paysan qui brandit son fusil me fait tomber de nouveau sur le cadavre. Je hurle.

Un jeune homme se penche et me tend la main.

Il me hisse vers lui. L'étudiant à la peau mate me sourit.

– Venez, dit-il.

Sur un signe de tête, un second étudiant apparaît. Après avoir jeté sur moi un regard hautain, il empoigne mon autre bras. À deux, ils me soutiennent et se frayent un chemin dans la masse.

Dans les rues, les combats font rage. Les deux étudiants filent, m'entraînant dans leur course. Comme s'ils connaissaient d'avance les postes de police attaqués par les rebelles, ils contournent les lieux de sang et s'arrêtent finalement à l'entrée d'une vaste propriété.

L'un d'entre eux ouvre la porte. Devant lui, un jardin abandonné où les crocus ont percé la neige. La maison, de style européen, est pourvue d'arcades en demi-lune, de fenêtres en losange.

– Nous sommes chez Jing, me dit l'étudiant à la peau mate en me montrant son ami. Je m'appelle Min.

Min m'explique que la propriétaire, une des tantes de Jing, a quitté la ville pour Nankin. Jing s'est vu confier la charge de gardien avec joie.

Sa voix jeune et grave ressemble à celle du chanteur de tout à l'heure.

– Et toi?

Je me présente et lui demande si je peux téléphoner.

Jing me dit d'un ton impatient :

– Les résistants ont sûrement coupé les lignes.

Voyant le désespoir sur mon visage, Min se propose d'essayer pour moi.

Au salon, les murs nus portent la trace des tableaux, et le plancher en bois laqué de rouge les rayures des meubles emportés. Dans la bibliothèque, des centaines de livres demeurent alignés sur les étagères tandis que d'autres ont été jetés, pêle-mêle, par terre. Sur les tables basses, des cendriers pleins, des assiettes et des tasses sales, des journaux froissés. On dirait qu'une réunion s'est tenue ici la nuit précédente.

Min ouvre une porte découvrant la chambre à coucher et un lit drapé de soie pourpre parsemée de chrysanthèmes. Il saisit le téléphone sur un guéridon, mais n'obtient pas la ligne.

– Je te raccompagnerai quand tout sera calmé, me dit-il de sa voix chaleureuse. Ici, tu es en sûreté. As-tu faim? Viens m'aider à faire la cuisine.

Pendant que Min prépare les pâtes, épluche les légumes, découpe la viande, Jing, assis sur un tabouret sous la fenêtre, prête l'oreille aux mouvements du dehors. On entend des tirs par intermittence. À chaque éclat, un sourire moqueur apparaît au coin de ses lèvres. J'ignore ce que va devenir ma ville. Je pense que ces faux paysans sont membres de l'Union des Résistances contre l'armée japonaise. Dans les journaux, on dit que ces bandits pillent, brûlent, prennent des citadins en otage et, avec la rançon, achètent des armes aux Russes. Inquiète pour la sécurité de mes parents, pour Perle de Lune égarée dans les rues sur son pousse-pousse, je m'assois, me lève, fais les cent pas, feuillette des livres, puis m'affale sur un tabouret en face de Jing.

Comme lui, je guette les rumeurs.

Seul Min paraît tranquille. Il siffle un air d'opéra.

Un délicieux parfum s'échappe de la marmite. Bientôt, Min me présente fièrement un énorme bol de nouilles au bœuf et au chou aigre-doux. Il me tend une paire de baguettes.

Je me souviens alors qu'on m'attend à la maison pour fêter mes seize ans.

À Ha Rebin, le soleil viole le regard.

Au printemps, dans un grondement perpétuel, d'énormes débris de glace se bousculent, surgissent et disparaissent dans les torrents écumeux du fleuve Amour.

Un riche marchand vient d'installer au centre de la ville un stand de loterie. Sur un plateau surélevé, on donne le résultat du tirage. À côté des hommes en fourrure, grelottent des mendiants à peine vêtus. Toute la ville est là, voleurs, voyous, militaires, étudiants, bourgeoises et prostituées, attendant impatiemment. Soudain, l'annonce est saluée par les lamentations et les cris de joie de la foule. Des bagarres s'engagent. Il y a les maris qui battent leurs femmes parce qu'elles ont changé leurs chiffres, ceux qui viennent de miser leurs derniers centimes menacent de se suicider. Il y a aussi les créanciers qui réclament leur dû, les gagnants qui ne trouvent plus leur ticket.

Jamais je n'ai connu une ville où les nantis se méfient à ce point de leur richesse tandis que les pauvres luttent désespérément contre la misère. Le désœuvrement de ce peuple confirme mon opinion : l'Empire chinois a sombré irréversiblement dans le chaos. Cette vieille civilisation a implosé sous le règne des Mandchous qui refusaient l'ouverture, la science et la modernisation. Aujourd'hui, proie privilégiée des puissances occidentales, elle survit en cédant sa terre et son autonomie. Seuls les Japonais, héritiers d'une culture chinoise pure de tout mélange[1], ont vocation à la libérer du joug européen. Nous rendrons à son peuple la paix et la dignité.

Nous sommes leurs sauveurs.

---

1. À partir du VIᵉ siècle, le bouddhisme et la culture chinoise pénètrent la cour de Yamato. En 604, le prince Shotoku envoie une ambassade officielle à la cour de Tchang An (actuelle Xian) en Chine. En 645, la cour de Yamato décide de faire du Japon une copie de la Chine des Tang. L'écriture japonaise emprunte les idéogrammes chinois. Les troubles politiques au sein de la cour des Tang et l'invasion des Tatars décident les Japonais à retirer leur ambassade en 838. À partir de cette date, la culture japonaise évolue indépendamment de celle du continent.

Jing, sorti pour se renseigner, nous raconte que les rebelles ont occupé la mairie et jeté le cadavre du maire par-dessus le balcon. En quelques heures, la haine s'est propagée dans toute la ville, la population excitée par le sang massacre les collaborateurs et les émigrés nippons. Des soldats chinois enrôlés dans l'armée mandchoue se sont retournés contre les Japonais et encerclent la division ennemie dans sa caserne.

Min dresse une échelle contre le mur et nous montons sur le toit. La ville étend sous nos yeux une infinité de toitures alignées, écailles de poisson gris aux reflets argentés. Les rues sinueuses creusent des sillons profonds. Les platanes nus calligraphient leur écriture sèche. Des colonnes de fumée noire s'élèvent du centre de la ville et percent le ciel, violet et jaune. Des milliers de moineaux tournent, effarés.

Nous entendons des tirs mêlés aux cris, aux acclamations et aux tambours de fête. Il y a des quartiers déserts et lugubres, d'autres animés et joyeux. Au loin, les remparts de la ville serpentent dans une brume épaisse.

Auront-ils la force de résister aux renforts japonais?

Au cours d'un bref échange de politesses, j'apprends que Madame Violette, la patronne de Masayo, est, elle aussi, originaire de Tokyo. La rencontre d'une payse sur un sol étranger provoque une joie mélancolique, et transforme des inconnus en familiers. Immédiatement, elle m'offre du saké et me pose mille questions sur ma vie. À mon tour, je l'interroge sur sa famille. Elle dit que son mari et ses enfants ont péri dans le tremblement de terre. De sa manche de kimono, elle sort une minuscule sandale d'enfant, le seul souvenir qui lui soit resté de son fils.

Quatorze ans se sont écoulés et je suis parvenu à exiler les images du séisme dans la plus lointaine région de ma mémoire. Les pleurs de Madame Violette réveillent en moi ces journées meurtrières.

La catastrophe eut lieu à midi. Les cloches qui nous libéraient de la classe du matin carillonnaient tout juste. Les chaises se renversèrent brusquement, les craies volèrent. Croyant à une plaisanterie de mes camarades, je riais et applaudissais, quand le tableau noir s'abattit d'un coup sec, blessant de ses éclats plusieurs élèves. Les murs tremblaient. Les tables d'étude en bois massif se mirent à patiner d'un bout à l'autre de la salle. Pris sous les meubles, un garçon poussait des hurlements. À peine l'avions-nous dégagé qu'une pluie de chaux se déversa sur nous.

Couvert de poussière blanche, notre professeur courut, ouvrit la fenêtre et nous ordonna de sauter. Je fus le premier à me lancer dans le vide. Notre salle d'étude se situait au deuxième étage. J'atterris, les pieds et les mains dans l'herbe, sans me blesser. D'autres me suivirent. Des garçons, précipités des étages supérieurs, s'étaient tordu les chevilles et nous les traînâmes par les épaules vers le jardin. La façade de notre bâtiment vibrait. Les trois portes principales vomissaient des élèves. Têtes nues, uniformes déchirés, chemises ensanglantées, ils s'étaient battus pour atteindre la sortie. Soudain, le bâtiment s'affaissa en son milieu d'un mouvement lent et sûr, entraînant dans sa chute les deux ailes.

Le jardin était noir de monde. Les gens criaient, gémissaient, couraient, rampaient. La terre ondulait. Les allées pavées que mes pieds avaient mille fois foulées se tordaient comme un ruban. Les arbres auxquels nous nous agrippions se courbaient, se balançaient et finalement nous projetaient à terre. Nous nous accrochions en vain aux herbes, aux pieds des arbustes. Un mystérieux grondement montait du centre de la terre, torrent de cailloux, bruit sec de soie déchirée.

Les secousses cessèrent. Les professeurs et les pions nous regroupèrent et nous firent asseoir en rond au centre du terrain de sport. Ils nous interdirent de bouger et commencèrent à soigner les blessés, à compter les absents. J'aperçus de loin mon frère cadet. La joie me fit venir les larmes. Dans la foule, un garçon pleura, bientôt suivi par l'ensemble des élèves.

On nous défendit d'approcher des décombres pour y chercher les survivants : nous devions attendre patiemment les secours. Mais à cinq heures de l'après-midi, il n'y avait toujours personne. Le vent soufflait de plus en plus fort. Des flammes jaillirent d'un bâtiment et une colonne de fumée noire, courbée par le typhon, nous suffoqua. Je profitai du désarroi pour enjamber le mur effondré et filer dans la rue.

Le paysage qui m'attendait était celui des enfers. Tokyo avait disparu. Si des immeubles se tenaient encore debout, se soutenant les uns les autres, les rues s'étaient effacées sous une épaisse couche de briques, de bois, de verre. Les familles se cherchaient. En vain, on criait des noms. Un fou errait dans les ruines en riant. Trois sœurs missionnaires, accroupies sur les décombres d'une église, creusaient à mains nues, dans l'espoir d'y trouver des âmes vivantes.

Les maisons brûlaient. Le vent aidant, les flammes se propagèrent. Il était six heures du soir, les cendres tour-billonnaient dans le ciel, faisant descendre la nuit. Ma mémoire a brouillé la suite des événements. Je me vois avancer à tâtons au sein d'une obscurité étouffante. La route était jonchée de pierres, de réfugiés, de cadavres. Je ne me rappelle pas comment j'ai pu parvenir au seuil de notre mai-son. Je vis ma mère assise sur un tronc d'arbre, devant les biens qu'elle avait pu sauver. Petite Sœur était à ses pieds, lui enlaçant les jambes de ses bras. Tirée de sa rêverie par le bruit de mes pas, elle tourna vivement la tête. À sa manière de s'élancer vers moi, je compris qu'un grand mal-heur allait m'atteindre comme une flèche.

– Papa vient de partir.

Toute la nuit, je veillai le corps meurtri de mon père. Son visage avait l'expression paisible de celui qui contemple le paradis, et ses mains le froid glacial des ténèbres. De temps à autre, je me levais et allais au bout du jardin où l'on embrassait la ville d'un seul coup d'œil. Tokyo brûlait, bûcher immense.

La légende dit que le Japon est une île flottante posée sur le dos d'un poisson-chat dont le mouvement provoque des tremblements de terre. Je tentais de me représenter la forme monstrueuse de ce félin aquatique. La douleur, pareille à une fièvre, me faisait délirer. Faute de pouvoir tuer le dieu, il nous fallait donner l'assaut au continent. La Chine, infinie et stable, était à portée de la main. C'est là que nous assurerons l'avenir de nos enfants.

L'arrivée de Masayo m'arrache à une conversation devenue insoutenable. Elle se courbe jusqu'au sol devant sa patronne qui pleure en silence. Me tirant par la manche, elle m'entraîne dans sa chambre.

CHAPITRE
25

Les partisans de l'Union se sont retirés dans les montagnes avant la nuit. Les soldats révoltés les ont suivis. En une soirée, la fièvre patriotique de la ville est tombée.

Dès le lendemain matin, les patrouilles japonaises paradent dans les rues. Un gouvernement provisoire s'est constitué qui traque à grand bruit les émeutiers. Faute de trouver les vrais rebelles, ils s'en prennent aux voleurs et aux mendiants.

Le nouveau maire décide de ressouder l'amitié mandchoue-nippone et annonce une série d'échanges culturels. Flattée publiquement par les autorités mandchoues, l'armée japonaise consent au pardon et pratique l'oubli. Le retour à la vie normale est aussi imperceptible qu'un battement de cils. Avril nous offre sa clarté. À l'école, les leçons de japonais ont repris.

Ce matin, je me réveille tard. Mon tireur de pousse-pousse court à perdre haleine pour que j'arrive à l'heure au collège. La sueur coule le long de son dos, de grosses veines bleues rampent sur ses bras. Prise de remords, je le prie de ralentir. Il me répond d'une voix entrecoupée :

– Mademoiselle, ne vous inquiétez pas. Une bonne course le matin est le secret de l'immortalité.

Devant le temple du Cheval Blanc, j'aperçois Min qui vient en sens inverse sur sa bicyclette. Étonnée, j'oublie de le saluer. Nous nous croisons pour nous éloigner aussitôt.

L'ordre de départ est donné. Je n'ai pas eu le temps de saluer Madame Violette et Masayo. Notre troupe quitte la caserne et se dirige vers la gare. Sur le quai, les sifflets se déchaînent. Plusieurs compagnies se bousculent pour monter dans le train chargé de tanks et de munitions. En rampant, nous parvenons à rentrer dans un wagon à deux étages.

La fraîcheur d'un printemps balbutiant m'empêche de dormir. Je mets la main sur la pochette de mon veston où j'ai fourré avant de partir les deux dernières lettres reçues. Elles y sont encore. La fine écriture de Mère m'a rassuré sur sa santé et m'a provisoirement délivré de mes angoisses. Akiko a trouvé mon adresse je ne sais comment et m'a écrit un long courrier.

Avant mon départ, la jeune femme était venue me dire adieu. Je me suis caché, exprès pour me rendre odieux à ses yeux. Meilleure amie de ma petite sœur, ayant perdu ses frères dans le tremblement de terre, elle s'est attachée à moi. Elle est issue d'une famille apparentée au shogun Tokugawa[1]; sa modestie et son élégance avaient plu à Mère,

1. La famille de Tokugawa a donné quinze shoguns qui ont régné sur le Japon du début du XVIIᵉ siècle jusqu'à la fin du XIXᵉ siècle.

qui souhaitait secrètement notre union. Encouragée par ses propres parents, la jeune fille se croyait déjà ma promise. Lorsque j'ai pris mes fonctions dans la banlieue de Tokyo, après avoir terminé l'école militaire, elle s'est mise à m'écrire à la caserne. Je lui répondais une fois sur quatre. Accompagnée de ma sœur, elle se rendait chez moi en mon absence. Son sourire et ses courbettes avaient séduit ma logeuse qui lui ouvrait volontiers la porte. Mon linge sale était lavé, repassé, mes chaussettes ravaudées. Comme la plupart des femmes bien élevées, Akiko ne m'a jamais parlé de son sentiment. Cette pudeur ne m'empêcha pas de la remettre à sa place : elle serait une sœur, rien de plus.

Quelques mots de Mademoiselle Lumière me donneraient sûrement plus de plaisir que l'interminable missive d'Akiko. Je sais que la geisha ne m'écrira pas. L'existence qu'elle a choisie est un tourbillon de fêtes, de banquets, de rire, de musique. Quand trouverait-elle un instant de calme pour penser à moi ?

J'ai traversé sa vie. Ce fut un voyage sans retour.

Pendant des années, chaque matin, je suis passée devant le temple du Cheval Blanc, et Min a emprunté le même chemin, en sens inverse. Nous ne nous sommes jamais vus. Depuis une semaine, il surgit quand sonnent les cloches du sanctuaire.

Avant de quitter la maison, je m'introduis dans la chambre de Mère où se dresse un miroir ovale qui me reflète de la tête aux pieds. Ma frange me semble désormais enfantine. À l'aide de deux épingles serties de perles minuscules empruntées à ma sœur à force de soupirs, je la relève et dégage mon front.

À l'approche du carrefour, mon cœur bat à perdre haleine et je cherche la bicyclette de Min avec anxiété.

Enfin je l'aperçois qui grimpe la pente. Arrivé au sommet, il s'arrête et me fait signe de la main. Sa silhouette s'incruste dans le ciel. Le vent effleure les branches chargées d'oiseaux, partitions joyeuses. Des moinillons taoïstes, tuniques grises, marchent les yeux baissés. Un vendeur ambulant attise son feu. Ses pains frits fument et exhalent un parfum savoureux.

En classe, au lieu d'écouter le professeur, je repasse mille fois dans ma tête l'image de Min à bicyclette. Je me rappelle ses yeux brillants sous son chapeau, sa façon de lever le bras, livres à la main. Mes joues brûlent. Je ne peux m'empêcher de sourire bêtement au tableau noir où je crois le voir démontrer son habileté à circuler entre les mots et les nombres.

Après le séisme, je me mis à éprouver de la répulsion et de la fascination pour la mort. Elle me poursuivait jour et nuit : j'étais brusquement saisi d'angoisse. J'avais des palpitations. Sans raison, je pleurais.

La première fois que j'ai touché un fusil, le froid de l'acier me communiqua sa force. Ma première leçon de tir s'effectua en plein air, sur un terrain dénudé. Mon cœur battait la chamade. Je ressentais une crainte intense, semblable à celle du pèlerin qui s'apprête à effleurer le pied d'une divinité. Au premier coup de feu, mes oreilles se mirent à bourdonner. En reculant, l'arme me frappa violemment. Ce soir-là, je m'endormis, l'épaule douloureuse, mais apaisé.

Tout homme doit mourir. Choisir le néant est la seule manière d'en triompher.

À seize ans, ma vie a recommencé. Je ne rêvais plus du raz de marée ni de la forêt ravagée. L'armée était pour moi une arche géante, capable de défier toutes les tempêtes. À l'école des cadets, initié à la volupté dès la première année, je découvris la jouissance de m'anéantir dans une femme.

Puis, j'appris à sacrifier le plaisir au devoir. *Hagakure* [1] était le livre phare qui me guidait dans cette traversée de l'adolescence vers la maturité.

Je me suis préparé à mourir. Pourquoi me marier ? Une femme de samouraï se tue après la disparition de son époux. Pourquoi précipiter une autre vie dans l'abîme ? J'aime beaucoup les enfants, continuité d'une race, espoir d'une nation. Mais je suis incapable d'en faire. Les petits ont besoin de grandir sous la tutelle d'un père, à l'abri du deuil.

Les femmes de joie ont la fraîcheur furtive, semblable à la rosée du matin. Désabusées, elles sont les âmes sœurs des militaires. La fadeur de leur sentiment rassure nos cœurs fragiles. Issues de la misère, elles ont l'angoisse du bonheur. Damnées, elles n'osent songer à l'éternité. Elles s'attachent à nous comme des naufragés aux bois flottants. Il y a dans nos étreintes une pureté religieuse.

Après l'école, nos divertissements pouvaient enfin s'étaler au grand jour. Les officiers de haut grade entretenaient ouvertement des geishas et les sous-lieutenants se contentaient d'une brève rencontre.

Je connus Mademoiselle Lumière en juin 1931. Nous fêtions la promotion de notre capitaine dans une maison de thé. Les cloisons glissaient silencieusement, et des geishas se succédaient. Les unes arrivaient, les autres s'évanouissaient dans l'obscurité. La nuit était tombée sur la Sumida. Les bateaux et leurs lanternes descendaient lentement le fleuve. J'avais bu. La tête me tournait. On soûlait un officier qui perdait au jeu. Je riais aux éclats. J'étais sur le point de me précipiter dehors pour vomir, quand j'aperçus une

---

1. *Hagakure* de Jocho Yamamoto (1659-1719), est un code de conduite pour les samouraïs.

apprentie geisha[1] vêtue d'un kimono bleu aux manches flottantes imprimé de fleurs d'iris. Elle nous salua en se prosternant. Ses gestes étaient lents, pleins de noblesse. Malgré le fard blanc qui couvrait ses joues, le grain de beauté qui se détachait de son menton lui donnait un air mélancolique.

Elle dégagea un shamisen de son étui, prit son plectre d'ivoire, accorda l'instrument. D'un geste impétueux, elle fit résonner les cordes. Ce fut comme l'éclat du tonnerre dans un ciel d'été. Le vent souffla, courba les arbres, déchira les nuages d'encre. Les bruits sourds du plectre entraînaient des éclairs qui se précipitaient des montagnes. Les cascades se changeaient en torrents, les fleuves grossissaient, la mer, agitée par les rafales, se jetait sur la grève où rampait l'écume. Une voix rauque s'éleva. Elle chanta l'amour déçu, l'abandon, les ténèbres. Je fus saisi de cette désolation qui s'abat parfois sur les ivrognes joyeux, ému aux larmes par la misère de la passion qu'elle me faisait entendre. Soudain, tel un vase qui se brise, la musique cessa, la voix se tut.

Autour de moi, les officiers, le souffle coupé, se regardaient, interdits. Après nous avoir salués, l'apprentie geisha rangea son shamisen, s'inclina, et se retira dans un bruissement de kimono.

---

1. Au Japon, une apprentie geisha porte des kimonos à manches larges. Devenue geisha confirmée, elle porte un kimono à manches étroites.

Perle de Lune supplie mes parents : elle veut que je l'accompagne à l'anniversaire du nouveau maire. Convaincue que son mari s'y rend avec sa maîtresse, elle tient à le surprendre en flagrant délit.

Mère n'a pas su résister à ses larmes. La jalousie de ma sœur m'indigne mais j'ai envie de voir du monde. Et Min sera peut-être à la fête.

– Madame, mademoiselle…

Les laquais, debout en bas des marches, nous saluent avec force courbettes. L'un d'eux nous précède et nous invite à franchir le seuil d'un portail laqué rouge. Nous traversons trois cours successives. Comme Perle de Lune ne désire pas être vue de son mari, nous arrivons à la nuit tombée.

On nous fait pénétrer dans un vaste jardin où une centaine de tables dispersées sous les arbres sont éclairées par les lanternes de longévité. Des musiciens en smoking opposent désespérément un air de valse au tapage d'une troupe d'opéra qui chante à tue-tête.

Nous nous faufilons vers une table abritée par un pin parasol et nous installons comme deux chasseurs à l'affût. Pour dissiper le froid d'un printemps naissant, notre hôte a fait flamber brasiers et torches. Sitôt assise, ma sœur se plaint : les flammes l'aveuglent et l'empêchent de reconnaître l'infidèle. Je scrute les alentours à la recherche de mon beau-frère. Tout à coup, j'aperçois Jing, vêtu d'un costume européen, seul à une table en retrait de la foule. Le garçon m'observe.

Je le rejoins.

– Un peu d'alcool jaune ? me demande-t-il.

– Non merci, j'en ai horreur.

Sur un geste de Jing, un serveur apparaît et parsème la table d'une dizaine de plats.

Une paire de baguettes à la main, il me sert dans un bol quelques tranches de viande translucide.

– Goûte ça, me dit-il. C'est de la paume d'ours.

La chair, prisée des aristocrates mandchous, dérape sur ma langue. Elle n'a aucun goût.

– Tiens, dit-il, voici du pied de chameau mariné dans le vin cinq années durant. Et voici le poisson qu'on nomme dragon noir, pêché au fond du fleuve Amour.

Au lieu de goûter aux plats, je lui demande si Min est venu.

– Non, me répond-il.

Pour cacher ma déception, je confesse que je me suis laissé entraîner par ma sœur dans cette soirée, que j'ignore le visage du nouveau maire, notre hôte.

Il me montre du doigt un homme d'une cinquantaine d'années, petit et gras, vêtu d'une tunique de brocart.

– Comment le connais-tu ?

– C'est mon père.

– Ton père !

– Surprenant, n'est-ce pas ? dit Jing avec un rire froid. Avant l'attaque des rebelles, il était conseiller auprès de l'ancien maire. La mort des uns arrange la vie des autres. Même aux enfers, mon père obtiendrait une promotion !

Embarrassée par cet aveu, je ne sais comment m'éclipser.

– Tiens, voilà une de mes belles-mères, dit Jing en me désignant ostensiblement une femme qui salue les invités comme un papillon butine les fleurs. Fardée à outrance, elle porte une tunique richement brodée doublée de fourrure et une coiffe en forme d'éventail, piquée de perles, coraux et fleurs en mousseline, une antiquité rarissime de nos jours.

– Elle était pute avant de devenir la concubine de mon père, commente Jing d'un air narquois. Maintenant elle couche avec un colonel japonais. Sais-tu pourquoi elle se déguise en dame d'honneur impériale ? Elle a toujours prétendu être née d'une famille déchue de la bannière jaune pur[1]… Voici ma mère qui avance. Comment peut-elle accepter une traînée sous son toit ?

En suivant le regard de Jing, j'aperçois l'ombre d'une femme d'un certain âge.

Derrière elle, j'entrevois tout à coup mon beau-frère, cheveux gominés, vêtu d'un costume d'une élégance tapageuse. Je demande à Jing s'il le connaît.

Un sourire apparaît au coin de ses lèvres.

– C'est lui ton beau-frère ? Le délateur ?

– Pourquoi le délateur ? Mon beau-frère est un journaliste de renom.

Jing ne me répond pas. Il se verse un grand verre de vin qu'il vide d'un trait.

L'ami de Min m'inspire un mélange de dégoût et d'admiration. En le quittant, dans mon trouble, je ne retrouve plus la table de ma sœur.

---

1. Dans la hiérarchie mandchoue classée en ordre de bannières, emblèmes des clans, la couleur jaune pur est celle du clan dont est issue la famille impériale.

Mes amis m'inventèrent une passion pour l'apprentie gei-sha et la convoquaient le plus souvent possible aux ban-quets. Je rougissais à ses apparitions. Les clins d'œil, les rires étouffés de mes camarades m'irritaient, tout en me procurant un vague sentiment de fierté et de bonheur.

Timide, Lumière nous quittait précipitamment après avoir chanté. Au fil du temps, elle accepta de servir et de boire. Elle avait des mains minuscules. Ses ongles res-semblaient à des perles anciennes. Quand elle portait le verre à ses lèvres, la manche de son kimono glissait le long de son avant-bras et dévoilait un poignet d'une blan-cheur éblouissante. Son corps nu serait-il un champ de neige?

À l'époque, ma solde me permettait tout juste d'organi-ser quelques banquets, et j'étais loin de pouvoir entretenir une geisha. Le temps passa, mes ardeurs s'éteignirent. J'avais besoin de femmes moins lointaines pour distraire une vie militaire trop austère.

Le paysage politique de cette année-là ressemblait à un ciel plombé. Nous rêvions d'une tempête et de voir briller de nouveau le soleil. Soldats, nous ne pouvions ni reculer ni nous dérober. Quelques lieutenants[1] choisirent la voie du martyre. Les attentats se multiplièrent. Les jeunes assassins se livrèrent aux autorités pour prouver leur loyauté. Mais ni la terreur ni la mort volontaire ne changèrent rien à l'inertie de nos ministres. Craignant le retour de l'ère de Kamakura[2], ils ne pensaient qu'à écarter les militaires du pouvoir.

L'heure du sacrifice fut avancée. Pour conquérir le monde, il fallait franchir le pont édifié avec notre sang et notre chair. Le seppuku[3] fut de nouveau en vogue. La noblesse de ce suicide exigeait une longue préparation mentale qui détourna mes pensées de l'apprentie geisha.

Un jour de printemps, je reçus un billet mystérieux dont la belle calligraphie trahissait une éducation rigoureuse. Une femme inconnue me demandait de la retrouver dans une maison de thé au pont des Saules. Intrigué, je m'y rendis. La nuit tombait. J'entendais au loin de la musique et des rires. De l'autre côté de la porte, des froissements de soie laissaient deviner le passage de quelques geishas. Les cloisons s'écartèrent. Une femme de quarante ans me salua. Elle portait un kimono de soie gris-rose sous lequel on apercevait à l'encolure un deuxième kimono vert olive. Un cerisier fleuri, peint à la main, y répandait ses pétales jusqu'au bout des manches.

Elle se présenta comme la mère de Lumière et me souhaita la bienvenue.

J'avais ouï dire que, ancienne geisha, elle possédait une

---

1. Le 15 mai 1932, neuf officiers pénétrèrent dans la résidence du Premier ministre Inukai et l'assassinèrent avant de se livrer à la police.
2. L'ère de Kamakura : 1192-1333. Tandis qu'à Kyoto l'Empereur entretient une cour symbolique, à Kamakura, le shogun exerce le pouvoir sur l'ensemble du pays.
3. Suicide réservé aux samouraïs, par conséquent aux hommes. Le rituel est précis : la mort est obtenue par éventration horizontale, de gauche à droite, à l'aide d'un petit sabre.

grande maison de thé. Elle m'apprit qu'elle avait connu mon père. Je savais qu'il était épris d'une geisha et me demandai si c'était elle.

Elle me fixa intensément quelques secondes, puis baissa les yeux.

– Vous avez rencontré ma fille, m'interrogea-t-elle. Les soirées en sa compagnie étaient-elles plaisantes ?

Je lui répondis que j'admirais beaucoup son talent de musicienne.

– Ma fille a dix-sept ans. L'année dernière, elle devait déjà passer au rang de geisha confirmée. Vous savez sans doute que dans notre métier une apprentie geisha ne peut acquérir le statut d'artiste sans avoir subi la cérémonie du mizu-age. Ma propre expérience fut un cauchemar. J'ai décidé d'épargner à ma fille cette calamité. Je lui ai demandé de choisir son homme. Elle vous a désigné. Je me suis permis de me renseigner. On m'a tenu des propos très élogieux sur votre compte. Une belle carrière militaire vous attend. Vous êtes jeune et vous ne pourrez jamais payer la somme nécessaire à la cérémonie. Peu importe, j'ai choisi pour ma fille un destin heureux et je vous offre son corps. Si vous acceptez cette humble requête, je vous serai éternellement reconnaissante.

Abasourdi par ce que je venais d'entendre, je gardai le silence.

Elle s'avança vers moi à genoux et s'inclina.

– Je vous en supplie, réfléchissez. Ne vous inquiétez pas des détails financiers, je m'occuperai de tout. Réfléchissez, je vous en prie…

Elle se leva et s'effaça derrière les cloisons. L'obscurité de la pièce m'oppressait. La tradition veut qu'une apprentie geisha se fasse déflorer par un riche inconnu. Cette initiation coûte cher, mais, pour un homme du monde, c'est le couronnement de son prestige. Jamais une apprentie geisha n'avait choisi son violeur et on venait me demander de transgresser scandaleusement la coutume.

Tourmenté, je retardai ma réponse.

Je n'ai pas croisé Min, hier, et mille fois je me suis demandé s'il était malade ou s'il ne voulait plus me voir. Peut-être, comme beaucoup d'étudiants de son âge, est-il déjà fiancé? Pour quelle raison s'intéresserait-il à une collégienne?

Ce matin non plus, il n'est pas au carrefour. Indignée et triste, je décide de l'oublier.

Une série de sonneries attire soudain mon attention. Je lève la tête. Min pédale à ma rencontre. Il me crie :

– Que fais-tu cet après-midi?

Malgré moi, je lui réponds :

– Je joue au go sur la place des Mille-Vents.

– Tu iras un autre jour. Je t'invite à déjeuner.

Sans me laisser le temps de décliner sa proposition, il ajoute :

– Je t'attendrai à la sortie du collège.

Avant de nous dépasser, il me jette un billet.

– C'est pour le tireur, dit-il. Ça le fera taire.

À midi, je sors du collège après tout le monde. Tête baissée, je longe le mur. Min n'est pas à la porte, je pousse un soupir de soulagement et monte dans un pousse-pousse. Min surgit comme un fantôme.

Il abandonne sa bicyclette et se glisse sur ma banquette avant qu'un cri de surprise n'ait pu s'échapper de ma gorge. Il entoure mes épaules d'un bras et, de l'autre, baisse le store du pousse-pousse qui nous couvre jusqu'aux genoux. Il ordonne alors qu'on nous conduise à la colline des Sept Ruines.

Le pousse-pousse roule à travers des ruelles étroites. À l'abri des regards, sous la tenture blanche jaunie par le soleil, la respiration de Min devient lourde. Ses doigts frôlent mon cou, puis s'enfoncent dans ma chevelure et me massent la nuque. Raidie par la terreur et un plaisir inconnu, je retiens mon souffle. À l'extrémité du store, les jambes du tireur se balancent dans un mouvement régulier. Sur les côtés, défilent trottoirs, chiens, enfants, passants. J'aurais voulu que ce paysage monotone ne finisse jamais.

Sur l'ordre de Min, le tireur s'arrête devant un restaurant. Min s'installe comme s'il était chez lui et commande des nouilles. La salle minuscule s'emplit aussitôt d'odeurs de cuisine mêlées au parfum des premières fleurs. Le patron nous sert et retourne somnoler derrière son comptoir. Par la porte ouverte, entre le soleil de midi. Muette, je me concentre sur la nourriture pendant que Min discourt sur la lutte des classes. Puis, il ajoute qu'il n'a jamais vu une fille dévorer comme moi. Je ne réponds pas à sa moquerie. Tout m'exaspère. Le jeune homme a l'expérience de ce genre de tête-à-tête, j'ignore comment se comporte une amante. Min me tire d'embarras en me proposant une excursion sur la colline des Sept Ruines.

Nous entreprenons l'ascension par un sentier ombragé où s'épanouissent le jaune des pissenlits et le pourpre des campanules. L'herbe nouvelle a poussé dru au pied des blocs de granit calciné, vestiges d'un palais dévoré par les flammes. Min me demande de m'asseoir sur une fleur de lotus taillée dans le marbre et me contemple. Ce silence m'est pénible. La tête baissée, je fais plier un bouton-d'or avec la pointe de ma chaussure.

Je ne sais que faire. Dans les romans de l'école, *Canards mandarins* et *Papillons sauvages*, la description d'un jeune homme et d'une jeune femme dans un jardin constitue la scène la plus troublante d'une histoire d'amour : ils ont beaucoup à se dire, mais la pudeur leur interdit de se trahir. À force de nous comparer aux personnages d'une littérature de gare, je nous trouve tous deux ridicules. Qu'attend Min de moi ? Moi de lui ?

Je n'éprouve rien de semblable au saisissement de notre première rencontre, aux palpitations éprouvées chaque matin sur la route de l'école lorsque Min ne faisait que passer. Notre histoire touche-t-elle déjà à sa fin et l'amour n'existe-t-il que dans la solitude de mon imagination ?

Soudain, Min pose sa main sur mon épaule. Je tressaille. Je suis sur le point de me dégager de son étreinte quand, du bout de ses doigts, il caresse mes sourcils, mes paupières, mon front, mon menton. À chacun de ses gestes, je suis parcourue de frissons. Mes joues brûlent. J'ai honte, j'ai peur qu'on nous aperçoive à travers les feuillages. Je n'ai pas la force de résister.

Il attire ma tête vers la sienne. Centimètre par centimètre, son visage s'approche. Je distingue les taches de rousseur sur ses joues, sa moustache naissante, le scrupule dans ses yeux. Trop fière pour laisser voir ma crainte, au lieu de me débattre, je tombe raide dans ses bras. Ses lèvres effleurent les miennes. Elles sont sèches mais sa langue est humide. Je suis stupéfaite de la sentir pénétrer dans ma bouche. Un fleuve se déverse sur moi.

J'ai envie de pleurer mais les larmes ne viennent pas. Mes ongles griffent son dos, le garçon pousse un gémissement. Les paupières closes, les joues en flammes, des cernes bleutés sous les yeux, Min m'embrasse avec l'ivresse d'un étudiant qui dévore un livre rare.

Par-delà les cimes des arbres, la ville se perd dans une brume légère. Mon silence ne décourage pas le jeune homme. Il m'emmène dans le monastère, au sommet de la colline. Là, il commande du thé à un moinillon. Après avoir rempli ma tasse, il décortique des graines de pastèque et contemple le paysage en sifflotant. Fuyant son regard comme ceux des moines qui me dévisagent, j'avale ma tasse de thé, me lève, arrange ma jupe froissée et descends les marches quatre à quatre.

Le soleil, masque de laque rouge, décline. Derrière les murailles de la cité, la neige en fondant dévoile une campagne brûlée. Les villages se confondent avec les parcelles de terre noire. Les arbres s'aplatissent, disparaissent dans les plis du manteau crépusculaire.

Le soir, je rêve de Cousin Lu qui fait irruption dans ma chambre. Il vient vers moi, prend ma main et la presse contre sa poitrine. Dégoûtée, j'essaie de m'en débarrasser. Mais ses doigts insistent et me communiquent leur chaleur. Une étrange langueur m'envahit.

Affolée, je me réveille en sueur.

32

Au début de l'automne, je reçus un billet d'une femme qui me donnait rendez-vous dans un parc. J'étais sûr qu'elle était envoyée pour connaître ma décision au sujet de l'apprentie geisha. À dix heures du matin, je me rendis au lieu indiqué dans la lettre, décidé à refuser.

Une femme était assise sur un banc de pierre tacheté de lichen roux, sous un érable flamboyant. Les cheveux noués en un simple chignon, elle était vêtue d'un kimono de coton bleu indigo, serré à la taille par une ceinture orange.

Je ne pouvais en croire mes yeux. Sans maquillage, les lèvres à peine roses, Lumière ressemblait à une enfant de dix ans. Elle se leva et se courba pour me saluer.

– Merci d'être venu.

Nous nous assîmes aux deux extrémités du banc. Elle me tournait à moitié le dos et gardait le silence.

Je ne trouvais pas mes mots.

Après un long moment, je l'invitai à se promener dans le parc. Marchant derrière moi, elle avançait à petits pas. Tous les érables étaient en feu et les ginkgos jaune vif. Le vent d'automne soufflait sur nous ses feuilles incendiées. Nous traversâmes un pont en bois, contournâmes un étang aux eaux émeraude, bordé de chrysanthèmes, pour faire halte dans un pavillon ouvert d'où nous pouvions contempler le ciel sans nuages et les rocailles tourmentées par le lierre. Le bruissement de son kimono se mêlait aux cris des oiseaux. J'étais incapable de briser notre muette complicité.

À la sortie du parc, elle s'inclina profondément et s'éloigna.

33

Place des Mille Vents, je joue contre Wu, l'antiquaire, après lui avoir cédé huit handicaps. Battu, il disparaît en soupirant.

Une simple partie de go épuise la plupart des joueurs. Il leur faut manger et dormir pour retrouver leur état normal. Ma réaction est différente. Dès le début du jeu, mon esprit s'échauffe. La concentration me porte au paroxysme de l'excitation. La partie terminée, des heures durant, je ne sais comment évacuer la force accumulée au cours du jeu, je cherche un apaisement. En vain.

Aujourd'hui, pareil aux autres jours, je me dirige vers la maison à grandes enjambées. Les rêveries les plus insensées se présentent à moi. Je me crois détachée du cercle des mortels, je me vois rejoindre les dieux.

Un homme m'interpelle. Je lève les yeux : Jing traverse la rue à bicyclette. Une cage à oiseau couverte d'un tissu bleu est fixée à son porte-bagages. Il freine.

– Que fais-tu là avec cette cage ?

Il arrache le tissu et me montre fièrement deux rouges-gorges.

– Ces oiseaux adorent les promenades. D'habitude, les

amateurs les balancent au rythme de leurs pas lors d'une sortie matinale. Marcher comme les vieux m'ennuie à mourir. Voilà ma dernière invention.

Je ris. Le garçon propose de me raccompagner. La nuit est tombée et on ne distingue plus le visage des passants. Je peux monter sur sa bicyclette en toute discrétion. De mon bras gauche, je serre la cage, de l'autre, j'entoure la taille de Jing. Il s'élance. Pour maintenir l'équilibre, je m'agrippe à son gilet. Mes doigts glissent sur la soie et la fourrure, s'immobilisent à hauteur de son ventre. Sous le gilet fourré, Jing porte une tunique en coton. À travers la trame du tissu, la chaleur de sa peau embrase ma paume. À chaque mouvement de ses jambes, les muscles se contractent et se détendent sous mes doigts. Troublée, je retire mon bras quand, au tournant d'une rue, Jing se penche sur le côté et m'oblige à me serrer davantage contre lui.

Je lui demande de s'arrêter devant la porte arrière de la maison. La rue, bordée de hauts murs, est à peine éclairée par un pauvre réverbère. Les joues de Jing sont deux braises. Il respire bruyamment et cherche son mouchoir.

Je plaque le mien sur son front. Il me remercie et essuie son visage ruisselant de sueur. Gêné par mon regard, il se tourne vers le mur et déboutonne sa tunique pour passer le mouchoir sur sa poitrine. Je lui demande des nouvelles de Min.

– Je le vois demain à l'université…

Je lui tends la cage. Il la serre dans ses bras et murmure :

– Il sent bon, ton mouchoir…

Un bruit énorme nous fait sursauter. La bicyclette, mal appuyée contre un arbre, vient de tomber à terre. Jing se penche, la ramasse et s'enfuit comme un lièvre traqué.

Le train s'arrête d'un coup sec. La secousse m'arrache au sommeil et j'entends crier l'ordre de se mettre en marche. Quand je descends du wagon, l'aurore m'étreint de ses bras glacés. Sous un ciel à peine coloré de mauve, se déploie à l'infini une terre brûlée où le regard ne croise aucune culture, aucun arbre.

Le train repart. Nous envions nos camarades qui continuent leur voyage jusqu'en Chine intérieure. Notre détachement est chargé de veiller à la sécurité d'une petite ville du sud de la Mandchourie. Elle porte l'étrange nom de Mille Vents.

Le cou profondément enfoui dans mon uniforme, je me laisse emporter par la cadence des pas et continue de somnoler. En peu de mois, j'ai appris à dormir en marchant. Le balancement des jambes me réchauffe et me berce.

La nuit de noces eut lieu dans un pavillon de rendez-vous au milieu du parc où Lumière m'avait déjà convoqué. Après le dîner, une jeune servante me conduisit dans une chambre. Un futon avait été déplié. Elle m'aida à me déshabiller, à revêtir un yukata. Couché sur le dos, les bras croisés, j'essayais de rassembler mes idées éparses.

Il devait être tard mais j'ignorais l'heure. Le silence me pesait. Il faisait chaud. Je me levai et allai tirer les cloisons ouvrant sur la véranda.

La lune était ceinte de nuages opaques. Dans l'obscurité, le coassement des crapauds répondait aux soupirs des grillons. Je fermai les portes et regagnai ma couche. L'ivresse que je ressentais s'évanouissait au fur et à mesure que l'impatience augmentait. Moi qui n'avais jamais rencontré la virginité, que me faudrait-il faire?

Un bruit presque imperceptible me fit lever. À l'entrée, Lumière, drapée d'un kimono blanc, s'inclina. Son visage peint, masque majestueux, la rendait encore plus inaccessible. Fantôme, elle traversa la chambre en silence et s'enferma dans une pièce voisine.

Elle en ressortit débarrassée de son kimono d'apparat, enveloppée dans un yukata pourpre. Ses cheveux, d'un noir de jais, contrastaient avec le feu de la soie. Elle n'était qu'une gamine.

Longtemps elle resta assise, les mains sur les genoux, les yeux fixant l'invisible. Soudain, elle rompit le silence.

– Étreignez-moi, s'il vous plaît.

Je l'enlaçai maladroitement. Je collai ma joue contre la sienne. Un parfum s'échappa du col de son yukata. Mon cœur bondit.

Ses bras le long du corps, elle faisait la morte. Lorsque j'écartai ses jambes, nerveuse, elle m'enlaça de toute sa force. Je dus lutter contre ses cuisses serrées comme un étau. Son sexe était glacé. Ma sueur dégoulinait et se mêlait à la sienne, creusant sur ses fards blancs des sillons noirs. Ses cheveux trempés serpentaient sur ses joues et pénétraient parfois dans ma bouche. Incapable de laisser échapper une plainte, elle ressemblait à un animal étranglé. J'eus envie de l'embrasser mais ses lèvres maquillées de rouge vif me repoussaient. Je caressais son corps emmailloté dans le yukata. Il était moite, fiévreux, et partout où passaient mes doigts, il se couvrait de chair de poule. Soudain, je lus au fond de ses pupilles noires la crainte terrible que j'avais déjà vue dans les yeux des condamnés à mort avant leur exécution.

Un immense découragement s'abattit sur moi. Je me laissai tomber de son corps et me mis à genoux. Elle m'interrogea d'une voix tremblante :

– Qu'avez-vous ?

– Excusez-moi.

Elle éclata en sanglots :

– Je vous en prie.

Son désespoir me plongea à mon tour dans une détresse indescriptible. Je croyais connaître les femmes mais, à vingt ans, j'ignorais que, au-delà du plaisir, l'homme parcourt un monde obscur où la dignité se perd, où l'on avance comme dans le nô, masqué, l'âme désolée. Je décidai de couvrir son visage du drap dans lequel nous étions couchés et soulevai le bas de son yukata. Sous la lumière de la lampe, ses jambes prenaient une pâleur blafarde. Son sexe, longue fente, possédait le pelage d'une loutre. J'essayais d'imaginer qu'elle n'était qu'une prostituée ramassée dans la rue. Je ne réussissais pas à la considérer comme une cavité au creux de laquelle le phallus triompherait en explosant.

Je me masturbai. Mon sexe ne réagit pas. Tout à coup, m'apercevant de l'immobilité de la jeune fille, je crus qu'elle était morte étouffée.

Je soulevai le drap. Lumière pleurait.

Pour sauver la face, je m'entaillai le bras à l'aide d'un

poignard et fis couler mon sang sur la bande de soie blanche qui devait être teintée par celui de la vierge. Peu avant l'aurore, j'aidai la jeune fille à repoudrer son visage. La bande ensanglantée enroulée dans la manche, elle s'en alla.

Après la classe, Huong revient avec moi à la maison. Nous dînons avec mes parents, puis nous nous enfermons dans ma chambre pour jouer une partie d'échecs.

– Je vais me marier, m'annonce-t-elle en avançant son cavalier.

– Tiens, c'est une bonne nouvelle, lui dis-je, persuadée qu'elle plaisante. Qui est ton élu? Est-ce que je le connais?

Elle ne répond pas.

Je lève la tête.

Elle tient un pion entre ses doigts, la joue appuyée sur la main gauche. La lampe éclaire deux rangées de larmes qui longent son nez.

Stupéfaite, je la supplie de parler. Elle éclate en sanglots.

Je la regarde, un pincement au cœur. Depuis ma rencontre avec Min et Jing, Huong a perdu son importance dans ma vie. Les bals ne m'amusent plus et je refuse toutes ses invitations. Après l'école, lorsqu'elle me raccompagne à pied jusqu'à la maison, l'esprit ailleurs, j'écoute à peine ses bavardages.

– Je suis fiancée.

– Avec qui?

Elle me fixe longtemps :

– Le fils cadet du maire de notre bourg.

Je suis prise d'un fou rire :

– D'où sort-il, celui-là ? Tu ne m'en as jamais parlé. Pourquoi me le cachais-tu ? C'est ton amoureux, et alors ? Enfants, vous avez joué à la prune verte et au cheval de bambou. Puis, vous vous êtes revus en ville. Où étudie-t-il ? Est-il beau ? Vous allez vivre ici, j'espère. Enfin, je ne comprends pas pourquoi tu pleures. Y a-t-il un problème ?

– Je ne l'ai jamais vu. Mon père et ma belle-mère ont décidé pour moi. Je dois retourner à la campagne à la fin de juillet.

– Ne me dis pas qu'on t'impose ce mariage avec un inconnu.

Huong pleure de plus belle.

– Ce n'est pas possible. Comment acceptes-tu une bêtise pareille ? Les temps ont changé. Aujourd'hui, une jeune fille n'est plus soumise corps et âme à ses parents.

– Mon père m'a écrit... Si je refuse, il me coupera... les... vivres...

– Salopard ! Tu n'es pas un produit, une monnaie d'échange ! Tu viens d'échapper aux griffes de ta belle-mère, tu ne vas pas tomber à nouveau sous la coupe d'une mégère campagnarde fumant la pipe, droguée à l'opium, jalouse de ta jeunesse et de ta culture. Elle t'humiliera, t'abaissera jusqu'à ce que tu deviennes comme elle, frustrée, morose, méchante. Tu auras un beau-père ventru qui passera ses soirées chez les putes et qui, à son retour, ivre mort, engueulera son épouse. Ton mari te délaissera. Tu vivras dans une vaste maison parmi les femmes : servantes, cuisinières, concubines de ton beau-père, concubines de ton mari, belles-sœurs, sœurs et mères des belles-sœurs, chacune intriguera pour plaire aux hommes et t'assassiner. On te fera des enfants. Si tu as un fils, tu seras respectée. Si tu as une fille, ils te traiteront comme leurs chiens ou leurs cochons. Un jour, tu seras répudiée, par une simple lettre, et tu deviendras la honte de ta famille…

– Arrête, je t'en prie…

Huong suffoque.

Me sentant responsable de sa souffrance, je vais chercher une serviette mouillée. Je la contrains à se débarbouiller le visage et à boire une tasse de thé.

Elle se calme peu à peu.

– Je sais qu'il est difficile de désobéir à son père. Autrefois, l'insoumission était un crime. Aujourd'hui, c'est le seul moyen de préserver son bonheur. Si ton père te coupe les vivres, mes parents t'aideront. Nous irons à l'université ensemble. Viens.

Traînant Huong par la main, je m'approche de la petite armoire laquée rouge où sont enfermés mes trésors. Je retire le cadenas. Parmi les livres, les rouleaux de calligraphie, les bâtons d'encre rangés dans un étui en bois, je retrouve ma pochette de soie brodée. Je l'ouvre sous la lampe et montre à Huong mes bijoux :

– Nous les vendrons, ils suffiront pour payer nos études.

Ses larmes reviennent aussitôt :

– Ma mère m'avait laissé les siens. Mon père me les a arrachés pour les offrir à sa nouvelle femme.

– Arrête de pleurnicher. Entre l'argent et la liberté, il ne faut pas hésiter une seule seconde. Maintenant, essuie tes pleurs. Tout ce qui est à moi est à toi, cesse de te tourmenter.

La nuit avance. À côté de moi, Huong s'est endormie d'un sommeil inquiet.

J'écoute le vent et les chats qui courent sur le toit.

L'image de ma sœur Perle de Lune passe devant mes yeux : ses jambes sont sveltes, tiges de bambou. Elle me montre fièrement le cadeau de réconciliation que lui a offert mon beau-frère, une paire de chaussures en satin, couleur de lait, sur lesquelles sont brodés des papillons minuscules. Son pied nu enchâssé dans ce scintillement est aussi beau que sa main gantée de soie, ornée d'une bague de corail rose. Puis, soudain, la gaieté s'estompe sur son visage. Je la vois pâle, cheveux défaits. Des cernes noirs s'étirent sous ses yeux et des rides s'agrippent à ses tempes. Ses prunelles sont sans lumière, son regard inerte se perd dans le vague. Elle compte les heures et prie pour que son mari rentre avant minuit. Quelque chose de terrible se dégage de ce corps que la vieillesse et la laideur assèchent déjà. Pour moi, Perle de Lune n'est pas une femme mais une fleur qui se fane.

Ma mère non plus n'est pas une femme. Elle appartient à la race des crucifiés. Je la vois recopier le manuscrit de Père et rechercher pour lui de la documentation. Sa vue baisse, son dos la fait souffrir. Elle s'épuise pour des ouvrages qui ne porteront jamais son nom. Lorsque Père est calomnié et persécuté par ses collègues jaloux, elle le console et le défend. Il y a trois ans, quand il a fait un enfant à une étudiante, elle a dissimulé sa peine. Elle a renvoyé la mère qui s'est présentée un matin à notre porte le bébé dans les bras, après lui avoir donné toute sa fortune. Elle a acheté la paix de cette maison en vendant son âme. Jamais, elle n'a pleuré.

Mais qui mérite ce beau nom de femme ?

36

Je retournai voir les prostituées qui me rassuraient et me faisaient bander. Lumière me hantait et ma jouissance était douloureuse. La geisha avait désormais un banquier pour protecteur. Elle commençait à se faire une belle renommée. Bientôt elle ne fréquenta plus que les hautes sphères de la société et je perdis sa trace.

Je la revis deux ans plus tard, un soir de brume. De l'autre côté du trottoir, je l'aperçus qui montait dans un pousse-pousse. Elle portait une lourde coiffe en forme de coque et un manteau somptueux.

Elle me vit, fit semblant de ne pas me reconnaître, et s'éloigna dans l'obscurité comme une déesse qui rejoint les cieux.

Après mon affectation en Mandchourie, je me présentai chez elle, où sa mère m'accueillit. J'attendis longtemps dans une pièce isolée en buvant du saké. Tard dans la nuit, elle rentra d'une réception officielle. Elle était vêtue d'un kimono noir, au bas duquel des vagues d'or étaient brodées sur une mer grise peinte à la main. Ses cheveux étaient mouillés par la pluie fine et glacée. Elle les essuya avec son mouchoir. Il y avait des années que je ne l'avais pas revue.

Ses joues, qui se creusaient légèrement, soulignaient la dureté de son regard. Elle avait l'air épuisée. En examinant son visage devenu celui d'une femme, je me sentis trahi.

Elle s'assit face à moi, les yeux baissés, les mains sur les genoux. Son attitude timide me rappela notre promenade dans le parc. Nous observâmes un long silence. Entre elle et moi, il y avait un fleuve que nous n'avions pas la force de traverser.

– Je pars en Mandchourie.

Impassible, elle ne cilla pas.

– Je ne vous oublierai jamais, me dit-elle.

Cette parole me suffit. Je m'inclinai profondément devant elle et me levai. Elle demeurait immobile. Aucune larme, aucun soupir ne marqua cet adieu, âpre et libérateur.

Arrêt sur lecture 1

Un récit à deux voix

Le roman fait alterner de courts chapitres, comportant quelques pages au maximum, reproduisant alternativement le point de vue de deux narrateurs. Construit comme une partie de go (chacun des protagonistes a droit à un chapitre, de même que, au go, chaque joueur joue à son tour), le roman décrit l'affrontement, dans la Mandchourie occupée des années 1930, d'une jeune Chinoise et d'un officier japonais.

Deux narrations pour une rencontre

Deux personnages anonymes et distincts sont installés d'emblée, présentés au lecteur seulement comme une jeune fille et un jeune homme. Le premier chapitre met en scène une narratrice que le lecteur identifie immédiatement comme le personnage éponyme* : elle fréquente un lieu de rendez-vous pour amateurs de go. Le deuxième chapitre donne la parole à un autre narrateur, un officier japonais partant au combat.

Le récit, sans les mettre aucunement en relation, laisse attendre la rencontre de ces deux protagonistes : l'officier quitte le Japon pour la Mandchourie. L'alternance des chapitres, le parallélisme des récits suggèrent

* Les mots signalés par un astérisque sont définis dans le glossaire (p. 343).

que la rencontre est inéluctable, qu'ils se dirigent tous deux vers cet événement que l'on pressent décisif. En outre, le contexte historico-politique dans lequel cette rencontre va avoir lieu suggère l'affrontement. Tout oppose les deux personnages, et le récit lui-même installe cette hypothèse : « Là-haut, un dieu affronte une déesse en bousculant les étoiles. » Le masculin et le féminin semblent destinés à se combattre, à l'instar de la Mandchourie et du Japon, des noirs et des blancs sur le goban.

Un jeu de contrastes et de points communs

Si proches et si lointains – Tandis que le soldat japonais pourchasse des Mandchous dans la froideur hivernale, la joueuse affronte au go son cousin, épris d'elle, dans une partie dont elle est l'enjeu. Un contraste fort est installé d'emblée entre le drame et la légèreté ; cependant, un certain nombre d'éléments tissent des parallèles entre ces deux parties du récit.

Ainsi les allusions des narrateurs à l'hiver sous-entendent que les deux récits se déroulent simultanément (p. 21 et 23) :

> Les joueurs couverts de givre sont pareils aux bonshommes de neige.
> Ce matin, la première neige est tombée sur Tokyo.

La double présence des mères, et le souci identique des deux protagonistes vis-à-vis d'elles (p. 21 et 23) :

> Je sais que Mère sera malade de voir sa fille rentrer si tard.
> Quand je lui annonce mon affectation en Mandchourie, elle pâlit.

Enfin, l'évocation du fleuve Amour par les deux narrateurs (p. 63 et 66) révèle leur proximité dans l'espace, et une possible rencontre.

Des thématiques réversibles – L'alternance des chapitres suggère un parallélisme entre leurs destinées, entre la guerre et l'amour. Les mentions de la guerre qui affleurent dans les deux récits installent un climat de tension dramatique.

La joueuse se présente comme pratiquant une activité martiale, le jeu de go est décrit comme une variante de la guerre :

> Je suis seule, avec mes soldats, mon orgueil rassasié. Aujourd'hui, je fête ma centième victoire.

L'adversaire de la joueuse est un homme au faciès inquiétant :

> Une longue balafre commence au sommet de son sourcil et traverse son œil droit qu'il garde fermé.

Malgré son aspect farouche et « sa taille de géant » qui en font un adversaire non négligeable, la joueuse remporte la victoire. La rencontre du masculin et du féminin s'instaure donc sur le mode de l'affrontement.

Tandis que le soldat évolue dans un contexte militaire dramatique, la narratrice échappe aux avances de son cousin. Une fois la traque des résistants achevée, le soldat rencontre une prostituée, et se laisse aller à ses souvenirs amoureux : il a aimé autrefois une geisha. En contrepoint, l'univers de la joueuse devient plus sombre : un cadavre nu gît non loin de la salle de bal, un attentat survient place du marché, là où elle se rend pour faire ses courses.

Les deux récits fonctionnent en contraste l'un par rapport à l'autre, mais ils se caractérisent également par leur fluidité : aucune thématique n'enferme les personnages. Comme celui de la joueuse, l'univers du soldat inclut le drame et l'amour, l'affection filiale et la brutalité absolue.

Un arrière-plan historique commun – Les souvenirs des deux protagonistes et les allusions à l'actualité précisent le contexte politico-historique. La joueuse évoque l'installation japonaise en Mandchourie à travers le récit de son enfance et de la trajectoire de sa famille : « Les Japonais nous assiégèrent. » Le lieutenant, quant à lui, évoque la naissance de sa vocation militaire, qui prend sa source dans le tremblement de terre survenu à Tokyo en 1923. L'expansionnisme japonais se voit justifié par le lieutenant au nom de ce même cataclysme : « Faute de pouvoir tuer le dieu, il nous fallait donner l'assaut au continent. La Chine, infinie et stable, était à portée de la main. »

La mère du lieutenant fait allusion aux troubles en Mandchourie. Cependant, la vision qu'elle donne du rôle des soldats japonais dans ce pays manque à l'évidence d'objectivité. « La Mandchourie est un pays frère », affirme-t-elle. La réalité est beaucoup moins idyllique : les troupes japonaises font figure d'occupants. Avant de se rendre en Mandchourie, les soldats japonais débarquent à Pusan, en Corée, autre territoire occupé, où un jeune homme frais émoulu de l'école militaire est tué par des rebelles dès son arrivée.

L'actualité dont devisent les soldats japonais permet de dater le récit avec précision : la prise d'otage de Tchang Kaï-chek a lieu historiquement en 1936.

En filigrane, la politique expansionniste du Japon en Asie fournit donc une trame dramatique sur laquelle les deux personnages évoluent. La mort du jeune Tadayuki dès le deuxième chapitre, les hurlements des chiens à l'arrivée des soldats en Mandchourie, le soldat barbu et patibulaire que la joueuse affronte au go constituent autant d'éléments qui installent une atmosphère de violence et de tension.

Deux portraits en miroir

La joueuse : une jeune fille hautaine
Entre plaisir du jeu et cruauté – Demandée en mariage par son cousin Lu, la joueuse donne une réponse inattendue : plutôt que de refuser une offre qui lui répugne, elle se propose comme enjeu d'une partie de son jeu préféré (p. 37) :

> Cousin Lu, jouons une partie de go. Si tu gagnes, j'accepte toutes tes propositions. Si tu perds, nous ne nous verrons plus.

Non sans un certain sadisme, la joueuse se complaît à humilier son cousin (p. 40) :

> Dans la soirée, sans attendre la fin de notre partie, je lui fais remarquer qu'il a déjà perdu, qu'il faut tenir notre pari.

La joute amoureuse est clairement associée à un combat : « Je le rappellerai lorsque ses désirs impurs auront cédé la place à l'humilité du vaincu. » De cet affrontement, la joueuse sort à l'évidence triomphante. Les raisons de son refus et de sa cruauté à l'égard de son cousin apparaissent progressivement. Alors que Lu insiste sur son âge (« Tu vas avoir seize ans, murmure-t-il, exaspéré. C'est l'âge où les femmes se marient et deviennent mères »), sa cousine se complaît dans le jeu, et l'état d'immaturité (p. 43) :

Au début du XXᵉ siècle, les femmes chinoises portent le costume traditionnel de Pékin et de la Mandchourie, particulièrement encombrant et chargé de broderies. Tout est étudié, de la coiffure au maquillage. À quoi ces femmes vous font-elles penser ?

> Il désire que je le rejoigne dans le monde des adultes, sans savoir que ce monde-là, triste et vaniteux, m'effraie.

Dès lors, les propositions du cousin Lu sont considérées par elle comme autant d'offenses dont il s'agit de le punir.

Une victoire féroce – Loin d'être reconnaissante à son cousin qui lui a enseigné le go, la narratrice avoue une certaine rancune à son égard. Celui-ci a obtenu le bénéfice de leurs parties de go, pas elle : « Il ne m'a jamais remerciée de l'avoir conduit à la gloire. Je suis son ombre, son secret, son meilleur adversaire. » Elle fait preuve d'une combativité immodérée (p. 26) :

> Les longues heures de méditation face au damier étaient un mar-
> tyre, mais le désir de la victoire me tenait immobile.

Dans la relation avec son cousin, la joueuse montre les ambiguïtés de ses sentiments. Pour celui qui lui a enseigné le go et désire l'épouser, elle n'éprouve que du mépris. Elle repousse ses avances, l'humilie. La relation de joueurs s'est muée en désir de vengeance : la jeune fille l'assouvira en battant son cousin. De la sorte, elle lui interdit sa présence et lui révèle en même temps sa supériorité.

Le jeu de go s'apparente donc pour la joueuse à un moyen d'assurer sa domination sur les hommes, mais aussi de fuir la réalité adulte (p. 46 et 48) :

> Le jeu de go me propulse vers un univers de mouvement. Les figures sans cesse renouvelées me font oublier la platitude du quotidien.
>
> Rêver accroît ma mélancolie.

Le soldat : portrait d'un homme d'honneur

« Mère, je vous en prie, il est temps que votre fils accomplisse son destin de soldat », annonce d'emblée le narrateur. À son lieu de résidence (Tokyo), à son affectation en Mandchourie, on comprend qu'il s'agit d'un soldat japonais. Son parcours est immédiatement défini par sa mère, qui lui prescrit l'héroïsme : « Entre la mort et la lâcheté, choisis sans hésiter la mort ! »

« Enfin ma première mission ! » s'exclame-t-il à l'ouverture du chapitre 6. Les soldats nippons sont chargés de traquer des « terroristes », en d'autres termes, des Mandchous qui résistent à l'occupation japonaise. Lors de ces premiers affrontements, le soldat apparaît d'emblée comme un homme ayant le sens du devoir : s'il éprouve de la peur, il l'affronte sans faillir. Ses sentiments sont surtout empreints d'idéalisme héroïque (p. 34) :

> Enfin je peux regarder en face mes ancêtres. En me transmettant leur lame, ils m'ont légué leur courage. Je n'ai pas terni leur nom.

Cependant, aucune cruauté ne semble animer le soldat, qui répugne aux violences inutiles : « Torturer des innocents me répugne. J'ai pitié de ces paysans chinois qui vivent dans l'ignorance, la pauvreté et la saleté » et se montre avant tout profondément humain : « J'ordonne à mes soldats de panser le blessé. » Prêt à mourir pour son pays, le soldat fait néanmoins preuve d'un héroïsme presque fanatique (p. 59) :

> Il y a des jours où, animé d'une volonté fraîche, je regarde la mort en face avec joie et tranquillité.

Pour lui aussi, les premiers chapitres sont l'occasion d'une victoire : les soldats japonais rivalisent d'endurance avec les rebelles chinois. À bout de munitions, privés de vivres dans les rigueurs de l'hiver mandchou, ces derniers se suicident tandis que les Japonais s'apprêtent à un ultime assaut : « Se tuer trop tôt est une capitulation honteuse. » Le soldat japonais conclut à la supériorité de la civilisation japonaise, seule à avoir compris l'utilité ultime de la mort, qui ne doit pas être gaspillée : « Agir c'est mourir ; mourir c'est agir. »

De la sorte, au terme des premiers chapitres, la joueuse et le soldat, vainqueurs d'affrontements parallèles, sont constitués en adversaires de valeur destinés à se rencontrer pour un duel au sommet.

De multiples intrigues secondaires

Protagonistes et personnages secondaires nouent diverses intrigues, dont les fils tissent la trame du récit, sans que le lecteur puisse prévoir les motifs qui naîtront de leur rencontre. Les personnages de second plan contribuent à dessiner plus précisément les figures centrales.

Ombres féminines en contrepoint

Aux côtés de la joueuse, diverses intrigues amoureuses se développent : son amie, Huong, subit la volonté de son père, qui lui cherche un fiancé. Les jeunes filles sont prises entre l'envie de devenir adulte et la peur d'appartenir à un homme : « Comment devenir une femme ? » demande la narratrice à son amie, qui s'indigne de sa question, et lui enjoint de le faire « le plus tard possible ! ».

Perle de Lune, la sœur de la narratrice, est malheureuse en ménage : soupçonnant son mari de la tromper, elle se rend malade de jalousie et donne une triste image de l'amour à sa sœur cadette (p. 108 et 136) :

> J'aimais mon mari. Je lui ai tout donné. Comme un ver à soie, j'ai vomi de mes entrailles ce que je possédais de plus beau.
>
> Pour moi, Perle de Lune n'est pas une femme mais une fleur qui se fane.

À l'inverse de ces jeunes femmes victimes de l'amour et soumises aux hommes, elle est un personnage rebelle, exerçant sur les hommes un charme conscient et calculateur. Après la défaite du cousin Lu, elle fait la rencontre de Min et Jing, deux jeunes garçons de prime abord assez interchangeables. Une relation amoureuse l'unit bientôt à Min, qui devient son premier amant.

Du côté du lieutenant, les intrigues militaires (la poursuite des rebelles dans les montagnes manchoues) laissent progressivement la place à des rencontres, et à la nostalgie amoureuse. Le récit des expériences amoureuses du soldat fait apparaître un autre versant de son caractère chevaleresque : il se refuse à tout engagement amoureux, car il se considère comme promis à la mort (p. 84) :

> Pourquoi me marier ? Une femme de samouraï se tue après la disparition de son époux. Pourquoi précipiter une autre vie dans l'abîme ?

Pour des motifs radicalement opposés, les deux protagonistes ont donc en commun de refuser l'amour : l'une par crainte, l'autre par idéalisme. Le lieutenant se condamne alors à la fréquentation des prostituées, pour lesquelles il n'a pas de mépris : « Désabusées, elles sont les âmes sœurs des militaires. » Cependant, le récit de sa relation passée avec la geisha Lumière apporte un éclairage surprenant sur sa sensibilité, ainsi que l'occasion d'une incursion dans les mœurs du Japon traditionnel.

La geisha Lumière

L'Occident considère souvent la geisha comme l'équivalent d'une prostituée. En réalité, il n'en est rien, l'exemple de Lumière en témoigne. La geisha est avant tout une artiste, comme l'indique son nom (littéralement « personne de l'art »), et c'est en tant que telle qu'elle fait l'objet d'un profond respect au Japon. Traditionnellement, elle excelle dans les arts comme la poésie, le chant, la danse, la conversation. Si elle intervient dans les banquets, qu'elle anime, si elle est la plupart du temps entretenue par un ou plusieurs protecteurs mécènes, si sa virginité est mise aux enchères, elle n'est cependant en rien une femme facile. Dans les maisons de formation, la geisha fait un long apprentissage ; outre les disciplines artistiques évoquées plus haut, elle apprend également à

Les geishas sont des femmes belles et apprêtées, mais aussi intelligentes et instruites. Celle de la photo montre ici ses talents de joueuse de shamisen, petit instrument à cordes.

jouer d'instruments traditionnels comme le *shamisen* évoqué dans le récit (un instrument en bois à trois cordes).

Cela fait de Lumière une jeune fille cultivée et raffinée, à l'inverse des prostituées que fréquente par ailleurs le soldat. Ainsi Masayo, prostituée japonaise originaire de Toyama, frappe-t-elle le soldat par sa vulgarité et son manque de raffinement (p. 64) :

> Son maquillage médiocre, son parfum fade, son kimono criard, sa façon gauche de tenir la bouteille de vin, m'éblouissent pourtant.

Ce qui plaît chez l'apprentie geisha Lumière, c'est son élégance, sa distinction : « Ses gestes étaient lents, pleins de noblesse. » Elle suscite l'admiration de tous les soldats japonais en jouant de la musique et en chantant. Sa puissance artistique est présentée dans le récit du soldat comme provoquant un déchaînement des forces naturelles : « D'un geste impétueux, elle fit résonner les cordes. Ce fut comme l'éclat du tonnerre dans un ciel d'été. »

Une défaite honorable

La cérémonie du *mizu-age*, qu'évoque la mère de Lumière, est conforme à la tradition japonaise. Celle-ci impose à la jeune apprentie geisha de voir sa virginité vendue aux enchères, pour des sommes souvent astronomiques. Cette cérémonie seule permet à une jeune fille d'accéder au rang de geisha. En revanche, la solution envisagée par la mère de Lumière est tout à fait surprenante; autoriser une jeune fille à choisir son premier amant est absolument contraire à la tradition (p. 92) :

> Jamais une apprentie geisha n'avait choisi son violeur et on venait me demander de transgresser scandaleusement la coutume.

Bouleversé par le charme de la jeune fille, le soldat accepte. Mais cet épisode initiatique est cependant un échec : troublé par l'extrême codification de la cérémonie, l'appréhension de la jeune fille, le Japonais ne parvient pas à faire l'amour avec elle. Un subterfuge leur permet cependant de sauver les apparences. Pour un lecteur occidental, le soldat, incapable de se résoudre à un acte barbare imposé par la tradition, sort grandi de cet échec. Incapable de violer quelqu'un qu'il aime, comme de s'abandonner au ressentiment envers celle qui lui inflige cette défaite, il conserve une attitude véritablement héroïque, respectueux de la tradition et des apparences, mais avant tout sensible et loyal.

à vous...

1 – « Le reste de la lettre est un aveu illisible. Ce cousin discret a trempé son pinceau dans de l'encre fade » (p. 27). Comment faut-il comprendre cette phrase ? Quelle figure de style comporte-t-elle ?

2 – « Il embrassera les communistes pour mieux les étrangler » (p. 29). Quelle référence comporte cette phrase ? Que signifie-t-elle ?

3 – Relisez la page 30 : à quels détails comprenez-vous que le récit est celui d'un rêve ? Après avoir analysé les caractéristiques de cet extrait, écrivez, vous aussi, le rêve d'un personnage.

4 – Dans le chapitre 6, relevez divers procédés qui visent à rendre sensibles les impressions et les sensations du soldat.

5 – À partir de ce chapitre, quel portrait pouvez-vous dresser du soldat ?

6 – Chapitre 7 : en quoi la proposition de la joueuse est-elle surprenante ? Quel trait de caractère dénote-t-elle ? Quel effet crée-t-elle pour le lecteur ?

7 – Quelle relation pouvez-vous définir entre les deux intrigues initiales ? Laquelle vous semble la plus intéressante ? Pourquoi ? Comment pensez-vous qu'elles puissent se rejoindre ?

8 – « Les années ont passé et je contemple avec angoisse le crépuscule de mon enfance, qui se couche pour ne plus se lever » (p. 43). Analysez la figure de style que contient cette phrase.

9 – Relisez les pages 46-48 : « Grand-Mère, qui rêvait de la paix [...]. Rêver accroît ma mélancolie. » Observez la manière dont les événements publics et privés s'entremêlent. Quels mouvements se répondent dans ce récit ?

10 – Comment comprenez-vous la remarque du soldat : « Mais nul d'entre eux n'a compris l'énergie irremplaçable de la mort » (p. 50) ? Expliquez l'allusion historique qu'un lecteur d'aujourd'hui peut y voir.

11 – Chapitre 15 : quel élément introduit une rupture dans l'univers de la joueuse ? De quoi cette rupture est-elle annonciatrice ?

12 – Dans le chapitre 21, quels sont les indices d'une possible duplicité de Min et de Jing ?

13 – Chapitres 25 et 26 : quels indices suggèrent que les récits du soldat et de la joueuse se déroulent en parallèle ?

14 – On lit pages 84-85 : « Je connus Mademoiselle Lumière en juin 1931 [...] bruissement de kimono. » Relevez les éléments d'une atmosphère orientale. Quelle rupture l'arrivée de la geisha constitue-t-elle ? Comment le texte suggère-t-il l'irruption de la poésie ?

15 – Quels parallèles pouvez-vous voir entre les chapitres 31 et 32 ?

16 – Chapitre 34 : l'arrivée à Mille Vents. Montrez que, dans le récit du soldat, aboutissement et départ sont inextricablement mêlés.

À la sortie de l'école, j'aperçois Min adossé à un arbre.

Nos regards se croisent. Je baisse la tête et poursuis mon chemin. Le garçon court après moi :

– Puis-je t'accompagner un moment ?

Je ne lui réponds pas. Sans vergogne, il me colle et me dit des futilités. En fait, il ne me déplaît pas de l'avoir à mon côté. Min me dépasse de deux têtes. Le flot tiède de ses paroles me berce. Il me raconte ses lectures, ses chasses, ses rêves révolutionnaires. Il se propose de m'emmener pêcher le dimanche, de m'apprendre à reconnaître les poissons amoureux.

Nous passons devant la rue où se situe la maison de Jing.

– Viens, me dit-il en me tirant par le bras. J'ai une clé.

Après avoir franchi le seuil, il se retourne et m'examine de la tête aux pieds. Son audace me désarme. Je me blottis contre la porte, impuissante.

Il commence à caresser mon visage, mon cou, ses doigts frôlent mes épaules. Je me laisse envahir par une étrange langueur. Les joues pourpres, les yeux mi-clos, Min flaire ma peau. Partout où glissent ses lèvres, elles laissent un sillon de fièvre. Lorsqu'elles se posent sur mon menton, involontairement, j'entrouvre ma bouche et la langue de Min s'y engouffre. Sa main descend sur ma poitrine. Ses caresses deviennent intenables, j'étouffe sous la chaleur de son étreinte. Je lui dis d'ouvrir le haut de ma robe. Min paraît étonné mais obéit. Ses doigts nerveux ne parviennent pas à défaire les boutons de passementerie. Je les arrache presque.

Le visage de Min est déformé par un rictus d'admiration. Il se met à genoux et écrase ses lèvres contre mes seins sur lesquels il frotte sa barbe naissante. Son front est un fer chauffé à blanc. Je me tords, les poings serrés.

Un grincement dans la serrure nous surprend. Je repousse Min en hâte. À peine ai-je boutonné ma robe que la porte s'ouvre. Jing entre, sa cage à la main. À notre vue, il s'assombrit. Il me toise d'un regard mauvais et salue Min d'un grognement. Je ramasse mon sac, bouscule Jing et m'enfuis dans la rue.

Jamais je ne me suis sentie en proie à une aussi grande tristesse. Les corbeaux, en croassant, passent dans un ciel où le violet et l'orange se mêlent lentement au noir des nuages. L'air est embaumé. Avec l'arrivée du mois de mai, les fleurs de peuplier, vers de terre bruns, tombent des branches. Enfant, je les jetais dans le col ouvert de ma sœur qui poussait des cris de terreur.

Min a pétri mes seins et j'ai mal. Sous un arbre, je m'arrête pour arranger mes cheveux, lisser ma robe avec un peu de salive crachée au creux de mes mains. Je me regarde dans un petit miroir : ma bouche est un peu gonflée comme si je venais de faire une longue sieste. Mes joues cramoisies trahissent le secret des rêves interdits, mon front rayonne, il me semble y reconnaître les baisers de Min, visibles par moi seule.

Nous avons astiqué nos armes et arrangé nos uniformes fripés avant de reprendre la route. Bientôt surgit à l'horizon une antique cité entourée de remparts. Des peupliers bordent la douve. Sur la route, des Chinois agitent nos drapeaux de soleil. Une fois la porte principale passée, la ville des Mille Vents étale sous nos yeux sa prospérité : une infinité de toitures en tuiles, de larges rues grouillantes de marchands, le bruit assourdissant de la circulation, l'odeur alléchante des restaurants. Un colonel de la garnison s'avance vers nous, flanqué d'officiers, suivi du maire de la ville, un Mandchou moustachu et grassouillet, lui-même accompagné des représentants de la bourgeoisie locale.

Nos yeux s'écarquillent. Sur le trottoir, une trentaine de jeunes prostituées drapées de kimonos nous font signe de la main. Elles se bousculent, rient et s'empourprent. Les plus timides cachent leur visage, commentent entre elles nos allures et nos figures. Les plus audacieuses nous adressent en japonais quelques mots décousus : «Qu'il est beau!», «Venez me voir au Lotus d'or», «Je vous aime». La fatigue de la marche oubliée, nous relevons fièrement la tête et aspirons l'air pour gonfler nos poitrines.

La caserne se situe à l'ouest de la ville, barricades et mitrailleuses à l'entrée, barbelés sur les hauts murs. Le détachement de réserve, formé en quatre carrés, nous accueille sur le terrain d'entraînement.

Après la cérémonie de la salutation, vient l'heure du repas chaud. À la cantine, à peine les discours terminés, nous nous jetons sur la soupe piquante aux algues et au bœuf; nous nous disputons des carpes grasses, des cuisses de cerf, des poitrines de faisan. Nous avalons goulûment les boulettes de riz, les légumes marinés, les dofus, le poisson cru soigneusement disposé dans des assiettes.

Ventre gonflé comme un ballon, ruminant les saveurs évanouies, je me traîne jusqu'à ma chambre et m'écroule sur le lit.

Affichant un air mystérieux, Min se vante de posséder des livres interdits par notre gouvernement : il cherche à m'attirer chez Jing. La seule pensée de cette maison me donne le vertige. Je dois pourtant me décider. Il m'est impossible de revenir en arrière. Je ne suis plus et ne veux plus être une simple collégienne qui se contente de rêver. Il faut agir, sauter dans le vide. À l'instant où commencera l'irréversible, je saurai enfin qui je suis, pourquoi je vis.

Dans la bibliothèque, Min exhume ses ouvrages «dangereux» dissimulés sous une pile de livres anciens. Je tourne les pages et dévore les mots des yeux. Min en profite pour m'enlacer par-derrière. Ses mains vagabondent sous ma robe et saisissent mes seins.

Il me déshabille comme on épluche un fruit. Gardant ma culotte, les bras croisés sur la poitrine, je lui ordonne de pendre ma jupe à un cintre sans la froisser. Il se dévêt à son tour et envoie ses vêtements aux quatre coins de la pièce. Gardant son slip, il se jette sur moi et frotte son torse contre le mien.

Les yeux fermés, j'essaie de lutter contre la pesanteur de son corps. Min m'entraîne de force au milieu de la pièce et me couche sur un bureau. Il écarte lentement mes jambes. Je tends les mains pour me cacher. Min empoigne mes bras. Je me tords, je gémis. Pour calmer mon désarroi, il embrasse le bout de mon sein, le suce. Je pousse des cris de douleur. Comme un démon, il se dresse de tout son long. On dirait que sa tête touche le plafond. Son visage tourmenté se découpe sur un carré de ciel bleu enchâssé dans la fenêtre. Son ventre entre mes cuisses, soudain, il avance.

La légende raconte qu'aux enfers, un des supplices favoris des diables consiste à scier les damnés en deux : l'imagination populaire puise probablement sa source dans la première rencontre entre un homme et une femme.

– As-tu mal ?

Je mords ma lèvre inférieure et refuse de répondre.

Min me contemple un moment, puis il s'habille et essuie mon visage avec un mouchoir. Son regard soudé au mien, il me dit :

– Je dois t'épouser.

– Porte-moi dans le lit.

Min ferme les portes, tire les rideaux et baisse la moustiquaire qui entoure le lit. Nous nous enveloppons d'une couverture de soie doublée de coton. Dans la pénombre, une odeur de bois pourri me paralyse.

Il me console :

– La première fois, on se sent toujours un peu bizarre.

– Tu as de l'expérience pour parler ainsi !

Il se tait. Ses mains se promènent sur mon cou, mes épaules, mes bras, mon ventre. Dehors, les premiers cris des cigales se font entendre. Min est de nouveau sur moi. J'ai mal. Mais cette fois-ci c'est une chirurgie supportable. Je tremble, j'étouffe. Dans ma tête, les idées se brouillent, les images se confondent. Je vois apparaître le visage de Jing, puis celui de Cousin Lu.

Soudain, Min me fixe d'un regard cruel et anxieux. Une série de gémissements rauques s'échappent de sa gorge. Après s'être battu contre une force invisible, il tombe sur moi, inerte.

Il s'endort aussitôt, ses bras fatigués autour de ma taille. Sa tête repose au creux de mon cou. À chacun de mes mouvements, il me caresse instinctivement et m'attire davantage contre lui. Je dois retourner à l'école mais je n'ai pas envie de me lever. Demain, le mensonge viendra à mon secours. Mes pensées vagabondent, pareilles aux nuages qui glissent dans le ciel de notre ville et vont échouer derrière les montagnes, au nord de la plaine de Mandchourie. J'ai entendu dire que les vierges perdent beaucoup de sang. Je n'ai point saigné. Les dieux m'ont épargné cette violence qui épouvante les femmes. Je ne me sens pas coupable. Je suis contente. La vie ne m'a jamais semblé si simple, si lumineuse.

À la fin de l'après-midi, nous retournons au monde extérieur. La nuit descend déjà mais le jour flotte encore, esquif cherchant son port. Je me rappelle la leçon de piano et réfléchis à une excuse qui trompera ma mère. Je me déplace lentement. Quelque chose enfoui depuis toujours dans les méandres de mon être est exhumé, tel un drap sorti du coffre pour être exposé au soleil. Ma virginité n'est plus qu'une plaie. Fendu en deux, mon corps est ouvert et la brise me traverse.

Min me tire de ma rêverie :

– Quand nous aurons chassé les Japonais, je t'épouserai.

– Je n'ai pas envie de me marier. Occupe-toi de ta révolution.

Le garçon s'arrête et tourne vers moi un regard blessé. Ses lèvres tremblent. Qu'il est beau!

– Ma famille descend de la bannière jaune. Ses terres s'étendent du rempart de notre ville jusqu'aux steppes de Mongolie. Mon père est mort et je veux consacrer mon héritage à la liberté de mon pays. Je serai un homme pauvre et je vivrai dangereusement. Si tu ne me méprises pas, puisque tu m'as offert ce que tu as de plus précieux, tu seras ma femme.

Je me mets à rire.

Dans le pousse-pousse, je lève un bras en signe d'adieu. Sur le trottoir, la silhouette de Min devient tache, puis trait dissous dans l'obscurité de la ville.

Enfant, le mystère de l'Empire du Milieu me faisait rêver. J'aimais dessiner des pavillons mandarins, des châteaux tatars et des guerriers impériaux. Plus tard, je dévorais sa littérature classique.

Jusqu'à hier, je ne connaissais de la Chine que Ha Rebin, l'énorme métropole située au bord du fleuve Amour. Cette ville moderne et métissée me sert aujourd'hui de repère. Sans cesse je la compare à la ville des Mille Vents. La petite cité a beau appartenir à la Mandchourie indépendante, on reconnaît tout de suite une parcelle de la Chine éternelle.

Ici, les voitures sont moins nombreuses qu'à Ha Rebin. Il n'y a pas de tramway. Des centaines de tireurs de pousse-pousse se relaient jour et nuit. Les bicyclettes sont prisées des étudiants issus de familles riches.

Contrairement au peuple de Ha Rebin, descendant des exilés et des condamnés, à l'apparence grossière, les natifs d'ici sont de physionomie délicate. On dit qu'ils ont pour ancêtres les bâtards des princes, que dans leurs veines coule un sang subtilement mêlé de Mandchous, de Mongols et de Chinois. Leurs visages semblent venir des siècles lointains. Leurs traits sont purs. Les hommes, de taille élancée, ont la peau mate, des yeux fendus jusqu'aux tempes. Les femmes ont hérité des dames de cour la pâleur, les pommettes hautes, les yeux en forme d'amande, la bouche minuscule.

Dès le lendemain de notre arrivée, des officiers de réserve nous entraînent dans les nombreuses rues du quartier des plaisirs qui jouxte la garnison. Je suis convaincu que la prostitution a été inventée pour les militaires et que la première pute de l'Histoire fut une femme amoureuse d'un soldat.

Ici comme au Japon, on tente d'arracher nos soldes avec des sourires flatteurs. Les Chinoises bredouillent un japonais rudimentaire mais suffisant au marchandage. Certains bordels sont tenus par notre armée qui emploie des Japonaises et des Coréennes, toutes hors de prix. À défaut de pouvoir me payer une compatriote, je me laisse guider par les connaisseurs. On m'introduit dans une maison à la façade modeste qui porte le nom de Flûte de jade. Au centre de la cour, un arbre s'étire vers le ciel. On entrevoit à l'étage des uniformes, des chevelures, des robes chatoyantes.

La patronne, femme au lourd accent de Shan Dong, fait défiler devant nous ses filles. Je choisis Orchidée. Ses yeux sont bridés comme ceux d'une louve. Sa bouche est une myrtille écrasée. Cigarette au bout des doigts, queue de renard sur l'épaule, pieds nus dans des chaussures à talons aiguilles, elle gravit les escaliers en roulant des hanches.

Dès les premières caresses, l'air grave, elle m'apprend qu'elle est une pure Mandchoue et qu'il ne faut pas la confondre avec une Chinoise. Contrairement aux prostituées japonaises qui trichent et se retiennent, Orchidée, femme de la bannière, sombre et crie. Il est rare de voir une

prostituée jouir. Ma partenaire s'abandonne avec une naïveté et un bonheur désarmants. Quand je la quitte, appuyée
contre le chambranle, la jeune femme aux fesses musclées
me regarde descendre en tortillant son mouchoir vert.

Le lendemain, au lycée, je promène un regard fier sur mes camarades. La douleur d'hier demeure dans mon corps. Elle me brûle, me démange. Elle est ma dignité. Enveloppée dans ma robe bleue pareille à celles des autres, je sais pourtant que, désormais, je suis différente.

Après la classe, je fais un détour et passe voir ma sœur. Assise sous la fenêtre, elle tricote. Je m'étends en face d'elle, sur un divan d'osier.

La sœur de son mari vient de tomber enceinte et Perle de Lune se plaint d'avoir encore le ventre vide. Pour la distraire de son obsession, je l'interroge :

– Comment sait-on si l'on est amoureux ?

Elle essuie ses larmes et éclate de rire.

– Tiens, tiens, y a-t-il un garçon qui te plaît ? Pourquoi me poses-tu cette question ?

Je feins d'être froissée :

– Si tu ne veux pas me répondre, je m'en vais.

– Es-tu fâchée ? Veux-tu une part de gâteau au miel et aux fleurs d'acacia ?

Perle de Lune sonne le domestique et reprend son tricot :

– Que veux-tu savoir ?

Je cache mon visage dans un coussin :

– Comment sait-on si l'on est amoureux ? Que ressent-on ?

– D'abord, tu oublies le monde autour de toi. Ta famille, tes amis deviennent invisibles. Jour et nuit, tu ne penses qu'à un homme. Quand tu le vois, il emplit tes yeux de lumière. Quand tu ne le vois pas, son image te ronge le cœur. À chaque instant, tu te demandes ce qu'il fait, où il est. Tu lui inventes une vie, tu vis pour lui : tes yeux regardent pour lui, tes oreilles écoutent pour lui…

Perle de Lune prend une gorgée de thé et poursuit :

– Dans cette première étape, chacun ignore le sentiment de l'autre. C'est le moment le plus poignant. Puis, ils s'ouvrent leur cœur et connaissent, un bref instant, le bonheur insensé.

Ma sœur délaisse son ouvrage et ses yeux se perdent dans le vague :

– Après le beau temps, c'est la tempête. Brusquement les amants plongent dans l'obscurité. Ils y avancent à tâtons, en rampant. Ils vieillissent. Tu verras, Petite Sœur. Quand tu seras aimée et que tu aimeras, tu découvriras la souffrance de vivre sur un gril chauffé à blanc. Tu ne seras plus sûre de rien.

Les lèvres de ma sœur ont craquelé comme une terre aride. Son regard haineux cherche dans l'invisible les coupables de son malheur. Elle poursuit :

– Tu connaîtras un sort meilleur. Tu es plus forte que moi. Tu sauras braver la souffrance et apaiser la colère des dieux, jaloux de nos amours.

– Alors, pourquoi se marie-t-on ?

– Le mariage ? dit-elle en riant. C'est froid, c'est fade, une cérémonie jouée pour les parents. Maintenant, je ne suis plus que l'ombre de moi-même. La famille que j'ai bâtie me pèse. Il y a des jours où je voudrais n'être qu'un meuble. Sans pensée, sans émotion, je saurais l'attendre, le servir, garnir son espace, consoler ses ancêtres.

Perle de Lune se lève. Elle cueille une grappe de glycine qu'elle écrase entre ses doigts tremblants :

– Je vais te dire la vérité. J'aimais mon mari. Je lui ai tout donné. Comme un ver à soie, j'ai vomi de mes entrailles ce que je possédais de plus beau. Je ne suis plus rien qu'une dépouille infertile. Je sais ce qu'il me reste à faire. Je lui donnerai ma vie. Qu'il vive, que je meure !

Un malaise m'envahit. Sous un prétexte quelconque, je prends congé d'elle. Dans la rue, je me mets à courir. J'ai besoin de respirer la vie, les arbres, la chaleur de ma ville. Je saurai maîtriser mon destin et me rendre heureuse. Le bonheur est un combat d'encerclement, un jeu de go. Je tuerai la douleur en l'étreignant.

La chaleur rend l'entraînement difficile. Derrière les murs de la ville, la campagne noire se transforme en plaque de tôle brûlante. Sous la surveillance des officiers, les soldats marchent, sautent, courent, rampent, tirent, enfoncent mille fois leur baïonnette dans les entrailles des mannequins de paille. Ceux qui s'évanouissent reçoivent un seau d'eau et une paire de gifles. Aux recrues chinoises, on inflige des punitions plus sévères. Les hommes ressemblent à un fer qu'il faut frapper pour en faire une arme.

Dès le premier jour, le soleil a marqué mon visage et mes lèvres ont pelé. À force de crier des ordres, ma voix s'est cassée et la gorge me brûle. Le riz que j'avale me fait l'effet de grains de sable. La nuit, la température chute brusquement mais le corps conserve encore le feu de la journée. Souffrant du froid et de la chaleur, je me retourne sur ma couche sans trouver le sommeil.

Pourtant je suis bien content d'être là. La caserne est une cité interdite avec ses bars, ses restaurants, sa bibliothèque, ses infirmières séduisantes, ses salles de bains aux véritables tonneaux de bois. Petite Sœur et Akiko m'ont envoyé des livres et des gazettes littéraires. Mère m'a gâté avec un sac rempli de chocolats, de pâte de haricots rouges, de chaussettes et de caleçons neufs.

Les revues pornographiques qui circulent font naître une complicité joviale. Le soir, d'une chambre à l'autre, des voix ébréchées malmènent nos chants traditionnels. Ici et là, on se réunit pour une partie de cartes où l'on joue de l'argent.

Au désespoir des soldats, les officiers ont le privilège de sortir librement. Des petits groupes de fêtards se sont formés. Dès le coucher du soleil, nous nous soûlons en ville puis nous faisons un tour digestif chez les prostituées.

Comme je parle leur langue, mes relations avec les femmes du pays prennent une tournure singulière. La communication fait naître de la tendresse chez les êtres les plus âpres. Orchidée s'est attachée à moi. Mon corps l'a domptée. Elle me voue désormais une passion sans retenue.

Son imagination transforme la simple rencontre entre un soldat et une pute en histoire d'amour. Elle prétend m'avoir remarqué dès le premier jour de notre arrivée. Parmi les soldats qui défilaient, seul mon regard l'aurait fascinée.

À force de l'entendre dire qu'elle m'aime, je lui deviens fidèle. Elle m'emballe par son ardeur et sa franchise que ne connaissent pas nos courtisanes. Elle m'offre ses mouchoirs, ses chaussettes, des mèches de cheveux et un petit coussin de satin orné de broderies érotiques. Ces modestes présents me ravissent et me flattent autant que son désir frénétique.

Dans mon pays, le mois de mai, doux et lumineux, est plus fugitif que le saut d'une grenouille dans l'eau.

Déjà, l'été arrive.

Après le déjeuner, les premières chaleurs imposent à mes parents une lourde sieste. Je traverse la maison sur la pointe des pieds, me glisse dans le jardin et sors par la porte de derrière. Je suis les rues sinueuses où les arbres offrent des parcelles d'ombre. Le soleil verse dans ma tête ses coulées d'or. Je transpire, je ne pense à rien.

Chez Jing, les lilas nous soûlent de leur parfum. Min m'attend dans le lit. Il s'est aspergé de l'eau du puits de la tête aux pieds. Il est glacé comme un galet tout juste tiré du fleuve. Je me jette sur lui. Ma peau brûlante fume presque au contact de la sienne.

Au fur et à mesure que je découvre le corps de Min, centimètre par centimètre, il devient une terre infinie. Je l'explore, j'écoute le soupir de sa peau, je lis la carte de ses veines. Nous inventons des jeux subtils. Avec le bout de ma langue, je dessine des caractères sur sa poitrine pour qu'il les devine. J'offre mon ventre à sa bouche, mon sein à son front. Min rampe sur moi en position de prière, à chaque

mouvement, il doit réciter un poème. Ses cheveux me chatouillent et me font rire. Pour me punir de ma moquerie, il
entre brusquement en moi. C'est le monde qui se déchire.
Ma vue se trouble, mes oreilles bourdonnent. J'enfonce mes
doigts dans mes cheveux, je mords le coin du drap. Les
yeux fermés, j'entrevois dans les ténèbres les couleurs vives
d'immenses drapeaux qu'on agite. Des contours se forment
et se déforment, des êtres surgissent et s'évanouissent. Je
vais mourir. Soudain, j'ai l'impression d'être double. Une
partie de moi-même me quitte et flotte en l'air. Elle me
contemple, m'écoute gémir, râler. Puis en s'élevant, elle
disparaît vers une hauteur inconnue, oiseau franchissant le
col d'une montagne. Je ne l'aperçois plus.

Min s'effondre et s'endort, son bras sur ma poitrine. Il a
laissé sur mon ventre quelques gouttes blanches. Elles sont
chaudes et s'enroulent autour de mes doigts comme des fils
de soie. Les hommes sont des araignées qui tendent aux
femmes un piège tissé de leur semence.

Je me lève doucement. Remplie d'une énergie nouvelle,
je suis prête à entamer une partie de go. Dans le jardin, sous
un arbre, Jing somnole sur une chaise longue, un chapeau
de paille sur la figure. J'ignore à quel moment il est entré et
s'il a épié nos ébats. J'allais m'éclipser quand il soulève
brusquement son chapeau et me fixe dans les yeux.
J'éprouve un plaisir secret à la vue du désespoir et du
mépris qui se lisent sur son visage. Je le défie en soutenant
son regard. Ses lèvres tremblent, aucune voix ne s'échappe
de sa gorge.

Le cri traînant d'un marchand de fruits parvient jusqu'à
nous.

– Je voudrais manger des pêches, lui dis-je.

Jing frappe la chaise de son poing. Il se lève, court, puis

revient avec un panier de fruits. Il les nettoie près du puits et choisit pour moi le plus gros. Nous avalons les pêches sans un mot. Du jus gicle de la bouche de Jing et se répand sur sa chemise.

Les cigales poussent des cris stridents. L'odeur des feuilles brûlées par le soleil se confond avec le parfum de mes cheveux. Dans une jarre qui sert d'aquarium, une carpe pirouette.

À la caserne, parmi les nouveaux visages, le capitaine Nakamura, l'officier des renseignements, se distingue de nos camarades avides de femmes et mène une vie solitaire. En dépit de son grade, il encourage à son insu les plaisanteries les plus audacieuses et se prête volontiers au rôle de kyogen[1].

Au restaurant, après avoir descendu vingt bouteilles de saké d'une traite, il s'endort et ronfle bruyamment. Un jour, nous décidons de nous venger de ce sommeil tapageur. D'un coup de coude, je le réveille. Tel un maître zen qui s'adresse à son élève, je l'interroge :

– Manger, boire, voir les filles, sont les vanités des sens. Capitaine, quelle est la vanité de l'âme ?

Il se dresse comme un fantôme hors de sa tombe, indifférent à nos rires, il psalmodie :

– «Le cri des insectes,

De plus en plus las, affaibli,

D'automne qui passe

Moi, qui regrette la fuite,

---

1. Dans le théâtre nô, les kyogens sont des comiques qui jouent sur scène entre deux actes.

Avant lui disparaîtrai… »

Oui, la vanité de l'âme est la mort !

Retenant mon sourire, je le questionne :

– Capitaine, quelle est la vanité de la vanité ?

Interloqué, il se gratte la tête :

– « Le monde où nous vivons,

N'a d'existence autant

Que rayon de lune

Qui se reflète dans l'eau

Puisée au creux de la main[1]… »

La vanité de la vanité… la vanité de la vanité est…

Pour le tourmenter davantage, je détache chacune de mes syllabes :

– La vanité est vaine, la vanité de la vanité est doublement vaine. Or, la vanité et la vanité s'annulent. La vanité de l'âme est la mort, la vanité de la vanité de l'âme est la vie. Entre la vie et la mort, qui sommes-nous ?

Il me contemple. Son air ébahi provoque autour de nous une explosion de rire.

Un après-midi, en lui rendant visite, j'aperçois dans sa chambre un go ban. Sans tarder, nous commençons une partie. À mon grand étonnement, brouillon et empoté dans la vie, le capitaine joue avec adresse et désinvolture. À la caserne, il a acquis la réputation d'un fou : il voit des complots partout. Sur le damier, cette obsession se transforme en une prudence exacerbée.

Après sa défaite, le capitaine m'invite à dîner. Quelques coupes de saké suffisent à faire de nous les meilleurs amis du monde. Nous discutons de littérature chinoise. Il s'étonne que je parle le mandarin. Le go oppose les êtres

1. Les deux poèmes sont tirés du *Dit de Heiji*, roman japonais du XVIe siècle, traduction de René Sieffert.

autour d'un damier mais leur donne dans la vie une confiance réciproque. Sans hésiter, je lui ouvre mon cœur.

Une Pékinoise avait suivi son mari étudiant à Tokyo. L'homme mourut d'un cancer, la laissant seule au monde avec un nouveau-né. Parlant trois mots de japonais, sans argent, elle frappa à toutes les portes pour solliciter un emploi. Mère l'engagea comme nourrice. Ce fut un don envoyé par le Bouddha. Mes parents, comme tous les parents du Japon, m'avaient élevé avec une implacable sévérité. Au moindre écart, je recevais une paire de gifles. Les joues en feu, les larmes aux yeux, le cœur meurtri, je me précipitais dans les bras de ma Chinoise qui pleurait mes malheurs. Pour effacer la douleur, elle m'étreignait et me contait les légendes de son pays. Le chinois fut ma langue de rêve et de consolation. Plus tard, elle m'apprit à réciter les poèmes de la dynastie Tang et à écrire. Elle m'enseigna l'*Entretien* de Confucius, me fit découvrir le *Rêve du Pavillon rouge*. Quand je lisais ces textes à voix haute, ma prononciation à la pékinoise provoquait chez elle des sanglots de joie. Elle allaita mon frère et ma sœur, nous enivra de sa tendresse. Puis un matin, elle s'évanouit. Un an plus tard, Mère coupa court à mes illusions : elle était retournée dans son pays et ne reviendrait jamais.

Ma confidence fait soupirer le capitaine. Il vide un verre de saké, se lève. Imitant la gestuelle d'un acteur de nô, une baguette en guise d'éventail, il chante :

– «Fût-il resté en vie
Rien n'était perdu mais disparu
À quoi bon lui survivre
Quand tel l'arbre-balai
Son image à mes yeux
Tantôt paraît tantôt s'efface

Incertaine selon les us de ce monde
Misérable la vie de l'homme
Telle la fleur dans sa splendeur
Au vent d'impermanence
Qui fait rage au long de la nuit
De vie et de mort
Couvrant de nuages
Le clair de lune incertain
En vérité sous mes yeux la misère du monde[1]...»

Saisi de tristesse, j'applaudis. Le capitaine s'incline, absorbe une nouvelle coupe.

Il change de sujet :

– Savez-vous qu'au centre de la ville, il y a une place où les Chinois se réunissent pour jouer au go? C'est un spectacle extravagant. Les joueurs s'assoient à des tables gravées en damier et attendent qu'on vienne les défier. Vous qui parlez le chinois avec un superbe accent pékinois, vous devriez vous déguiser en civil et y jouer une partie.

Il avale un autre verre de saké et poursuit :

– Depuis longtemps, je suis intrigué par leur jeu mais je n'ai jamais osé les approcher. Mes informateurs ont beau m'assurer que ce sont des sujets inoffensifs, je suis persuadé du contraire. Depuis que les terroristes se sont introduits dans la ville, j'ai l'œil sur tout le monde. Ces gens-là intriguent pour nous perdre. Le go n'est qu'un camouflage : c'est sur cette place, sous prétexte de jouer à la guerre, que nos ennemis combinent leurs coups tordus.

Cramoisi, le capitaine sombre dans un univers imaginaire. Je feins l'intérêt :

---

1. Un extrait du nô, *L'Île d'or*, écrit par Zéami (1363-1444), traduction de René Sieffert.

— Mais comment pourrais-je me travestir ? Faut-il louer une chambre dans un hôtel pour me changer ?

Il prend ma question au sérieux :

— Tout ceci restera entre nous. Je vous couvrirai. Dès demain, vous irez chez un homme à moi qui tient le restaurant Chidori. Il vous prêtera les accessoires. Il vous expliquera comment tromper la méfiance des Chinois. Si les terroristes se sont retirés de la cité, leurs agents sont partout. Ils trament un nouveau soulèvement. Mais cette fois, je les aurai. Merci de sacrifier votre repos au service de la patrie. Venez, lieutenant, trinquons à la gloire de l'Empereur.

Je comprends alors qu'il ne s'agit pas d'une plaisanterie. Il est trop tard pour refuser. Je vide ma coupe de saké et scelle notre accord. En vérité, le capitaine est un malin et sa bizarrerie un leurre. Au moment même où je pénétrais dans sa chambre, il savait déjà qu'il ferait de moi son espion. En jouant au go, il a tressé les rets qui m'enserrent à présent : je suis obligé de me glisser dans la peau d'un Chinois.

Min méprise les jeux qu'il considère comme une perte de temps. Cet après-midi, après de longues exhortations, je réussis à lui faire changer d'avis. Il consent à jouer aux cartes à condition que nous restions au lit et que mon ventre nous serve de table. Avec lui, tous les plaisirs de la vie s'acheminent vers le bonheur érotique. Incapable de prévoir la stratégie de son adversaire, il perd glorieusement et se hâte de battre les cartes entre mes seins. Sa paresse et sa légèreté m'exaspèrent. Pour le punir, je quitte la chambre sous un prétexte quelconque et m'enfuis de la maison en direction de la place des Mille Vents.

Les joueurs méditent et somnolent. N'ayant pas trouvé de partenaire, je m'installe à une table et attends le passage d'un amateur. La tête dans une main, je dispose les pions et entreprends une partie imaginaire contre Min. Une ombre se projette sur moi. Je lève la tête. Un inconnu, son panama écrasant des lunettes à monture d'écaille, se penche. Je réponds d'un signe de tête et lui désigne son siège.

L'inconnu semble ne pas me comprendre et fait mine de s'éclipser. Je le retiens :

– Savez-vous jouer au go ?

Il demeure interdit.

– Allez, vous avez l'allure d'un connaisseur. Asseyez-vous, jouons une partie.

– Vous êtes de quelle catégorie, je vous prie ? me demande l'abruti avec un ignoble accent pékinois.

– Je ne sais pas.

– Je ne peux pas jouer si je ne connais pas vos handicaps.

– Commençons une partie. Je vous ferai une petite démonstration !

Il hésite un moment et finit par s'asseoir face à moi. Il n'y a aucun doute, cet étranger ignore ma réputation. Comme beaucoup d'imbéciles, il est trompé par mon apparence.

Je pousse bruyamment les pions noirs vers lui.

– À vous[1].

Il place sa pierre sur le coin nord-ouest. Sa prétention de tout à l'heure m'énerve encore et je décide de lui jouer un mauvais tour. Je réplique en collant un blanc à son flanc. Jamais, au début d'une partie, on n'entre dans la lutte par un corps à corps. C'est une règle d'or.

Déconcerté, il me regarde et sombre dans une longue réflexion.

Sur un damier carré, les pions se disputent les 361 intersections constituées par 19 lignes horizontales et 19 lignes verticales. Les deux joueurs se partagent ainsi cette terre vierge et comparent à la fin l'étendue des territoires occupés. Je préfère le go aux échecs pour sa liberté. Dans une partie d'échecs, les deux royaumes, avec leurs guerriers cuirassés, s'affrontent face à face. Les cavaliers de go, vire-

---

1. Au go, les pions noirs débutent le jeu mais doivent céder à la fin, au décompte, cinq points et demi d'avantage aux blancs.

voltants et agiles, se piègent en spirale : l'audace et l'imagination sont ici les vertus qui conduisent à la victoire.

Au lieu de border mes frontières, j'attaque mon adversaire de front. Mon blanc n° 4 l'incite au duel. Il réfléchit de nouveau.

Mon n° 6 fait barrage à son noir n° 5, se rallie aux autres pour encercler le n° 1.

Il répond in extremis en plaçant son n° 7.

Je souris. Terminé la plaisanterie, je construis mon jeu.

L'Inconnu joue avec une infinie lenteur. Le cheminement de sa pensée me surprend. Chacun de ses coups traduit un souci d'harmonie avec le tout. La progression de ses pions est aérienne, subtile, telle la danse des grues. J'ignorais qu'à Pékin, il existât une école où l'élégance prime sur la violence. Perplexe à mon tour, je me laisse emporter par son rythme.

L'Inconnu interrompt brusquement le jeu qui devenait palpitant.

– J'ai un rendez-vous, dit-il d'un ton bourru.

Mécontente, je veux reprendre la partie le plus vite possible.

– Revenez dimanche matin, à dix heures.

Derrière les lunettes, son regard demeure sans enthousiasme.

– Alors tant pis.

Je me lève.

– D'accord, se décide-t-il enfin.

Je relève la position des pions sur une feuille et gratifie l'Inconnu d'un sourire. Pour l'avoir essayée sur Cousin Lu, Min et Jing, je connais mon arme.

En effet, il baisse la tête.

Le déguisement choisi : tunique de lin, chapeau panama, éventail orné de calligraphies, confère à mon personnage la solennité des mandarins impériaux. Une paire de lunettes me donne l'allure d'un universitaire.

Mon tireur de pousse-pousse s'aperçoit immédiatement que je ne suis pas du coin et décide de m'escroquer. Au lieu de se rendre directement place des Mille Vents, il fait un grand détour dans la ville.

D'une voix entrecoupée, il raconte l'histoire de sa région. Il y a quatre cents ans, les seigneurs de la cour découvrirent la forêt des environs et firent bâtir alentour des palais somptueux. Des siècles durant, ils chérirent cette terre riche de gibier et de belles femmes. Mille Vents, à l'origine un simple village, devint une ville où fleurirent le commerce et l'artisanat. Copie minutieuse de Pékin, la cité a emprunté à la capitale son dessin rectangulaire. Après l'effondrement de l'Empire mandchou, une partie de l'aristocratie pékinoise suivit l'Empereur à la Capitale nouvelle. D'autres se réfugièrent ici. On les distingue à l'élégance de leur misère : vêtus de robes démodées, ils protestent contre la modernité en conservant les ongles longs, signe d'oisiveté, le crâne rasé et la natte traditionnelle.

Après avoir longé le rempart où grouillent mendiants, jongleurs de feu, dresseurs de singes, après m'avoir montré la place de la mairie avec ses grands hôtels désuets, il s'arrête enfin au bord d'une place boisée.

– Voici la place des Mille Vents.

Puis, il s'enquiert d'un air mystérieux :

– Vous jouez aussi ?

Je ne lui réponds pas.

Dans le parc, autour des tables basses, les amateurs s'affrontent silencieusement. D'après leurs vêtements, ils sont de toutes catégories sociales.

Si je n'étais pas venu, je n'aurais jamais cru à l'existence d'un endroit où le go est offert aux passants. Pour moi, strictement réservée aux élites, une partie de go est une cérémonie célébrée dans le plus grand respect.

Ce phénomène ne me surprend pas. Selon la légende, la Chine a inventé ce jeu extraordinaire il y a quatre mille ans. Au cours de sa trop longue histoire, sa culture s'est épuisée, et le go a perdu son raffinement, sa pureté d'origine. Introduit au Japon quelques centaines d'années auparavant, médité, perfectionné, ce jeu y est devenu un art divin. Une nouvelle fois, mon pays a démontré sa supériorité sur la Chine.

Au loin, une jeune femme occupée à jouer contre elle-même. Chez nous, il est impensable qu'une femme demeure seule dans un lieu fréquenté par les hommes. Intrigué, je m'approche.

Elle est plus jeune que je ne l'imaginais, et porte une robe de collégienne. La tête appuyée dans le creux de sa main, elle est plongée dans sa réflexion. Sur le damier, les pions placés avec intelligence m'incitent à un examen plus attentif.

Elle lève la tête, front large, yeux bridés comme deux feuilles de saule délicatement dessinées. Je crois voir Lumière à l'âge de seize ans. Cette illusion s'évanouit aussitôt. L'apprentie geisha avait la beauté timide, recroquevillée. La Chinoise m'observe sans rougir. Chez nous, l'élégance est pâle et les femmes fuient le soleil. À force de jouer en plein air, la gamine a le visage nimbé d'un charme étrange. Son regard atteint mes prunelles avant que je ne baisse les yeux.

Elle m'invite à une partie de go. Je fais le difficile pour rendre mon rôle plus crédible.

Avant de quitter le restaurant Chidori, le collaborateur du capitaine Nakamura m'a instruit : ces dix dernières années, notre pays est devenu pour toute l'Asie la vitrine du monde occidental. En prétendant être l'un de ces étudiants chinois qui ont longtemps séjourné à Tokyo, je justifierai mon allure, mon accent, mon ignorance d'une certaine actualité.

La Chinoise n'aime pas le bavardage. Elle ne me pose aucune question et me presse de commencer. Dès son premier coup, elle impose un jeu pervers et extravagant. Je n'ai jamais joué au go avec une femme. Je ne me suis jamais trouvé si près de l'une d'entre elles, si ce n'est de ma mère, de ma sœur, d'Akiko, des geishas ou des prostituées. Bien que le damier me sépare de mon adversaire, son parfum de jeune fille me met mal à l'aise.

Absorbée par ses pensées, la tête penchée, elle semble rêver. La douceur de son visage contraste avec la dureté de sa main. Elle m'intrigue.

Quel âge a-t-elle ? Seize ? Dix-sept ? Poitrine plate et cheveux noués en deux tresses, elle porte en elle l'ambiguïté de l'adolescence qui fait des filles des garçons travestis. Cependant, la première féminité pointe en elle comme le perce-neige d'un printemps précoce : ses avant-bras ont une rondeur indolente.

Le soir tombe trop rapidement. Je dois retourner à la caserne.

Elle m'invite à revenir. Pareille proposition venue d'une autre femme aurait un goût impudique. L'adolescente sait jouer de son innocence.

Je ne réponds pas. Elle range les pions dans leurs pots en les faisant crépiter. Ce tapage proteste contre mon indifférence. Je ris sous cape. Elle sera un grand joueur si elle modère son agressivité et s'engage dans une voie spirituelle.

– Dimanche matin à dix heures, dit-elle.

Cette persévérance me plaît. Je ne résiste pas davantage et acquiesce d'un signe de tête.

Chez nous, lorsque les femmes rient, elles cachent leur visage derrière la manche de leur kimono. La Chinoise sourit sans gêne ni artifice. Sa bouche s'ouvre comme éclate une grenade.

Je détourne mon regard.

Un groupe de pèlerins longe un mur interminable. Par une brèche, ils pénètrent dans l'enclos. Là, des milliers d'arbres encerclent un lac aux flots scintillants. Dans un pavillon en ruine, un enfant joue avec un cerf-volant.

Il leur sourit malicieusement et leur souhaite la bienvenue. Son cerf-volant, explique-t-il, prédit l'avenir. Le membre le plus âgé du groupe l'interpelle :

– Sait-il où nous allons ?

Le cerf-volant s'envole, se dirige vers un coin du plafond, change de direction, se précipite vers le coin opposé. Comme un oiseau pris au piège, il cingle les murs de ses ailes, se cogne aux fenêtres, et brusquement tombe à pic.

– Dans les Ténèbres !

Je me réveille.

Ce matin, sur sa bicyclette, Min rattrape mon pousse-pousse et me fourre un livre dans les mains. En le feuilletant, je trouve un billet plié en quatre. Il m'invite à passer chez Jing en fin d'après-midi pour fêter les vingt ans de son ami. Je décide de présenter Huong à Jing. Leur rencontre sera mon cadeau d'anniversaire.

Dans le jardin, chez Jing, des étudiants fument, boivent,

discutent. Une écharpe de soie blanche autour du cou, les garçons jouent aux poètes maudits. Chaussures plates et cheveux courts, les filles sont plus masculines que leurs compagnons. Au centre du cercle, une étudiante harangue ses camarades. Min, adossé à un arbre, l'écoute attentivement. De temps à autre, son regard balaie l'assemblée sans me voir.

Jing sort de la maison et dépose un plateau de thé sur un tabouret. Je lui présente Huong, intriguée par les jeunes révolutionnaires. Ils engagent une conversation animée.

Je me laisse choir sur une chaise. Pour tromper l'ennui, je décortique des graines de tournesol salées tout en observant l'étudiante qui parle. Je suis surprise de la trouver belle malgré son air farouche. Cet orateur de vingt ans sait moduler l'intonation de sa voix et capter l'attention de son public. À chacune de ses paroles, je suis saisie d'une admiration qui m'anéantit.

– ... Le Japon, en pleine expansion militaire, ne va pas se contenter de coloniser la Mandchourie, leur prochaine étape sera Pékin, puis Shanghai, Guang Dong. La souveraineté de la Chine est en péril ! Bientôt nous serons des serviteurs, des esclaves, des chiens errants ! Les seigneurs de guerre, les gouvernements provisoires, les autorités militaires ont divisé notre continent. Seul le patriotisme réunit force et espoir. Rebellons-nous, chassons les envahisseurs, exterminons les militaires corrompus qui s'abreuvent du sang du peuple. Rendons la terre aux paysans, la dignité aux serfs. Sur les ruines d'un régime mi-féodal, mi-colonial, construisons une nouvelle Chine où régnera la démocratie. Sans corruption, sans misère, sans violence. Égalité, liberté, fraternité sera notre devise. Chaque citoyen travaillera selon ses besoins. Le peuple sera maître, le gouvernement son serviteur. Ce jour-là, la paix et le bonheur reviendront !

On l'applaudit. Après avoir salué ses admirateurs, elle se tourne vers Min. Dans son regard, la dureté cède la place à la tendresse. Il lui répond par un sourire. Je me lève et rejoins Jing et Huong.

Mon amie est en train d'exercer sur Jing son talent de charmeuse. Elle parle de sa famille, de son mariage arrangé. Elle regarde son interlocuteur avec une intensité insupportable.

Fasciné, il ne la quitte pas des yeux. Son visage exprime tour à tour la curiosité et la pitié. Ma présence le met mal à l'aise. Il jette des coups d'œil dans ma direction. Lorsqu'il croise mon regard, il baisse les yeux, toussote et reprend son air hautain.

J'erre dans le jardin sans pouvoir chasser la peine qui m'oppresse. Des libellules rouges se posent sur les tiges des fleurs, puis s'envolent dans les derniers rayons du jour. Par la fenêtre de la chambre, j'aperçois le lit où j'étais couchée la veille, couvert de ce même drap pourpre brodé de fleurs de chrysanthème. Cette vision me blesse.

Min me fait signe. Enfin. Devant ses camarades, il me traite en petite sœur et leur raconte en riant comment il m'a sauvé la vie. Je le laisse croasser. Il a honte de moi.

Jing commence à distribuer les galettes d'anniversaire. Mon tour venu, au lieu de me tendre l'assiette, il s'arrête et ôte une feuille accrochée à mes cheveux.

Quelqu'un lui tape sur l'épaule :

– Présente-moi ton amie.

Je reconnais la prophétesse de tout à l'heure.

Sans attendre la réaction de Jing, elle s'adresse directement à moi :

– Je m'appelle Tang et vous ?

Elle me pose mille questions. Son empressement m'intimide. Elle veut tout savoir : mon collège, ma maison, le nombre de mes frères et sœurs. Puis, sans gêne, elle me fait savoir qu'elle connaît mon amant depuis sa naissance. Sa mère sert dans la famille de Min. Elle griffonne son adresse sur un bout de papier et m'invite à lui rendre visite.

Je prétexte être attendue à la maison, confie Huong aux soins de Jing et quitte la fête. Jing me rattrape sur le seuil de la porte. Les mains sur le chambranle, il me barre le chemin et me remercie d'être venue.

Je lui dis :

– Huong est une très gentille fille. Elle est un peu perdue. J'espère que tu l'aideras à retrouver son chemin.

Le visage de Jing s'empourpre tout à coup. Je comprends que Huong lui a plu. Une étrange humeur s'empare de moi :

– Retourne à la fête. On t'attend.

Je sors de ma poche le mouchoir avec lequel il s'est essuyé le jour où il m'a raccompagnée à la maison en bicyclette. Je l'ai lavé, j'y ai brodé son nom.

– Tiens, un modeste cadeau.

Jing contemple le mouchoir et balbutie :

– Je suis très heureux de t'avoir rencontrée. Tu es une fille spéciale et intéressante. Min ne te mérite pas…

Je lui demande pourquoi.

Il me regarde fixement en mordant sa lèvre inférieure.

J'insiste. Il se fâche en tapant du pied et me tourne le dos.

Dans la rue, il fait une chaleur humide. Les arbres luisent et le vert suinte du bout des feuilles. Les vitrines des boutiques jettent ici et là l'étincelle d'un soleil las. Des enfants, presque nus, courent le long des trottoirs en brandissant des journaux. Pour attirer les clients, ils crient en chœur : « Une femme tue son amant ! Le corps découvert par un bonze ! »

Juste avant d'arriver à la maison, Min surgit et m'immobilise en m'agrippant par le bras.

– Jing est devenu fou ! Qu'est-ce qu'il t'a raconté tout à l'heure ?

– Rien.

– Qu'a-t-il dit sur moi ?

– Rien.

Min n'est pas pour autant rassuré. Il scrute mon visage.

– Il t'aime. Il vient de me l'avouer.

Cette phrase me transperce le cœur.

– Laisse-moi.

– Entre nous, il faut choisir.

– Ne nous donnons pas en spectacle !

– Tu ne peux pas me trahir. Ton corps m'appartient !

– Je suis libre. J'offre mon corps à qui je veux, même au diable !

– Pourquoi me dis-tu cela ? Pourquoi me fais-tu souffrir ? Tu ne m'aimes pas !

– Laisse-moi. Ma sœur m'attend à la maison, je te parlerai quand tu seras calmé. Demain je joue une partie de go place des Mille Vents, viens me chercher à dix-sept heures.

Je n'ai jamais connu Min dans un tel état. Il tremble de tout son corps.

Je m'enfuis en courant.

Après le dîner, on nous ordonne de dormir habillés, l'arme à portée de la main. À minuit, des coups de sifflet nous tirent du sommeil. Je me précipite dehors.

Notre troupe, divisée en plusieurs sections, s'engouffre dans des camions. On nous informe du but de l'opération : arrêter des terroristes réunis ce soir en ville. On pense trouver parmi eux le fameux colonel Li.

Il fait lourd et humide. Sous les réverbères s'ébattent les phalènes. Dans le quartier de la haute bourgeoisie, les lanternes à gaz éclairent d'imposants portails. Soudain, des tirs éclatent. Les terroristes ont flairé le piège et tentent de s'enfuir. Nos éclaireurs ont ouvert le feu.

Une grenade explose dans une rue voisine. L'odeur de la poudre me fait tressaillir. Il y a des mois que je n'ai pas participé à une bataille. La mort m'a manqué.

Nous encerclons une vaste résidence. Cachés sous les fenêtres, les rebelles résistent à nos attaques en lançant des grenades. À l'endroit où sont tombés les projectiles, les arbres brûlent. Les fenêtres aux vitres brisées sont noires comme des terriers.

Les assauts menés par notre section ont permis à l'un de

nos commandos de monter sur le toit où ils trouvent une ouverture. Le combat a été trop bref. À peine échauffé, je suis contraint de baisser mon arme. Les terroristes ont laissé là cinq cadavres et huit blessés. Le fameux colonel rebelle a eu l'intelligence de se donner la mort avant notre irruption. Le butin est abondant : dans la cave sont entassés fusils, caisses de munitions, liasses de billets chinois que les bandits n'ont pas eu le temps de changer en monnaie mandchoue. Nous sommes intervenus à temps. Une nouvelle insurrection était sur le point d'éclater.

Je compte nos pertes : quatre soldats et un officier ont laissé la vie pour l'empereur du Japon. À la porte d'une maison voisine, une forme s'agite. Un soldat, touché par une grenade, rampe sur le trottoir et pousse des râles interminables. Je cours vers lui et examine ses blessures. Son corps n'est qu'un tas de chair hachée mêlée aux lambeaux de ses vêtements. De son ventre ouvert, les boyaux se répandent. Soudain, il s'agrippe à mes épaules :

– Vas-y, tue-moi !

Je sais qu'il est foutu. Je sais que tous les soldats doivent y passer. Mais je n'arrive pas à tirer mon pistolet de son étui.

– Tue-moi ! Salaud, pourquoi tu hésites ?

Le courage me manque. La main sur mon arme, j'ai le vertige. Les ambulanciers accourent et transportent le blessé sur un brancard tandis qu'il continue de hurler :

– Tuez-moi ! Je vous en prie ! Tuez-moi !

À la caserne, je m'écroule sur le lit sans me déshabiller. Les manches de mon uniforme sont encore humides du sang de cet inconnu qui agonisera des jours durant à l'hôpital. Son désespoir me hante. Incapable de lui faire la charité de la mort, j'ai été lâche. Bouddha aurait commis le crime de délivrance. La compassion appartient aux âmes fortes.

Les paroles de ma mère résonnent à mes oreilles :

– Entre la mort et la lâcheté, choisis sans hésiter la mort.

À travers la fenêtre et les arbres de la cour, je contemple la lune.

La silhouette de Jing repasse devant mes yeux. Les mains sur le chambranle, le regard rempli d'une lumière trouble, il me remerciait d'être venue.

Longtemps, le garçon s'est montré hautain et sauvage. Pas une seule fois, je ne l'ai cajolé sans redouter ses humeurs. Après l'aveu transmis par Min, je ne crains plus son regard dédaigneux. Il est désormais un livre ouvert dont je composerai la grammaire.

Pourquoi Jing a-t-il dit que Min ne me méritait pas ? Comment les deux hommes se sont-ils retrouvés face à face ? Qu'est-ce qui a poussé Jing à se confesser soudain ? Se sont-ils disputés ? Se sont-ils battus ?

Min dit qu'il veut m'épouser. Mais je crains qu'il ne ressemble un jour à mon père, à mon beau-frère. La passion des hommes tarit plus vite que la beauté des femmes.

Il m'a demandé de choisir. Comment pourrais-je ne plus revoir Jing qui nourrit mon attirance pour Min ? Je ne tromperai pas Min. Il m'a faite femme. C'est la reconnaissance qui me rend fidèle, non sa jalousie. Mon rapport avec Jing est plus subtil que les élans du corps. L'abstinence est la volupté de l'âme. Je sais que Jing nous observe, qu'il vit avec moi la stupéfiante découverte de la chair. Mon regard étouffe sa rancœur. Quand je me tourne vers lui, son pâle visage retrouve les couleurs de la vie. Jing est mon enfant, mon frère avec lequel tout attouchement est interdit. Cette pureté est le commencement d'une affection sans retenue et sans défense que je refuse à Min.

Sans Jing, mes étreintes avec son rival deviendraient vulgaires. Sans Min, Jing n'existe plus. Par contraste avec la légèreté de mon amant, son caractère aride paraît grave et mystérieux. En choisissant l'un, je renonce à l'autre et je les perds tous deux.

Dans une telle situation, au jeu de go, on opte pour une troisième solution : attaquer l'adversaire là où il s'y attend le moins. Demain, lorsque Min viendra me chercher place des Mille Vents, je ferai semblant de ne pas l'apercevoir. La partie terminée, je compterai les pions. Je saluerai mon adversaire et l'accompagnerai du regard jusqu'à ce qu'il disparaisse. Je fixerai le damier d'un air épuisé. Je demanderai : «Min, qui est Tang?»

Il me jurera sa fidélité. Je feindrai la colère. Je trépignerai, je soupirerai. J'ai si bien retenu les crises de Perle de Lune que je saurai jouer à la perfection.

Pour me calmer, il m'entraînera chez Jing. J'accepterai ses baisers, il viendra sur moi. Nos corps nus seront enroulés dans le drap comme deux pins ligotés par le lierre. Le lit sera un palanquin, il nous conduira vers un autre monde.

Un bruit assourdissant me tire de mes rêveries. Par la fenêtre, je discerne mes parents en pyjama au milieu de la cour. La cuisinière alertée sort de sa chambre, une bougie à la main.

– Éteignez! lui ordonne mon père d'une voix sourde.

– J'espère que ce n'est qu'un exercice militaire, dit Mère.

Père soupire.

De nouveau, s'élèvent des explosions semblables aux pétards qui éclatent à la fête du Printemps. Notre ville oppose à ce vacarme un silence têtu où l'on ne distingue aucun bruit de pas, aucun murmure, aucun pleur.

Puis, tout rentre dans l'ordre d'une nuit étoilée. Mes parents retournent à leur chambre, la cuisinière ferme la porte.

La lune, immobile, nous regarde.

Dès l'aurore, nous parcourons inlassablement les trois kilomètres qui longent l'enceinte de la caserne. Nos foulées rythmées soulèvent des nuages de poussière, nos chants patriotiques retentissent entre ciel et terre. L'enthousiasme collectif réchauffe le cœur et dissipe les cauchemars.

Cette nuit, j'errais dans les ruines d'après le séisme. Le ciel était noir de fumée. Mes oreilles, habituées aux gémissements, ne distinguaient plus les pleurs du vrombissement des insectes. Épuisé, j'aurais voulu m'arrêter. Mais partout le sang avait souillé la terre. En trébuchant à chaque pas, je maudissais les dieux, je hurlais des imprécations qui résonnèrent encore après mon réveil.

À la salle d'eau, mes camarades passent des heures devant les glaces à raser leur moustache au carré. Je m'asperge la tête d'eau glacée et me présente devant un miroir. Quand mon image surgit, instinctivement, je détourne le regard.

Y a-t-il de l'autre côté une vérité que l'on veut fuir?

Retenant mon souffle, je me contemple, cheveux en brosse, sourcils en broussaille. Le mauvais sommeil a injecté de pourpre le blanc de mes yeux. J'examine mon torse nu : ma peau est rouge et fumante après la course à pied; de grosses veines courent sur mon cou; les muscles saillent à mes bras; une cicatrice s'étire sur l'épaule gauche, souvenir d'un exercice à la baïonnette où je fus blessé. Les vingt-quatre années de mon existence ont filé. Qui suis-je? La réponse m'échappe. Mais je sais au moins pourquoi je vis : ma chair qui a mûri, mon cerveau qui a douté, aimé, cru, seront un bouquet de feux d'artifice offert à la patrie. J'exploserai dans la nuit de la victoire.

Dix heures moins le quart, je frappe à la porte du restaurant Chidori. Le patron me fait porter le déguisement. En mandarin, je me glisse dans la rue par une issue secrète.

Vue du pousse-pousse, la ville demeure étonnamment calme. Sur les trottoirs, la nonchalance des Chinois contraste avec la promptitude de nos soldats qui se déplacent en carré. Les boutiques ont ouvert leurs portes, les marchands ont installé leurs stands. Inlassables, les vendeurs ambulants entonnent leur litanie. Je demande au tireur si la fusillade de la nuit précédente l'a réveillé. Il fait semblant de ne pas m'entendre.

Sur la place des Mille Vents, les amateurs, fidèles à leur habitude, ont entamé le jeu. Je prête l'oreille à leurs conversations. Ils n'ouvrent la bouche que pour commenter le go.

La Chinoise apparaît à la lisière du bois et court vers notre table, oiseau léger. La sueur perle sur son front.

– Excusez-moi, dit-elle en s'asseyant.

Elle défait un balluchon de cotonnade bleue et me tend le pot de bois laqué contenant les pions noirs :

– Allez-y. C'est à vous.

L'indifférence que témoignent ces gens envers l'incident d'hier me rend perplexe.

Ce matin, lorsque je me réveille, le soleil a déjà atteint le haut du pêcher. De branche en branche, les touffes de feuilles nouvelles ressemblent à des fleurs épanouies.

Je suis heureuse. Cette félicité, au lieu de puiser sa source dans l'apaisement, se nourrit de sentiments contradictoires. Les cigales, fines connaisseuses du secret de mon âme, craquettent joyeusement. Un ciel pâle pénètre jusqu'au lit à travers les courtines écartées. J'imagine que ma ville, livrée à la lumière, est une femme nue attendant l'étreinte de son amant.

Mère est partie au marché avec ma sœur. Père s'est enfermé dans la bibliothèque où il mène une lutte acharnée pour dompter l'anglais de Shakespeare. La maison est calme et fraîche. Portes et fenêtres ouvertes, le parfum du feuillage se confond avec l'encens de jasmin qui embaume les chambres. Au salon, un plumeau à la main, Wang Ma, la femme de ménage, s'agite.

Il y a six mois, la pauvre a perdu son fils atteint de tuberculose. Depuis, elle rabâche ses souvenirs et le garçon mort devient plus vivant que jamais. Père l'écoute en pensant à ses livres et la console d'une phrase dépourvue de sens :

– Il faut du courage, ma fille.

Elle communique mieux sa souffrance à Mère et Perle de Lune. Ses récits interminables leur arrachent des soupirs et parfois des larmes.

Ce matin, ma compassion s'est changée en malaise. Portant ma félicité dans le ventre telle une femme enceinte, je ne veux à aucun prix qu'elle soit gâchée par les gémissements de Wang Ma. Avant qu'elle n'ouvre la bouche, je m'élance dehors :

– Je vais place des Mille Vents. Je reviens tout à l'heure.

L'Inconnu m'attend déjà. Son visage masqué d'une paire de lunettes est figé, tout comme son corps. Droit sur le tabouret, il ressemble au gardien de l'Enfer des temples anciens.

Nous campons nos soldats aux intersections. L'Inconnu délimite ses zones sur les marges du damier avec une justesse et une économie prodigieuses. Le go reflète l'âme. La sienne est méticuleuse et froide.

Ma générosité à le faire jouer en premier l'avantage. Il me devance dans l'occupation des postes stratégiques. Les lui disputer accroît mon retard. Je prends le risque. Appuyée sur ma base au nord-est, je m'élance à la conquête du centre.

Il fait chaud. J'agite en vain mon éventail. Face à moi, mon adversaire m'impressionne. Exposé au soleil, il se laisse brûler sans manifester le moindre agacement. Le visage ruisselant de sueur, les mains sur les genoux, serrant son éventail fermé, il se tient absolument immobile.

Le soleil s'approche du zénith. Je demande une trêve pour le déjeuner, et note la position des pions sur une feuille. Nous convenons de nous retrouver après la pause.

La Chinoise rentrée chez elle pour déjeuner, je choisis un restaurant coréen où les clients sont rares. Je commande des nouilles froides. Assis dans un coin dominant la salle vide, un œil sur le va-et-vient des serveurs, je compose un brouillon de lettre à ma mère.

Je lui indique les objets dont j'ai besoin : savons, serviettes, journaux, livres, gâteaux aux haricots rouges. Les années passées à l'école des cadets avaient fait de moi un homme. L'éloignement de la patrie me transforme en enfant capricieux. J'exige telle ou telle marque de produit, je détaille sa couleur, son parfum. Je refais vingt fois ma liste, et la rage de la nostalgie finit par se calmer.

Comment vont les fleurs du jardin ? Comment se porte Petit Frère, appelé par l'armée de terre ? Rentre-t-il à la maison une fois par mois ? Lui prépare-t-on un bon repas et du saké chaud ? Que fait ma petite sœur à l'heure où je lui adresse ces pensées ? Quel temps fait-il à Tokyo ?

Tout le monde sait que les courriers peuvent être interceptés et contrôlés. De peur de trahir les secrets-défense, nos militaires adressent à leur famille des mots d'une platitude extrême. On leur répond de même. Après notre disparition, cette absence de plainte et d'inquiétude laissera-t-elle de nous l'image de héros intrépides ?

Je décortique chaque phrase venue du Japon, tandis que ma famille interprète mes lignes à sa façon. Craignant de fléchir ma volonté, Mère ne m'a jamais écrit que je lui manquais. Pour ne pas la faire pleurer, je ne lui ai jamais dit combien l'éloignement du pays me faisait souffrir.

Entre elle et moi, seul le vocabulaire de la mort est admis.

Elle m'écrit : « Meurs sans hésiter pour l'honneur de l'Empereur, c'est la voie de ton destin. »

Je lui réponds : « Quelle joie de me sacrifier pour ma chère patrie. »

Je ne lui dirai pas que je mourrai aussi pour sa gloire à elle. Elle n'avouera jamais que ma mort la détruira.

Je termine ainsi ma lettre : « Selon Confucius, "un homme pénétré d'humanité n'acceptera jamais de préserver sa vie aux dépens de cette humanité". Cette vertu est devenue la clé de mon existence. Priez, vénérable Mère, je vous en supplie, pour que j'atteigne bientôt cet idéal. »

À la maison, le déjeuner est servi dans la grande salle dont on a fermé les volets pour conserver la fraîcheur du matin. Ma sœur, au retour du marché, nous déballe les rumeurs récoltées.

Elle nous dit que, la nuit précédente, l'armée japonaise a arrêté les membres de l'Union des Résistances qui préparaient en secret une insurrection. Les coups de feu entendus provenaient non d'un exercice mais d'un véritable carnage.

J'écoute son récit d'une oreille distraite. Les parties de go me plongent dans une ivresse qui me coupe du monde extérieur. L'obscurité du salon me rappelle la chambre à coucher de chez Jing, sombre comme un tombeau impérial : les meubles laqués noir exhalent un parfum lourd, les fissures au mur dessinent des fresques mystérieuses. Le lit recouvert d'une soie cramoisie brodée d'or est un brasier éternel.

– Une insurrection, dit ma sœur. Vous vous rendez compte ! Quelle bêtise !

Puis elle continue :

– Savez-vous où les émeutiers ont été arrêtés ? Tenez-vous bien : le propre fils du maire les réunissait dans une de ses maisons. Ne me regardez pas comme si j'affabulais. Il paraît que dans la cave, on a retrouvé des fusils, des caisses de munitions. Comment? Bien sûr ils l'ont arrêté.

Le poulet que je mange perd son goût. Pour le faire passer, je me remplis la bouche de riz que je n'arrive pas à avaler.

– Ce matin, à l'aurore, intervient la cuisinière occupée à servir du thé, les Japonais ont arrêté le médecin Li. Il fait partie du complot.

Lentement, Père prend la parole :

– J'ai bien connu le maire. Nos pères ont servi ensemble à la cour de l'impératrice douairière. Dans notre jeunesse, nous nous voyions souvent. Il voulait faire ses études en Angleterre. Mais sa famille s'y est opposée. C'est demeuré pour lui un éternel regret. L'autre jour, il est venu me saluer à la fin de ma conférence. À cinquante-cinq ans, il ressemble à son père et il ne lui manque que le chapeau à plumes de paon, les colliers de coraux et la tunique de brocart. En me serrant la main, il m'a dit que son frère aîné, proche conseiller de l'empereur de Mandchourie, lui avait obtenu un poste à la cour de la Capitale nouvelle. Désormais, sa carrière est brisée. Je suis inquiet pour sa vie et l'avenir de sa famille.

– Comment peux-tu avoir pitié de cet individu? lui réplique Mère. Il est jaloux de toi. Lorsqu'il était conseiller du maire, il a intrigué pour réduire tes heures d'enseignement. Je le soupçonne même d'avoir voulu interdire tes traductions. Je n'ai rien oublié. Maintenant, je me moque de ses malheurs.

J'ignorais que mes parents connaissaient le père de Jing. Leurs paroles m'anéantissent. Assis autour de la table, dans l'obscurité, ils commentent l'événement comme s'il s'agissait de l'arrestation d'une bande de malfaiteurs.

Brusquement, ma sœur s'exclame :

— Pourquoi me regardes-tu ainsi ?

— J'ai mal au ventre.

— Tu as mauvaise mine. Va te coucher, ordonne ma mère. On t'apportera du thé.

Allongée sur le lit, je couvre mon ventre de mes mains glacées.

Où est Jing ? Min est-il avec lui ? Je fais défiler devant mes yeux chaque fissure, chaque meuble, chaque bibelot de leur maison. Je les vois usés, paisibles, sans la moindre trace de révolte. Pourtant mes amis m'ont trompée. Au moment où Min m'enlaçait et m'entraînait dans la chambre, il marchait sur le secret de la cave. Lorsque Jing me parlait dans le jardin, et qu'il espionnait jalousement Min, il était attaché à son ami par un lien plus puissant que l'amour. Pourquoi m'ont-ils caché la vérité ? J'aurais partagé leur patriotisme, je serais allée en prison, je serais morte à leur côté. Pourquoi m'ont-ils séduite pour aussitôt m'exclure ?

Ma sœur m'apporte une tasse de thé. Je me tourne vers l'intérieur du lit et fais semblant de dormir.

Je revois notre première rencontre. Au marché, les résistants avaient donné l'assaut à la mairie. Bousculée par la foule, je tombai. Un garçon à la peau mate me tendit la main. Il avait le beau visage carré de l'aristocratie mandchoue. Puis, Jing apparut, froid et hautain. Les deux organisateurs de la révolte venaient d'entrer dans ma vie.

Je me retourne. Après plusieurs gorgées de thé, je retrouve mon calme. Quand Min me parlait de la révolution, je croyais qu'il rêvait. Lorsqu'il disait que sa vie était dangereuse, je moquais son goût pour l'aventure.

Je me rappelle Tang, l'étudiante invitée à l'anniversaire de Jing. C'est à présent que je saisis le sens de ses paroles :

fille d'esclave, elle a trouvé dans l'idéal communiste sa force et sa confiance. L'invasion japonaise a brisé nos hiérarchies immuables, Tang a communiqué à Min, jeune seigneur terrien, le rêve de construire une société nouvelle où tous les hommes seraient égaux. C'est elle qui l'a poussé à prendre les armes et à s'engager dans l'Union des Résistances. Et Min a entraîné Jing. Tous les trois seront fusillés !

Je me glisse dehors. Le tireur du pousse-pousse passe devant la maison de Jing. La rue est barrée par des sentinelles.

Place des Mille Vents, je dispose les pions selon la position relevée. Fixant le damier, comptant les intersections, je sombre dans l'abîme des mathématiques.

Après le déjeuner, le visage de la Chinoise est pâle. Ses traits sont altérés. Lorsqu'elle saisit un pion, sa main tremble.

Silencieuse, elle m'interdit de la consoler. Je feins l'indifférence pour ne pas la froisser. Elle ne devait pas aimer la pitié.

En quelques heures, l'adolescente a vieilli de plusieurs années. Ses pommettes sont rehaussées par l'ombre qui creuse ses joues. Son visage paraît plus long, son menton plus anguleux.

Entre deux clignements, je surprends le regard terrible d'une enfant blessée dans son orgueil. S'est-elle fâchée avec un frère ? S'est-elle disputée avec une amie ? Elle oubliera son chagrin. J'ai tort de m'inquiéter. Les humeurs des gamines changent vite. Elle retrouvera son sourire.

Lors de la précédente séance, elle m'a fait l'impression d'une joueuse rapide et spontanée. Aujourd'hui, elle réfléchit pendant des heures. Yeux baissés, lèvres serrées, la bouche durcie, elle pourrait servir de modèle à un masque de nô pour un rôle de femme fantôme.

Accoudée sur le bord du damier, la tête reposant au creux

des paumes, elle semble épuisée. Je me demande si elle pense vraiment au jeu. Le pion trahit l'esprit. Une intersection de plus vers l'est, son coup aurait été plus solide.

Mon noir lui emboîte le pas. En me montrant combatif, j'espère aiguillonner sa vigilance. Elle lève la tête. J'ai cru qu'elle allait pleurer mais elle me sourit.

– Bien joué! Retrouvons-nous demain après-midi.

J'aurais voulu poursuivre la partie. Mais, par principe, je me refuse à discuter avec une femme.

Elle note les nouveaux coups sur son papier. Au Japon, dans les tournois, à chaque interruption, l'arbitre consigne la position des pierres et place en public l'aide-mémoire dans un coffre-fort.

– Vous le voulez? me demande-t-elle.

– Non, gardez-le, je vous en prie.

Elle me fixe longuement et range ses pions.

Au bout de la rue, la silhouette de Min se découpe dans le ciel. En s'approchant du carrefour où j'attends depuis des heures, l'étudiant, monté sur sa bicyclette, me salue d'un signe de tête. Je le dévore des yeux. Son visage est lisse et sans la moindre trace de souffrance. La sueur scintille sur son front. Il me sourit avant de s'éloigner.

Il faut retrouver Jing! Je franchis le cordon de soldats japonais et pénètre chez lui. À l'intérieur des murs effondrés, la maison est criblée de balles. Dans le jardin, seuls les dahlias pourpres ont conservé leurs têtes hautes. Jing, couché sur une chaise longue, joue avec son oiseau.

– J'ai cru que tu étais en prison.

Il lève la tête. Ses yeux expriment la haine et le désir.

– C'est toi ma prison.

Je me réveille.

Dès l'aurore, le carrefour du temple est envahi de marchands, promeneurs, moines taoïstes. Je m'installe devant un stand et me force à manger une soupe de raviolis. À travers la vapeur de la marmite bouillante, je guette la venue de Min.

Des passants déambulent, des tireurs de pousse-pousse s'échinent. Où vont-ils? Ont-ils un fils, un frère prisonniers des Japonais? J'envie le détachement des moines taoïstes, l'ignorance des enfants dans les bras de leur mère, la misère paisible des mendiants. Quand une bicyclette paraît à l'horizon, je me lève anxieusement. Pour la première fois, je comprends l'expression «regarder à s'en crever les yeux».

Bientôt le soleil est aux trois quarts de la voûte céleste. Je me glisse sous un saule. Des soldats japonais traversent le carrefour, le drapeau fixé au bout de la baïonnette. Je distingue sous les casques des visages jeunes et cruels. Trapus, les yeux fendus, le nez écrasé sur une moustache, ils incarnent cette race insulaire qui, selon la légende, descend de la nôtre. Ils me dégoûtent.

À onze heures, je décide de me rendre à l'école. Huong m'informe que le professeur de littérature s'est aperçu de mon absence et a noté mon nom. «Pourquoi ce retard?», me demande-t-elle. Je l'informe de la situation.

Elle réfléchit :

– Tu devrais disparaître quelque temps. Tu as fréquenté Min et Jing. Les Japonais pourraient s'intéresser à toi.

Elle me fait rire :

– S'ils viennent me chercher, je me rends avec joie. Où puis-je me cacher? Si je m'enfuis, mes parents seront incarcérés à ma place. Qu'ils m'arrêtent si cela leur chante!

Huong me supplie de ne pas faire de bêtises.

– Je ne ferai rien. Je suis si raisonnable, si lâche. Jamais je n'irais incendier la caserne japonaise pour sauver mes amis. Eux sont de vrais héros. Ils savent tirer au pistolet, jeter une grenade, faire exploser la dynamite. Ils savent risquer leur vie pour une grande cause. Moi, je n'ai jamais touché une arme. J'ignore leur poids, leur fonctionnement. J'ai été incapable de reconnaître un résistant. Je suis une fille ordinaire.

Le capitaine Nakamura voit des espions partout, même au sein de notre armée. Doutant de la fidélité de nos traducteurs chinois, il me demande d'assister à l'interrogatoire des nouveaux prisonniers.

Le cachot se situe au cœur de la caserne dans une cour dissimulée sous de hauts platanes. Le seuil à peine franchi, je suis assailli par la même puanteur que celle d'un champ de bataille au lendemain du combat.

Le lieutenant Oka, que le capitaine Nakamura m'a présenté lors d'un dîner en ville, m'accueille à bras ouverts. Un uniforme taillé sur mesure, moustache impeccable, il soigne son apparence à outrance.

Il me conduit dans une seconde cour : un Chinois y est pendu par les pieds à la branche d'un arbre. Son corps nu est zébré de marques noires. À notre approche, une nuée de mouches se soulève et découvre sa chair semblable à une terre labourée.

– Après l'avoir fouetté, je lui ai appliqué le fer chauffé à blanc, commente le lieutenant.

À l'intérieur du bâtiment, l'odeur de décomposition s'intensifie. Le lieutenant Oka demeure impassible et je m'efforce de l'imiter. Il me propose une visite guidée. Dans un long corridor lugubre, avec l'aisance d'un médecin fier de son hôpital modèle, il me montre les cellules. À travers les barreaux, je distingue l'entassement des corps mutilés. Le lieutenant m'explique que les premières mesures qu'il a prises à son arrivée ont consisté à réduire la hauteur du plafond pour empêcher les criminels de se tenir droit, puis à diminuer la ration de nourriture.

L'odeur des excréments mêlée à celle du sang me suffoque. Percevant mon malaise, mon guide prend le ton du fonctionnaire consciencieux :

– Désolé, lieutenant, lorsqu'on frappe ces porcs à coups de bâton, ça leur flanque la diarrhée.

La vue de ces hommes agonisants me donne la chair de poule. Mais le visage serein et attentif du lieutenant m'oblige à dissimuler mon dégoût. Je ne dois pas manquer de respect à son travail. Craignant qu'il ne se moque de la faiblesse de mes nerfs, je réprime l'aigreur qui me remonte de l'estomac et lui adresse quelques éloges. Satisfait, il sourit timidement.

Les chambres de torture se situent au bout du couloir. Le lieutenant en a choisi l'emplacement afin que les cris des suppliciés retentissent dans toute la prison. Désireux de me montrer son savoir-faire, il ordonne à son adjudant de reprendre un interrogatoire.

Le hurlement d'une femme me fait dresser les cheveux sur la tête.

– On vient de mettre du sel dans la plaie de la communiste, m'explique le lieutenant.

Puis il ajoute :

– Pendant ma formation, l'instructeur nous disait souvent : « À la torture, les femmes sont plus résistantes que les hommes. » Celle-ci est particulièrement têtue.

Il pousse une porte. Au milieu de la chambre, un feu flambe dans une bassine de bronze et fait rougir les tisonniers. La chaleur est intenable. Deux tortionnaires aux bras velus renversent un seau d'eau sur une femme nue qui gît à terre. L'interprète chinois se penche :

– Parle ! crie-t-il. Si tu parles, l'armée impériale te laisse la vie sauve.

Entre les gémissements, je crois distinguer :

– Chiens de diables japonais.

– Que dit-elle ? demande le lieutenant Oka.

– Elle insulte les messieurs de l'armée impériale.

– Dis-lui que ses copains ont avoué. Elle est la seule à ne pas collaborer. À quoi bon nous résister ?

Elle se recroqueville sur le ventre. Je vois frémir son dos ensanglanté derrière lequel ses mains sont ligotées.

Le lieutenant lui donne un coup de pied. En basculant sur le côté, elle dévoile un visage bleu et enflé.

Il lui écrase la tête sous sa botte et sourit :

– Dis-lui que si elle ne parle pas, je lui enfonce ce tisonnier dans le cul.

L'interprète s'empresse d'obéir. Le gémissement se tait. Tous gardent les yeux rivés sur le corps inerte. Le lieutenant fait signe à l'interprète qui s'empare d'un stylo et d'une feuille de papier. Soudain, comme une furie surgissant des enfers, la femme se redresse et se met à hurler :

– Tue-moi ! Tue-moi ! Vous êtes tous maudits…

Le lieutenant n'attend pas l'interprète pour saisir le sens de la phrase. Sur un simple coup d'œil, les deux tortionnaires se jettent sur elle et la maintiennent par les épaules. Le lieutenant empoigne le fer rougi.

Une fumée nauséabonde s'élève en même temps que le cri de la suppliciée. Je détourne les yeux. Le lieutenant remet le fer dans la braise et me fixe avec un sourire énigmatique :

– Pause. On recommence plus tard.

Il m'entraîne vers la visite d'autres chambres et commente les crochets, les fouets, les bâtons, les aiguilles, l'huile bouillante, l'eau pimentée, avec la minutie d'un scientifique passionné. Puis, il me propose un verre de saké dans son bureau.

– Je ne bois jamais pendant la journée, excusez-moi.

Il rit aux éclats :

– Chaque prison est un royaume à part. Nous y faisons notre propre loi. Le saké active le cerveau. Sans lui, notre imagination s'épuise et la fatigue nous gagne vite.

Je prends congé, prétextant l'urgence d'un entretien. Sur le seuil, il me demande :

– Vous reviendrez bientôt, n'est-ce pas ?

Je lui adresse un vague signe de tête.

Dans ma chambre, je rédige un rapport au capitaine Nakamura dans lequel je fais l'éloge du lieutenant Oka :

– C'est un homme minutieux et dévoué à l'Empereur. Il faut le laisser agir en toute liberté et en parfaite collaboration avec ses assistants. Un homme venu de l'extérieur troublerait la précision de son travail et gênerait le déroulement des interrogatoires. Quant à moi, mon capitaine, je vous demande de ne plus m'y envoyer. Cette visite a renforcé ma conviction : il ne faut jamais tomber vivant aux mains de l'ennemi.

Trois jours plus tard, un soldat me transmet le message du lieutenant Oka qui souhaite m'entretenir d'une affaire. Je me rends auprès de lui sur-le-champ. Malgré la chaleur, l'officier a passé sur sa chemise un uniforme neuf et une paire de bottes qui brillent sous le soleil.

Il m'accueille le sourire aux lèvres :

– J'ai une bonne nouvelle pour vous. L'homme que vous avez vu pendu dans la cour a craqué. Lors de notre dernière rafle, nous avons capturé un garçon de quinze ans. L'interrogatoire aura lieu cette nuit. Voulez-vous y assister ?

Le mot «interrogatoire» me donne des nausées. Je lui fais compliment de la compétence de l'interprète chinois et lui explique que ma présence serait inutile.

Imperturbable, il insiste en me regardant droit dans les yeux :

– Vous ne voulez vraiment pas venir ? Quel dommage. Le garçon est très mignon et j'ai déjà choisi plusieurs hommes robustes pour le faire parler toute la nuit. Ce sera superbe.

À l'ombre, il fait trente-cinq degrés, mais les paroles du lieutenant me font frissonner. Je réponds en marmottant que je ne suis pas intéressé par ce genre de spectacle.

Il s'étonne :

– J'ai cru que vous aimiez ces choses.

– Lieutenant, vous avez une mission difficile et importante pour l'expansion du Japon et le rayonnement de l'Empereur. Je ne veux pas vous en distraire. Permettez-moi de décliner votre aimable proposition.

La déception traverse le visage de mon interlocuteur. Il me regarde tristement. Le lieutenant Oka s'est rasé de si près que la petite moustache posée sur sa lèvre supérieure semble se détacher de sa peau, prête à s'envoler.

– Allez, lieutenant, lui dis-je en lui tapant sur l'épaule. Retournez à votre travail. La gloire de l'Empire en dépend.

J'ai attendu Min au carrefour toute une semaine.

Les après-midi, arpentant le boulevard des Académies qui longe les portes de l'université, j'espérais en vain distinguer un visage connu.

Je retrouve l'adresse laissée par Tang. Devant une maison délabrée du quartier ouvrier, des enfants courent en criant. Une vieille femme bat les draps avec lassitude.

Une voisine surgit.

– Je dois rendre un livre à Tang.

– Elle a été arrêtée.

La terreur rôde dans ma ville. Les Japonais sont décidés à incarcérer tous ceux qui réprouvent leur domination. Je suis étonnée d'être toujours libre. La nuit, je guette les foulées rythmées des soldats, l'aboiement des chiens, le bruit sourd d'un poing heurtant notre porte. Le silence est plus terrifiant que le tumulte. Je regarde le plafond, la coiffeuse avec son miroir gainé de soie bleue, la table d'écriture où un bouquet de roses se détache de l'obscurité. Tous ces objets seront peut-être cassés, fendus, brûlés. Notre maison, comme celle de Jing, ne sera plus qu'un squelette calciné.

Je revois Min dans la rue. Après sa course, les cheveux en

désordre, il ignorait que la prison l'attendait. Il me disait : «Jing est amoureux de toi. Il vient de me l'avouer… Entre nous, il faut choisir.» J'étais agacée. Cet ordre blessait mon orgueil. «Ne nous donnons pas en spectacle» fut ma seule réponse, et les derniers mots que je lui adressai.

Jing me manque autant que Min. À présent, son caractère mauvais, son allure raide me semblent tellement attachants. Comment les sauver? Comment contacter la résistance? Comment leur rendre visite en prison? Pour leur malheur, ils sont nés riches. Entre leur chambre à coucher et le cachot humide, la différence doit être intenable. Ils vont sûrement tomber malades. Il paraît qu'en donnant de l'argent, on peut amadouer les geôliers. Je donnerai tout.

Des tirs éclatent dans la rue. Un chien pousse un hurlement. Puis, la ville retombe aussitôt dans le silence, comme un caillou jeté dans un puits sans fond.

J'ai chaud et j'ai froid. J'ai peur. Mais la haine me donne de la force. J'ouvre le tiroir de la commode. D'un étui de mercerie, l'un des cadeaux pour mon seizième anniversaire, je tire une paire de ciseaux à manche d'or et à pointe aiguisée.

L'arme précieuse, posée sur mon visage, est plus glacée qu'une stalactite.

J'attends.

En uniforme ou en civil, je suis deux hommes différents. Le premier domine la ville avec l'orgueil du vainqueur, le second se laisse vaincre par sa beauté.

Le Chinois, c'est moi. J'observe avec stupéfaction qu'il prend l'accent, modifie son allure, s'invente une image. En me déguisant, je perds mes repères et me distancie de moi-même. J'en suis presque devenu un homme libre qui ignore l'engagement militaire.

Petit garçon, je faisais souvent le même rêve : en habit noir de Ninja[1], je me déplaçais sur les toits d'une ville endormie. La nuit était à mes pieds, et des lumières scintillaient, ici et là, comme les feux des bateaux sur un océan sombre. Cette ville n'était pas Tokyo. Elle m'était étrangère et l'angoisse m'excitait. Dans une rue étroite et déserte, des lanternes accrochées sous les auvents balançaient leur lueur menaçante. J'avançais à pas feutrés sur chaque tuile jusqu'à l'extrémité de la toiture. Soudain, je m'élançais dans le vide.

---

1. Troupe d'hommes spécialement entraînés pour l'espionnage et l'assassinat, qui aurait été créée, selon la légende, à la fin de l'époque de Heian, dans les montagnes des environs de Kyoto.

J'en veux au capitaine Nakamura qui me fait jouer un sale rôle. Je n'ai ni le flair ni le cynisme ni la paranoïa d'un espion et il me manque le regard du professionnel capable de discerner une tache noire sur un papier sombre. En revanche, je me sens espionné à mon tour. Malgré la chaleur de juin, je porte une épaisse tunique de lin qui me permet de dissimuler un pistolet à ma ceinture. Assis devant le damier, je pose mes mains à plat sur les genoux et mon coude droit cache l'arme qui désobéit aux plis de mon vêtement.

Lorsque je lève la main droite pour placer un pion, j'effleure l'acier. L'arme est ma force et ma faiblesse. Si tout s'expose à mes rafales, je peux aussi succomber à une balle tirée dans mon dos par un résistant chinois.

Au Japon, j'ai appris à observer les règles strictes du go. Là-bas, j'ai joué dans le silence, au sein de la nature clémente. Le corps détendu, l'inspiration diffusant son énergie dans le ventre, la respiration guidant la pensée, mon âme accédait timidement à la dualité universelle.

Aujourd'hui, la partie engagée est dépourvue de spiritualité. L'été mandchou est aussi rude que son hiver. Celui qui ignore la brûlure et l'éblouissement ne comprend pas la puissance de cette terre noire. Après un entraînement impitoyable qui dessèche et brise le corps, une séance de go avec la Chinoise est une évasion vers le pays des démons. La chaleur de juin pénètre mes veines détendues et aiguise mes sens. Un rien me met en érection : son bras nu, le bas froissé de sa robe, l'ondulation de ses fesses sous un tissu de soie, une mouche qui passe.

C'est un supplice de se maintenir digne face à mon adversaire. Depuis une semaine, son visage bruni est un grain de raisin. Elle porte des vêtements sans manches.

Coupées près du corps, ces robes mandchoues rendent les femmes plus troublantes que si elles étaient nues. Au-dessus du damier, nos têtes se touchent presque. Luttant contre mes impulsions grâce à une volonté forgée par des années de discipline militaire, je me crucifie au jeu.

Mon affectation en Chine m'a permis de comprendre la grandeur et la misère du soldat. Conduit par l'ordre, il se déplace en ignorant la direction et le sens de sa marche. Un pion parmi d'autres. Il vit et meurt, anonyme, pour la victoire du Tout. Le go me transforme en état-major qui manie ses hommes avec froideur. Les pions progressent. Beaucoup sont condamnés à périr encerclés au profit d'une stratégie.

Leur trépas se confond avec celui de mes camarades.

Huong intrigue pour avoir des nouvelles, de jour en jour plus affligeantes. Quand elle m'informe que le père de Jing a sollicité auprès des autorités japonaises la peine capitale pour son fils afin de donner un exemple public, je la hais.

L'indifférence de mes parents me désespère. Perle de Lune me croit amoureuse et cherche à me tirer les vers du nez.

Elle m'interroge d'une voix doucereuse :

– Ma sœur, as-tu un chagrin ?

– Je n'en ai pas, Perle de Lune. La chaleur me rend malade.

Les lamentations monotones de la domestique Wang Ma m'énervent et je finis par éclater de rire. Mes parents se regardent. Le scandale dépasse leur entendement et ils ne savent comment me réprimander. Wang Ma s'enfuit en sanglotant. Mère me gifle. C'est la première fois qu'elle me bat. Ma joue brûle, ma tête bourdonne. Mère ramène sa main devant ses yeux, la contemple en tremblant et se réfugie dans sa chambre. Père tape du pied et disparaît à son tour.

Place des Mille Vents, je me détends devant un inconnu.

Il est ponctuel et ne se plaint jamais de mes retards. Il parle rarement. Aucune expression ne traverse son visage. Il résiste au soleil, au vent, à mes provocations. Cette force intérieure doit lui épargner bien des peines terrestres.

Je suis là pour m'oublier. Ici, personne ne parle des arrestations, ni de l'occupation japonaise. Les nouvelles du monde extérieur ne nous atteignent pas. Seule la douleur parvient à me surprendre. Un oiseau, un papillon, un passant, un simple geste, tout me ramène à Min et à Jing. Je me lève et fais le tour de la place.

Les joueurs, dispersés sous les arbres, sont des statues de terre que l'Éternité aura jetées au hasard. Un immense découragement me saisit. Mes jambes tremblent, la tête me tourne. Un rideau gris descend du ciel.

J'interromps la partie.

Mon adversaire lève la tête et m'examine derrière ses lunettes. Il ne dit rien, ne se fâche pas. Il joue sans poser de questions. Quand je quitte le damier, il me suit du regard jusqu'à ne plus me voir. Mes malheurs semblent acquérir une grandeur poétique. Je me transforme en tragédienne, avec, pour unique spectateur, un inconnu.

La place des Mille Vents m'a imprégné de ses odeurs et j'en connais maintenant chaque arbre, chaque damier, chaque rai de lumière.

Les vieillards, amateurs acharnés, y passent la journée. L'éventail dans une main, la théière dans l'autre, leur cage à oiseaux suspendue à une branche, ils arrivent à l'aurore et repartent en milieu d'après-midi. Leurs deux pots à pions découverts signifient qu'ils attendent un rendez-vous ; fermés, ils sont libres et sollicitent un défi.

Je redoutais qu'à la longue ils ne sachent discerner un faux Chinois d'un vrai. Cette inquiétude est balayée. Ici, la parole perd son prestige et cède son autorité au claquement des pions.

On m'a inventé une fausse identité. Elle ne m'a jamais servi. La joueuse ne demande même pas mon nom, insignifiant détail dans une partie de go.

Considérant sans doute que le poisson a mordu à l'hameçon, elle ne se soucie plus de me charmer. Les sourires, les mots espiègles, elle les réserve à présent au prochain joueur qu'elle attirera dans ses rets.

Pour une raison que j'ignore, elle me boude.

Elle a troqué les salutations pour un bref hochement de tête, et ne sort de son mutisme qu'à la fin de la séance, lorsque nous fixons un prochain rendez-vous.

Les premiers jours, j'ai vu en elle Lumière. Aujourd'hui, elle ne ressemble à la geisha, femme sophistiquée et raffinée, ni de loin ni de près. Ses gestes sont las, ses cheveux mal tressés, le bout de ses ongles porte un croissant noir. Son laisser-aller trahit un profond mépris à mon égard. Des boutons d'acné ont poussé sur son front et son visage a perdu la grâce qui m'a séduit d'abord. Le blanc de ses yeux a dilapidé leur beau scintillement bleuté, son regard s'est terni. Ses lèvres pèlent, ses joues qui se creusent lui donnent un air martial. La Chinoise se change en Chinois !

Je me venge de ma déception en triomphant du premier conflit direct. Encerclés en étau au sud du damier, les blancs s'étiolent.

Indifférente à cette perte, elle relève la position des pions et se presse pour partir.

Ma sœur chuchote :

– Je suis peut-être enceinte.

Après le dîner, elle me suit dans la chambre et je me sens obligée de la féliciter. Je lui demande quand elle a vu le médecin de famille.

Elle hésite un moment et me dit en rougissant :

– Je ne suis pas encore allée voir un médecin. J'ai peur…

– Alors comment le sais-tu ?

– Je n'ai plus mes règles depuis dix jours.

Mon cœur bondit. Moi non plus, je n'ai plus de règles depuis dix jours.

– En es-tu sûre ?

Perle de Lune me saisit les mains.

– Écoute, mes règles sont très ponctuelles. Cette fois-ci, c'est pour de bon ! Le soir, en me couchant, j'ai le vertige. Le matin, j'ai la nausée. J'ai envie de légumes marinés dans du vinaigre. On dit que celle qui aime l'acidité accouchera d'un fils. Crois-tu que je vais avoir un fils ?

Indifférente à la joie de ma sœur, je lui conseille de consulter un médecin.

– J'ai peur. L'idée qu'on me dise que je ne suis pas

enceinte me terrifie. Je n'ai annoncé cette nouvelle à personne. C'est un secret que je partage avec toi seule. Oh, ma sœur, ce matin, je me suis réconciliée avec le bonheur ! En couvrant mon ventre de mes mains, je sentais déjà l'enfant qui se nourrissait de ma chair. Avec lui, je saurai défier l'infidélité, l'abandon, le mensonge. Avec lui, je commence une nouvelle existence !

L'exubérance de ma sœur me glace. Si elle désire ardemment un enfant, pour moi, être enceinte signerait ma mort.

Après le départ de Perle de Lune, je m'installe devant ma table de calligraphie. Un pinceau à la main, je trace des traits noirs sur le papier de riz, pour compter et recompter le temps des règles. Elles devaient arriver il y a exactement neuf jours.

Je me laisse choir sur le lit. Ma tête bourdonne. Je ne sais combien de temps a duré ce vertige. Quand je reviens à moi, l'horloge sonne minuit. Je me déshabille et me couche.

Dans l'obscurité, je ne trouve pas le sommeil. Comme c'est étrange de savoir qu'une vie germe dans une autre, que mon corps va donner un fruit !

Il héritera des yeux bridés de Min. Garçon, il sera séducteur, joyeux comme lui, savant et grave comme mon père. Fille, elle recevra le rouge de mes lèvres, la douceur de ma peau. Elle prendra à ma sœur son exigence, sa jalousie, et à ma mère son allure majestueuse. Enfant, Jing le promènera, fier et toujours amer. Place des Mille Vents, il jouera au go et saura un jour triompher de moi.

Mes mains caressant mon ventre, je reviens à la réalité.

Min est prisonnier des Japonais, quand sera-t-il relâché ? Je ne connais pas sa famille. Si je me présente chez lui, on me chassera. Au collège, mon nom affiché, je serai proscrite pour avoir corrompu la réputation de l'établissement. Le scandale courra dans toute la ville. Même si j'accepte l'humiliation, mes parents ne pourront pas supporter les regards méprisants, les commentaires, les murmures. Les enfants jetteront des cailloux sur Perle de Lune en chantant : ta sœur est une pute !

J'allume. Mon ventre est plat, sous le nombril, une ligne de duvet descend jusqu'à la toison. Enfant, quand la nourrice me lavait, cette pilosité lui faisait dire que j'aurais un fils.

Je me mettrai à genoux devant mes parents. Je frapperai ma tête contre le sol pour obtenir leur clémence. J'irai vivre au bout du monde où j'accoucherai en attendant la libération de Min et de Jing.

Ce jour de bonheur viendra : deux silhouettes masculines se dirigent vers une chaumière perdue dans la lande. La porte s'ouvre.

Le 7 juillet, après un exercice nocturne, le régiment en poste à Feng Tai perd un soldat. L'armée chinoise refuse de nous laisser fouiller la ville de Wang Ping. Les deux troupes échangent les premiers coups de feu.

Le 8 juillet, un second affrontement éclate autour du pont de la Vallée des Roseaux.

Le 9 juillet, l'état-major donne l'ordre aux divers régiments en garnison sur la plaine de Pékin de se préparer au combat. À Tokyo, face à la pression internationale, le gouvernement opte pour le profil bas : « Il ne faut pas aggraver la situation, le problème doit être réglé sur place. »

L'état-major propose un cessez-le-feu sous quatre conditions : que les Chinois retirent leur garnison autour du pont de la Vallée des Roseaux ; qu'ils assurent la sécurité de nos hommes ; qu'ils livrent les terroristes ; qu'ils présentent des excuses.

Les Chinois rejettent tout en bloc.

Le 10 juillet, des bataillons de Chiang Kaï Tchek se déplacent en direction de Pékin. Les premiers renforts de nos régiments mandchous franchissent la Grande Muraille.

Le 11 juillet, le gouvernement de Tokyo cède enfin

devant l'urgence de la situation. Il décide d'envoyer en renfort nos bataillons de Corée.

Des vrombissements font trembler la terre. La première escadrille de bombardiers se dirige vers la Chine intérieure. À ses flancs, nous distinguons avec fierté notre drapeau : un soleil pourpre sur une neige immaculée.

Des cris s'élèvent : À Pékin ! À Pékin !

L'appareil de propagande japonaise s'est mis en branle. L'incident du pont de la Vallée des Roseaux fait la une des journaux. Leurs éditoriaux clouent au pilori les généraux chinois qui affichent leur soutien au mouvement terroriste et violent les accords de paix. Ils doivent endosser l'entière responsabilité de cette crise et adresser des excuses officielles à l'empereur du Japon.

Mère, habituée aux conflits militaires incessants depuis son enfance, fait confiance à la lassitude générale et à la diplomatie américaine, qui sauront calmer les belliqueux. Père soupire : les Japonais obtiendront une fois de plus une réparation financière. L'opinion publique se réjouit : l'empereur de Mandchourie maintient son pays hors du conflit. La guerre sino-japonaise restera pour ces lâches sujets l'incendie qui brûle de l'autre côté de la rive : un spectacle distrayant.

Le blanc est devenu noir, les patriotes sont emprisonnés avec les violeurs et les assassins, l'armée étrangère défile dans nos rues, nous les remercions d'être les gardiens de la paix. Serait-ce ce désordre extérieur qui a déréglé ma vie ?

De jour en jour, ma sœur s'épanouit. Sur son visage, plus

trace de mélancolie. Elle nous rend visite vêtue de robes nouvellement taillées épousant son corps svelte. Mère a appris la bonne nouvelle. Elle presse Wang Ma de confectionner le trousseau du bébé.

La beauté de ma sœur m'étourdit. À chacun de ses sourires, j'éprouve un pincement au cœur. Son fils sera la joie de la maison, tant pis si le mien sera maudit.

En six nuits, Wang Ma a confectionné un couvre-ventre pour mon futur neveu. Sur une soie vermillon, elle a brodé à petits points des lotus, des pruniers, des pêchers, des pivoines qui fleurissent dans un jardin céleste où ondulent les feuillages verts et les brumes argentées. Cet ouvrage admirable me fait sourire : mon fils sera enveloppé dans du vieux linge, mais il sera le plus beau bébé du monde.

Immense chapeau sur la tête, robe scintillant au gré d'un déhanchement nonchalant, une femme avance. Je n'ai pas le temps de me demander qui elle est, elle s'assoit en face de moi, tout essoufflée.

Le soleil, à travers les mailles du chapeau, voile son visage d'une expression mystérieuse. Une fine veine rampe sur sa tempe gauche et disparaît sous sa chevelure. Les grains de beauté ont surgi de sa peau brune. Minuscules, ils ont la forme des larmes.

Un claquement sec. La gamine vient de jouer. Sa main demeure un instant sur le damier. Ses ongles sont propres et peints en orange.

J'écoute toujours le choc des pions. Il trahit la pensée de l'adversaire. Au début de notre rencontre, la pierre entre l'index et le médius, la Chinoise frappait le damier avec un bruit joyeux. Puis, la percussion devenue sourde me communiquait les humeurs moroses de la joueuse. Aujourd'hui, le son a été bref et cristallin. Elle a retrouvé sa confiance et sa vitalité !

En effet, elle a mené une contre-attaque très originale.

Pendant qu'elle se promène dans le bois, je réfléchis au

jeu selon une méthode particulière. Au-delà de cent coups échangés, je m'abstiens de calculer et contemple le damier comme un peintre son tableau inachevé. Mes pions sont des touches d'encre avec lesquelles je dessine les pleins et les vides. Au go, seule la perfection esthétique conduit à la victoire.

La Chinoise revient. Lorsqu'elle s'assoit, l'ombre de son chapeau caresse ma poitrine. Le ruban dont il est orné palpite dans le vent au rythme accéléré de mon cœur. Il m'est impossible de deviner pourquoi elle se déguise en adulte. J'ignore son nom, son âge, son quotidien. Elle ressemble à une montagne qui se détache d'un ciel nuageux pour mieux se fondre dans le brouillard.

Des bourdonnements interrompent ma rêverie. Nos avions, bombes fixées sous leurs ailes d'acier, passent par-delà nos têtes. Du coin de l'œil, j'observe mon adversaire. Elle garde les yeux baissés.

Il est plus facile pour mes camarades de survoler la Chine que pour moi de pénétrer la pensée de la joueuse de go.

Quelqu'un entre dans ma chambre et me secoue violemment. Est-ce Perle de Lune qui essaie de me réveiller pour le marché du dimanche?

Je lui tourne le dos.

Au lieu de s'en aller, elle s'assoit sur mon lit. Elle me tire par l'épaule et se met à geindre.

Agacée, je me lève d'un bond et ouvre les yeux. À la place de ma sœur, j'aperçois Huong, en larmes.

— Viens vite! Les résistants vont être exécutés ce matin.

Je m'étrangle.

— Qui t'a dit cela?

— La concierge du dortoir. Il paraît que le cortège passe par la porte du Nord. Habille-toi! J'ai peur qu'il ne soit trop tard!

J'enfile la première robe que je trouve. Mes doigts tremblent si fort que je ne parviens pas à la boutonner. Je sors de ma chambre tout en roulant mes cheveux en chignon.

— Où vas-tu? me demande Père.

Je prends le courage de mentir.

— J'ai une partie de go. Je suis en retard!

À l'autre bout du jardin, je heurte ma sœur qui franchit le portail. Elle m'empoigne par le bras.

– Où vas-tu ?

– Laisse-moi. Je ne vais pas au marché ce matin.

Elle jette sur Huong un regard hostile et me prend à part :

– Il faut que je te parle.

Je tressaille. Sait-elle quelque chose sur Min et Jing ?

– Je n'ai pas dormi de la nuit…

– Parle ! Je t'en prie. Je suis pressée !

Elle poursuit :

– Hier, j'ai consulté le docteur Zhang. Je ne suis pas enceinte. C'était une grossesse imaginaire.

Elle verse un torrent de larmes. Pour me débarrasser d'elle, je lui dis :

– Il faut aller voir quelqu'un d'autre. Les médecins se trompent.

Elle lève un visage décomposé :

– J'ai eu mes règles ce matin !

Perle de Lune s'abandonne de tout son poids dans mes bras. Je l'entraîne jusqu'à la maison. Wang Ma et la cuisinière se précipitent à mon secours. Profitant de ce désordre, je m'éclipse.

À la porte du Nord, des centaines de personnes se pressent au pied du rempart. Les soldats japonais repoussent la foule à coups de crosse. Mon sang se fige. Je réalise que quelque chose de terrible va se passer sous mes yeux.

Derrière moi, un vieillard jacasse :

– Autrefois, avant de mourir, le condamné, soûl, chantait à tue-tête. Puis le sabre du bourreau tombait comme un éclair. Souvent, son corps demeurait droit pendant que sa tête roulait à terre. Le flot de sang qui jaillissait du cou béant atteignait jusqu'à deux mètres de hauteur !

Les hommes qui l'écoutent claquent de la langue. Ces gens viennent chercher dans l'exécution la distraction suprême. Indignée, je marche sur le pied du vieux cochon qui laisse échapper une plainte.

Un enfant crie :

– Ils arrivent ! Ils arrivent !

Dressée sur la pointe des pieds, j'aperçois un bœuf noir tirant un tombereau sur lequel on a fixé une cage enfermant trois hommes. Du sang plein la bouche, ils vocifèrent des phrases inintelligibles.

J'entends quelqu'un murmurer :

– On leur a coupé la langue.

Mon cœur se serre. Torturés à mort, les condamnés se ressemblent tous : chairs ensanglantées qui respirent pourtant.

Les voitures traversent lentement la porte du Nord. Huong me dit qu'elle n'en peut plus. Elle m'attendra en ville. Portée par une force farouche, je veux les suivre jusqu'au bout. Il faut que je sache si Min et Jing vont mourir.

Le cortège s'arrête au bord d'un terrain désert. Les soldats ouvrent les cages et font avancer les prisonniers à coups de baïonnette. L'un d'entre eux est presque mort. Deux soldats le traînent comme un sac de farine dégonflé.

Des cris s'élèvent. Une femme richement habillée, aidée de deux robustes servantes, écarte les gens qui lui font obstacle et parvient au cordon des militaires.

– Min, mon fils !

Au loin, un homme se retourne. Il tombe à genoux et se prosterne trois fois dans notre direction. Mon cœur s'arrête. Les soldats se jettent sur lui et le battent.

Les condamnés sont agenouillés sur une même ligne.

Un soldat brandit le drapeau, tous lèvent leur arme.

La mère de Min s'est évanouie.

Min ne me regarde pas. Il ne regarde personne. Il n'existe

plus rien que le bruissement des herbes, le cri faible des insectes, la brise qui souffle sur sa nuque.

Suis-je dans sa pensée, moi qui porte sa descendance ?

Les soldats chargent leur fusil.

Min tourne la tête. Il dévore des yeux un condamné à sa gauche. Je finis par reconnaître Tang ! Ils se sourient. Min se penche péniblement et finit par poser ses lèvres sur la joue de la jeune femme.

Les tirs crépitent.

Mes oreilles bourdonnent. Je flaire une odeur de rouille mêlée à celle de la sueur. Est-ce cela, l'odeur de la mort ? Un dégoût profond me fait tressaillir. Mon estomac se contracte. Je me penche pour vomir.

Arrêt sur lecture 2

Les modalités de l'affrontement

À partir du chapitre 38, le lieutenant et la joueuse, qui ne se sont pas encore rencontrés, partagent un même espace. Le régiment du soldat arrive là où vit cette dernière (p. 125) :

> Bientôt surgit à l'horizon une antique cité entourée de remparts. [...] la ville des Mille Vents étale sous nos yeux sa prospérité.

La rencontre attendue entre les deux protagonistes du récit a lieu au chapitre 45 (c'est-à-dire au milieu du roman, qui en compte 92). Dès lors, les deux récits qui convergeaient depuis le début se rejoignent pour rendre compte d'une même réalité. À partir de ce premier face à face, la connaissance que le lecteur a des personnages s'enrichit donc du regard que chacun porte sur l'autre, et l'alternance des points de vue – permettant d'intéressants effets de perspectives – lui donne une vision d'ensemble qui fait défaut aux héros.

L'opacité des personnages

La première impression de la joueuse à propos de son adversaire est largement défavorable : le soldat lui fait l'effet d'un « abruti » affligé en outre d'un « ignoble accent pékinois ». Elle commence par sous-estimer son adversaire : « comme beaucoup d'imbéciles, il est trompé par mon apparence ». De la sorte, le lecteur est renseigné sur l'aspect extérieur des personnages, mais aussi sur la perception de chacun.

Au fur et à mesure de l'avancée du récit, la joueuse prend cependant conscience de la maîtrise que le jeune homme a sur lui-même, tout en ignorant qu'elle provient de son exercice militaire (p. 168) :

> Face à moi, mon adversaire m'impressionne. Exposé au soleil, il se laisse brûler sans manifester le moindre agacement. Le visage ruisselant de sueur, les mains sur les genoux, serrant son éventail fermé, il se tient absolument immobile.

Lui est d'emblée frappé par la grâce, l'innocence et le sens stratégique de la jeune fille, tout en ignorant le lien amoureux qui l'unit aux deux étudiants chinois (p. 151-152) :

> Sur le damier, les pions placés avec intelligence m'incitent à un examen plus attentif. [...] Elle lève la tête, front large, yeux bridés comme deux feuilles de saule délicatement dessinées.

La Chinoise lui rappelle son amour inabouti pour la geisha Lumière. L'attrait érotique de la joueuse est immédiatement perceptible dans le récit du soldat : « La première féminité pointe en elle comme le perce-neige d'un printemps précoce. »

Alors qu'elle traite le Japonais avec la condescendance qu'elle réserve à l'ensemble de ses adversaires, celui-ci la considère, plein d'intérêt. Si elle use de son charme envers lui, c'est avant tout pour l'inciter à revenir jouer contre elle, et sans se départir de sa visée stratégique : « Je relève la position des pions sur une feuille et gratifie l'Inconnu d'un sourire. Pour l'avoir essayée sur Cousin Lu, Min et Jing, je connais mon arme. » Le récit du soldat signale l'efficacité de cette tentative de séduction : « Sa bouche s'ouvre comme éclate une grenade. »

Le déguisement, vu de part et d'autre, permet au lecteur d'être sûr que la rencontre a bien eu lieu entre les protagonistes : « Une ombre se projette sur moi. Je lève la tête. Un inconnu, son panama écrasant des lunettes à monture d'écaille, se penche » fait écho, au chapitre suivant, à cette description qui concorde en tout point : « Le déguisement choisi : tunique de lin, chapeau panama, éventail [...]. Une paire de lunettes me donne l'allure d'un universitaire. »

Un double cheminement vers la rencontre et vers la vérité

La rencontre entre les deux protagonistes est préparée par les nombreuses mentions du go dans le récit de chacun des deux protagonistes (p. 140 et 143) :

> Remplie d'une énergie nouvelle, je suis prête à entamer une partie de go.

> Un après-midi, en lui rendant visite, j'aperçois dans sa chambre un go ban.

Le lecteur apprend également que le soldat parle couramment le mandarin, qu'il est capable de battre au go son capitaine. Pour le lecteur, ces deux aptitudes le constituent clairement en adversaire digne de la joueuse et fonctionnent donc comme autant d'effets d'annonce d'une possible rencontre. En outre, les intrigues amoureuses parallèles (elle a entamé une liaison avec Min, il entretient une relation avec une prostituée) semblent orienter leur rencontre du côté de l'affrontement.

Les parties du récit se rejoignent – À l'arrière-plan du récit, le conflit sino-japonais semble servir de toile de fond : ainsi, lors de l'anniversaire de Jing, une étudiante tient un discours politique virulent : « Le Japon, en pleine expansion militaire, ne va pas se contenter de coloniser la Mandchourie, leur prochaine étape sera Pékin, puis Shanghai, Guang Dong. La souveraineté de la Chine est en péril ! »

Cependant, des péripéties surviennent dans le récit qui semblent reléguer l'intrigue principale au second plan. D'une part, une péripétie amoureuse du côté de la joueuse : celle-ci se rend compte que Jing est également amoureux d'elle. L'accusation de Jing laisse présager un conflit, une trahison peut-être : « Min ne te mérite pas... » D'autre part, une péripétie guerrière survient du côté du lieutenant : les Japonais donnent l'assaut à une villa dans laquelle s'abritent des « terroristes ». Or ces péripéties, qui sont relatées par des narrateurs différents et semblent appartenir à des univers radicalement distincts, se trouvent tout à coup réunies par un tour de force du récit.

Une configuration inattendue – L'arrière-plan militaire, l'intrigue amoureuse et la péripétie guerrière se rejoignent tout à coup avec la puissance d'un coup de théâtre. Au chapitre 53, le lecteur comprend avec la joueuse que les terroristes en question ne sont autres que Min et Jing. Les univers qui ne semblaient pas pouvoir cohabiter – les intrigues amoureuses légères et quelque peu puériles de la joueuse, les intrigues militaires du soldat – entrent en collision de manière violente et surprenante.

Les différents fils de l'intrigue se rejoignent alors : tandis que la joueuse affolée s'efforce en vain de savoir ce qui est arrivé à son amant, le lecteur assiste, à travers le regard du soldat, à la progressive déchéance des jeunes gens emprisonnés et torturés par les Japonais.

Une relecture nécessaire – L'annonce de cette arrestation donne un coup d'arrêt à l'intrigue amoureuse et constitue une victoire pour le soldat et le camp japonais. En effet, la joueuse s'est laissé surprendre pour avoir sous-estimé à la fois son amant et l'adversaire japonais. Elle admet d'ailleurs sa défaite : « J'ai été incapable de reconnaître un résistant. Je suis une fille ordinaire. »

Elle est de ce fait amenée à reconsidérer tout ce qu'elle a vécu à la lumière de la découverte du secret de Min et de Jing, comme par exemple le rôle de Tang : « C'est elle qui l'a poussé à prendre les armes et à s'engager dans l'Union des Résistances. » Elle comprend que la présence de Min et de Jing à la mairie le jour de leur rencontre n'était pas le fruit du hasard : « Les deux organisateurs de la révolte venaient d'entrer dans ma vie. » Enfin, elle s'aperçoit qu'une partie de la réalité lui a été dissimulée : « Pourquoi m'ont-ils caché la vérité ? »

Des pions sur le goban

Par ses nombreuses mentions, par son rôle de lieu de confrontation des deux héros, le go est installé au cœur du récit comme un élément à forte portée symbolique. Ce rôle rejoint d'ailleurs la perception traditionnellement dévolue au go dans la tradition asiatique, qui lui confère une dimension allant bien au-delà du simple jeu.

La position privilégiée du lecteur – L'intrigue semble obéir à la même configuration que la partie de go, à ceci près que la joueuse et le lieutenant ignorent qu'ils appartiennent dans la vie à des camps adverses. Elle ignore sa nationalité, lui n'a pas connaissance de son lien avec ceux qu'il a contribué à arrêter.

En additionnant les deux points de vue, le lecteur bénéficie d'une parfaite vision d'ensemble : il est pleinement à même de comprendre ce que vivent les personnages, semblables à des pions sur le damier, condamnés à une existence compartimentée, tandis que lui jouit d'une vue surplombante et donc plus complète. Ainsi, le lieutenant fait une description du maire de la ville, «un Mandchou moustachu et gras-souillet», dont le lecteur sait qu'il s'agit du père de Jing.

Une vérité morcelée – Cet avantage est particulièrement sensible à partir du moment où les personnages principaux vivent des épisodes contigus sans le savoir, c'est-à-dire à partir du chapitre 45 : «Après le déjeuner, le visage de la Chinoise est pâle. Ses traits sont altérés. » Le soldat remarque un changement chez sa partenaire, qu'il attribue à une dispute avec un frère ou une amie, mais dont le lecteur connaît la véri-table cause : la joueuse a appris l'arrestation de Min. De même, le Japo-nais assiste à la transformation physique de la joueuse sans en comprendre les causes, alors que le lecteur a connaissance de sa gros-sesse.

À l'inverse de l'omniscience* du narrateur, procédé de narration caractéristique du roman du XIXᵉ siècle, le roman joue de la juxtaposi-tion de points de vue limités, qui fait ressortir la subjectivité des héros, leurs erreurs, leurs faiblesses… Placé en situation de surplomb par rap-port aux personnages, le lecteur, déjà avantagé par la connaissance du contexte historique, additionne les perceptions erronées et obtient une vérité kaléidoscopique.

De subtils effets d'emboîtement – L'arrestation de Min et de Jing, victoire du camp japonais sur la résistance mandchoue, coïncide d'ailleurs avec ce qui se passe au même moment sur le goban. Le lieu-tenant met en échec la joueuse, trop sûre d'elle-même : «Je me venge de ma déception en triomphant du premier conflit direct. Encerclés en étau au sud du damier, les blancs s'étiolent.» En d'autres termes, ce qui se passe sur le damier est une image de l'affrontement entre les joueurs et de celui qui oppose les deux pays en guerre. Le roman lui-même fournit au lecteur une image de cet emboîtement (p. 188) :

> Mon affectation en Chine m'a permis de comprendre la grandeur et la misère du soldat. Conduit par l'ordre, il se déplace en ignorant la

direction et le sens de sa marche. Un pion parmi d'autres. Il vit et meurt, anonyme, pour la victoire du Tout.

Le texte présente ainsi de nombreux parallèles entre l'individuel et le collectif, le général et le particulier, le jeu, la séduction et la guerre. Le personnage, le soldat, et le pion sur le goban sont autant de figures semblables : un élément que le joueur, la nation ou le destin font agir et sacrifient parfois à la victoire, ou au dessin d'ensemble.

Une première victoire du camp japonais

Renversement du jeu pour la joueuse

De même que l'histoire du cousin Lu et l'amour du lieutenant pour Lumière, la relation que la joueuse entretient avec Min se clôt alors de manière définitive. Ces parties du récit sont d'ailleurs comptabilisables comme autant de défaites ou de victoires pour les protagonistes. Mais alors que jusqu'ici la joueuse avait triomphé sans peine de ses précédents adversaires (le soldat anonyme du premier chapitre, le cousin Lu, les autres joueurs de go), elle encaisse tout à coup une défaite cuisante et inattendue. Non seulement Min lui est enlevé au moment où elle envisageait de jouer de son pouvoir sur Jing, et de les rendre jaloux tous deux, mais en outre son exécution est teintée de trahisons : le jeune homme l'ignore et embrasse Tang, sa compagne de captivité, avant d'être fusillé avec elle.

Le récit se plaît à souligner les erreurs commises par la jeune Chinoise : tandis qu'elle se tourmente en raison de l'arrestation de Min et de Jing, le lecteur assiste à travers le regard du lieutenant aux interrogatoires des résistants. Il mesure l'horreur de la situation qui, pour une part, reste celée à la joueuse. Celle-ci s'inquiète de l'humidité des cachots : « Ils vont sûrement tomber malades », inquiétude sans rapport avec les tourments que connaissent les résistants. En effet, à travers le récit de l'interrogatoire d'une « communiste anonyme » et la description du corps supplicié d'un Chinois – « sa chair semblable à une terre labourée » –, le lecteur peut en déduire quel sort subissent Min, Jing et Tang.

L'orgueil et l'illusion de maîtrise dont la joueuse a fait montre semblent trouver ici leur châtiment. Elle se voit signifier son erreur par le coup du destin. Elle prend d'ailleurs la mesure de son aveuglement : Min et Jing ne lui ont pas confié leur engagement, et elle-même a été incapable de le deviner.

En dépit des prédictions de sa sœur : « Tu connaîtras un sort meilleur. Tu es plus forte que moi », et de ce qu'elle s'était promis : « Je saurai maîtriser mon destin et me rendre heureuse », la joueuse encaisse les coups du sort. Au terme de ces épisodes, elle se retrouve donc dans une triple situation de fragilité : après avoir perdu son amant et avoir été trahie par lui, elle découvre enceinte. La joueuse qui refusait initialement le monde des adultes s'y trouve plongée, presque malgré elle.

Une victoire temporaire

Malgré l'arrestation des rebelles, le lieutenant se garde de triompher prématurément ; s'il remporte une victoire momentanée au go sur la joueuse, il ignore l'essentiel de son pouvoir sur elle : la relation qu'elle a entretenue avec les rebelles lui demeure totalement cachée, de même que la joueuse ignore son identité de militaire et de Japonais. La maîtrise dont il fait preuve relève, pour une bonne part, de son éducation.

L'enseignement du samouraï – « *Hagakure* était le livre phare qui me guidait dans cette traversée de l'adolescence vers la maturité. » Ce traité d'éthique, datant du début du XVIIIe siècle, exalte les valeurs héroïques et guerrières qui semblent proches du fanatisme à un lecteur occidental, valeurs auxquelles se réfère constamment le soldat. Il revendique d'ailleurs cet héritage ancestral : « C'est en nous et par nous que renaît l'esprit samouraï, assassiné par la modernité. »

« Entre la mort et la lâcheté, choisis sans hésiter la mort », lui ordonne sa mère. Ce commandement prend sa source dans les traditions guerrières héritées du temps des samouraïs, et toujours en vigueur au Japon (Jocho Yamamoto, *Hagakure, le livre secret des samouraïs*) :

Le samouraï
est toujours prêt
au combat,
en alerte et armé
jusqu'aux dents…

« S'il veut être prêt à mourir, un Samouraï doit se considérer comme déjà mort ; s'il est diligent dans son service et se perfectionne dans les arts militaires, il ne se couvrira jamais de honte. Mais s'il passe son temps à ne faire égoïstement que ce qui lui plaît, en cas de crise il se déshonorera. Il ne sera même pas conscient de son déshonneur. Si rien ne lui importe, hormis le fait de ne pas être en danger et de se sentir heureux, il se laissera aller d'une façon indicible vers un état tout à fait lamentable. Il est sûr qu'un Samouraï qui n'est pas préparé à mourir, mourra d'une mort peu honorable.

[…] Le Seigneur Naoshige avait coutume de dire : «La voie du Samouraï est la passion de la mort. Même dix hommes sont incapables d'ébranler un être animé d'une telle conviction. » On ne peut accomplir de grands exploits quand on est dans une disposition d'esprit normale. Il faut devenir fanatique et développer la passion de la mort. Si l'on compte sur le temps pour accroître son pouvoir de discernement, il risque souvent d'être trop tard pour le mettre en pratique. La loyauté et la piété filiale sont superfétatoires dans la voie du Samouraï; ce dont chacun a besoin c'est la passion de la mort. Tout le reste découlera naturellement de cette passion. »»

Un soldat fanatique et sentimental – Conformément à ce code de l'honneur, le lieutenant a fait don de sa vie à l'empereur, et se prépare chaque jour au sacrifice, avec une froideur déconcertante (p. 59) :

> Il y a des jours où, animé d'une volonté fraîche, je regarde la mort en face avec joie et tranquillité. Guidé par l'appel de mon pays, j'exécute le destin d'un soldat impérial les yeux fermés.

Il répercute les valeurs d'oubli de soi à son frère cadet, lui aussi engagé dans l'armée : «Nous mourrons tous un jour. Seule la nation subsistera. » Cependant, le lieutenant n'est pas cruel : la visite à la prison où sont torturés les rebelles chinois lui soulève le cœur. Il refuse d'assister à l'interrogatoire d'un jeune garçon : «Je réponds en marmottant que je ne suis pas intéressé par ce genre de spectacle. » Il incarne donc un idéal militaire chevaleresque qu'on peut considérer comme archaïque : «Enfin, je peux regarder en face mes ancêtres. En me transmettant leur lame, ils m'ont légué leur courage. Je n'ai pas terni leur nom. »

Un possible renversement de situation – Toutefois, dans une lettre adressée à sa mère, le soldat laisse apparaître les signes d'un possible conflit entre le code d'honneur japonais très exalté et les valeurs héritées du confucianisme, une philosophie chinoise plus humaniste. Tandis que sa mère lui ordonne : «Meurs sans hésiter pour l'honneur de l'Empereur, c'est la voie de ton destin», le soldat répond : «Selon Confucius, "un homme pénétré d'humanité n'acceptera jamais de préserver sa vie aux dépens de cette humanité". » Un autre signe de faiblesse dans la capacité à accomplir cet idéal surhumain (et inhumain) est donné par le lieutenant au chapitre 48. Un jeune soldat blessé à mort le supplie en vain d'abréger ses souffrances : «Incapable de lui faire la charité de la mort, j'ai été lâche. Bouddha aurait commis le crime de délivrance. La compassion appartient aux âmes fortes.» Enfin, le déguisement du lieutenant symbolise le dédoublement de son identité (p. 186) :

> En uniforme ou en civil, je suis deux hommes différents. Le premier domine la ville avec l'orgueil du vainqueur, le second se laisse vaincre par sa beauté.
>
> En me déguisant, je perds mes repères et me distancie de moi-même.

La victoire remportée par le camp japonais (victoire du lieutenant au go, arrestation des rebelles chinois par les soldats japonais), si elle est importante, est donc également annoncée dans le récit comme provisoire.

Les marques d'une écriture orientale

Marquée par certains traits exotiques, la prose romanesque de Shan Sa recourt à divers procédés qui confèrent à son style un charme très oriental.

Un exotisme très présent

L'impression de pittoresque ne réside pas seulement dans le dépaysement géographique et culturel. Les détails d'une vie orientale contribuent à créer une impression d'exotisme : à l'anniversaire du maire de la ville, la narratrice goûte à de la paume d'ours, à du pied de chameau mariné dans du vin, et mange un poisson nommé «Dragon noir».

Le dépaysement provient également des noms des personnages, souvent composés de poétiques périphrases* : la sœur de la narratrice répond au doux nom de «Perle de Lune», la geisha à celui de «Lumière». Le lieutenant appelle sa mère «Vénérable Mère»; la ville où vit la joueuse répond au nom mystérieux et hyperbolique de «Mille Vents».

Nombre de détails de la vie quotidienne viennent accentuer le déracinement du lecteur : ainsi, le costume d'une concubine évoqué par la narratrice lors de l'anniversaire du nouveau maire : « Fardée à outrance, elle porte une tunique richement brodée doublée de fourrure et une coiffe en forme d'éventail, piquée de perles, coraux et fleurs en mousseline, une antiquité rarissime de nos jours. »

Des analogies surprenantes

Les comparaisons* qui viennent à l'esprit des personnages témoignent également d'univers de référence inhabituels pour un lecteur occidental, et produisent des analogies* inattendues. La vision que les deux protagonistes donnent de leur ville natale respective se fait par l'évocation d'animaux monstrueux (p. 72 et 76) :

> La ville étend sous nos yeux une infinité de toitures alignées, écailles de poissons gris aux reflets argentés.

> La légende dit que le Japon est une île flottante posée sur le dos d'un poisson-chat dont le mouvement provoque des tremblements de terre.

Nombre de métaphores* associent des réalités abstraites et concrètes d'une manière surprenante. La joueuse définit sa propre solitude comme « un rouleau de soie cramoisie enfermé au fond d'un tiroir », et associe sa sœur à un végétal maladif : « Pour moi, Perle de Lune n'est pas une femme, mais une fleur qui se fane. »

De manière plus traditionnelle, le destin d'un héros est assimilé par le lieutenant à un chemin ; toutefois cette métaphore* classique est filée, et clôt de manière nettement plus originale : « Le chemin d'un héros n'est pas si droit qu'on l'imagine. Il serpente dans la montagne abrupte du sacrifice. »

La perpétuelle mutation

Dans la pensée occidentale, imprégnée de logique et de rationalisme, on distingue nettement le Bien du Mal, le ciel de la terre, l'homme de la nature, etc. À l'inverse, la pensée chinoise se caractérise par le sentiment très fort de l'impermanence de toute chose. Tout, dans l'univers, est en transformation perpétuelle. Rien n'a par conséquent d'identité définitive.

Cette pensée de l'impermanence imprègne le récit. En témoigne le poème récité par le capitaine au soldat (p. 145) :

> Misérable la vie de l'homme
> Telle la fleur dans sa splendeur
> Au vent d'impermanence
> Qui fait rage au long de la nuit
> De vie et de mort.

À ce sentiment d'impermanence s'ajoute une incertitude quant à la nature exacte des choses, toujours susceptibles de transformation. Et nombre de métaphores* soulignent la nature éphémère des êtres et des choses, leur absence d'unité, leur virtuel devenir : « Les damiers gravés sur les tables de granit sont devenus visages, pensées, prières. »

Un goût certain du paradoxe

De là, également, la présence de nombreux paradoxes* dans le roman, témoins d'une forme de pensée défiant la logique occidentale : « L'abstinence est la volupté de l'âme. » « Incapable de lui faire la charité de la mort, j'ai été lâche. Bouddha aurait commis le crime de délivrance. La compassion appartient aux âmes fortes. »

L'expression « Je suis son ombre, son secret, son meilleur adversaire » résume le sentiment complexe et mélangé que la joueuse éprouve pour Lu… L'expression renouvelle une locution figée : on parle généralement de « son meilleur ami, sa meilleure amie ». L'expression « son meilleur adversaire » suggère quant à lui à la fois la proximité et la lutte acharnée, tout en constituant un jeu de mots : au go, la narratrice est évidemment parmi les adversaires les plus redoutables du cousin.

Comment écrire un haïku ?

Qu'est-ce qu'un haïku ?

Le haïku est une forme poétique d'origine japonaise ancienne, qui reste aujourd'hui encore très présente au Japon. Durant le seul xxe siècle, cette forme a connu au Japon une quinzaine d'écoles majeures. La plus connue et la plus appréciée en Occident est celle de l'école dite « shasei », qu'on pourrait appeler « description d'après nature » ou encore « croquis sur le vif ».

Le haïku obéit à quelques caractéristiques simples, que nous détaillons ici.

Le thème

Beaucoup de haïkus traditionnels évoquent une des quatre saisons. Le poème est ainsi ancré très précisément dans le temps et dans l'espace. La principale particularité du haïku est de dire l'instant. Il transmet l'intensité d'un moment avec très peu de mots ; il est à la fois l'expression du permanent et de l'éphémère. Il s'efforce de restituer le paroxysme d'une émotion. Il comporte toujours un mot (le *kigo*) permettant de situer dans le temps l'instant émotionnel vécu.

La composition

En japonais, il comporte impérativement trois vers construits selon le modèle de 5/7/5 syllabes, soit un total invariable de 17 syllabes. Dans d'autres langues, la poésie contemporaine peut s'inspirer de cette forme composée de trois vers brefs, sans conditions de longueur métrique.

Les trois vers ne comportent pas de rime, sinon accidentellement.

Une syntaxe réduite au minimum

Verbe à l'infinitif, ou verbe absent : le haïku se compose souvent d'une phrase incomplète. Comportant peu d'articles, pas d'adverbes, il est écrit au présent. Si les trois vers commencent par une majuscule, il évite cependant toute autre forme de ponctuation. Cheng Wing Fun et Hervé Collet nous en donnent un exemple dans *Le Petit Haïku illustré*, poèmes traduits du japonais (Éditions Moundarren) :

« Un bouddha dans la lande
Au bout de son nez
Une stalactite
Issa **»**

La technique de la «pointe»

La clé du haïku est souvent dans le dernier vers avec une véritable montée en puissance de l'émotion. Cette technique peut être mise en parallèle avec celle de la «pointe», dernier vers du sonnet (*Le Petit Haïku illustré*) :

《 À l'ombre des poteaux à linge
Se devine
Le solstice d'hiver
Shiki **》**

Une valorisation des cinq sens

Un haïku fait appel à un sens pour percevoir le réel et non à l'intellect : c'est à travers le toucher, le goût, l'ouïe, l'odorat ou la vue que le monde est perçu et restitué dans sa saveur (*Le Petit Haïku illustré*) :

《 Lune froide
Le gravier crisse
Sous la chaussure
Buson **》**

Style et musicalité

La métaphore* et la personnification devraient être absentes du haïku. Le travail d'écriture porte principalement sur la recherche de sonorités évocatrices.

Pour une lecture : le chapitre 64

Introduction

Unité close sur elle-même, mais faisant écho avec l'ensemble du texte, chaque chapitre du roman peut faire l'objet d'une triple analyse : l'avancée de la partie entamée entre les deux protagonistes, la découverte de la personnalité du narrateur, et les résonances entre les différents niveaux du récit.

1 – Une pause dans un récit au rythme serré

Le chapitre, à mettre au compte de la narration faite par le lieutenant, relate l'arrivée de la joueuse place des Mille Vents, et condense un moment de la partie de go. La joueuse joue d'«un claquement sec», c'est ensuite le tour du lieutenant. Celui-ci plonge alors dans une rêverie qui doit l'amener à jouer à son tour. Il s'agit d'un moment de pause du point de vue de l'intrigue, moment mis à profit par la joueuse pour se promener tandis que le narrateur réfléchit. Il s'agit également d'un moment où le temps de la narration coïncide très exactement avec le temps du jeu.

2 – L'écriture à la première personne

Elle témoigne de la subjectivité du narrateur. Elle met également en évidence le mystère lié à l'altérité de la joueuse, à son caractère fondamentalement incompréhensible : «Elle ressemble à une montagne qui se détache d'un ciel nuageux pour mieux se fondre dans le brouillard.»

Le lieutenant a remarqué, sans les comprendre, les modifications de l'attitude de la joueuse : «Les grains de beauté ont surgi de sa peau brune. Minuscules, ils ont la forme des larmes. [...] Au début de notre rencontre, la pierre entre l'index et le médius, la Chinoise frappait le damier avec un bruit joyeux.» Le lecteur, qui connaît les épreuves traversées par la joueuse, est à même d'analyser les remarques faites par le lieutenant.

De la sorte, un système subtil de correspondances entre la vie intérieure et la vision du dehors se tisse d'un chapitre à l'autre.

Enfin, l'écriture à la première personne traduit aussi l'attrait amoureux que le lieutenant éprouve pour la joueuse : «L'ombre de son chapeau caresse ma poitrine. Le ruban dont il est orné palpite dans le vent au rythme accéléré de mon cœur.» Cet attrait amoureux se manifeste lui-même par une métaphore* suggérant une correspondance entre l'intérieur (les battements du cœur) et l'extérieur (les mouvements du ruban).

3 – Emboîtement et diffraction

La rêverie du lieutenant combine différents niveaux. C'est une rêverie qui interroge le goban pour savoir comment jouer : «Je m'abstiens de calculer et contemple le damier comme un peintre son tableau inachevé. » C'est aussi une rêverie à propos de la personnalité de la joueuse, une rêverie amoureuse : «Elle ressemble à une montagne qui se détache d'un ciel nuageux pour mieux se fondre dans le brouillard » ; et ce songe combine esthétique et stratégie : «Au go, seule la perfection esthétique conduit à la victoire. »

En outre, dans l'esprit du Japonais, la Chine et la joueuse sont explicitement associées comme ennemies et comme énigmes : «Il est plus facile pour mes camarades de survoler la Chine que pour moi de pénétrer la pensée de la joueuse de go. » Microcosme et macrocosme se rejoignent.

À travers ce récit, la méditation à propos du go se double donc d'une réflexion amoureuse et esthétique. Le regard associe la joueuse à son pays, le jeu et l'amour à la stratégie militaire.

Conclusion

Le chapitre 64 coïncide avec le coup joué par le lieutenant, suggérant une harmonie entre la partie de go et le roman lui-même. Associant la narration à la première personne et le point de vue externe sur les personnages, le roman tisse des correspondances entre apparence et intimité, correspondances démultipliées par le parallèle instauré entre leur partie de go et le conflit militaire en cours. Jouant de manière subtile sur l'emboîtement et la diffraction, le roman crée d'impressionnants effets de miroitement des significations.

à vous...

1 – Identifiez une émotion et ce qui l'a fait naître en vous, puis écrivez un haïku. Attention : le haïku ne s'obtient pas au premier jet, il s'écrit, se réécrit, s'épure et se charge en émotion.

2 – Chapitre 38 : où arrive le régiment japonais ? À quel détail le comprenez-vous ?

3 – Chapitre 38 : quels éléments déjà présentés dans le récit de la joueuse se retrouvent ici vus par le Japonais ? Que peut annoncer ce détail ?

4 – En analysant les différents chapitres dont le Japonais est le narrateur, montrez que son récit comporte une dynamique cyclique.

5 – Analysez la relation entre ce qui arrive à Perle de Lune et ce que vit la narratrice.

6 – Lecture analytique, p. 139-141 : « Min rampe sur moi […] une carpe pirouette. » Que suggère la structure du passage ? Que signale l'attitude de Jing à l'égard de la narratrice ? Quel parallélisme est établi par les deux garçons ? Après avoir lu le roman jusqu'à la page 205, comment peut-on interpréter l'affirmation de la narratrice concernant le piège ? Analysez la sensualité de l'écriture dans l'ensemble du texte.

7 – Le personnage de Nakamura : que suggère à son propos la construction du chapitre 44 ?

8 – Montrez la fonction du go dans ce chapitre.

9 – Chapitres 37 et 39 : quels éléments ont préparé l'arrestation de Min et la révélation de son activité révolutionnaire ? Pourquoi sont-ils passés inaperçus dans le récit ?

10 – Chapitre 65 : comparez la vie des deux sœurs.

Tassée sur sa chaise, Orchidée boude.

– Vous avez changé, me dit la prostituée mandchoue.

Je m'étends sur sa couche. Au lieu de me déshabiller comme à son habitude, elle tortille son mouchoir.

– Auparavant, vous veniez me voir tous les deux ou trois jours. Il y a presque deux semaines que vous ne m'avez pas rendu visite. Avez-vous rencontré une autre fille ?

J'essaie de la raisonner :

– Depuis que je suis en garnison dans cette ville, je n'ai fréquenté que toi. Il n'y a aucune raison pour que tu sois jalouse.

En réalité, depuis un certain temps, ses charmes ne m'attirent plus. Je trouve le grain de sa peau rugueux, sa chair molle. Nos ébats répétés me lassent.

Ses yeux se remplissent de larmes :

– Je ne vous crois pas. Je vous aime et vous en aimez une autre.

– Tu es stupide. Demain, je pourrais partir et ne plus revenir dans cette ville. Un jour, je me ferai tuer. Pourquoi m'aimes-tu ? Il ne faut pas t'attacher à un être de passage comme moi. Aime quelqu'un qui pourra t'épouser. Oublie-moi.

Elle sanglote de plus belle. Ses larmes m'excitent. Je la pousse sur le lit et lui ôte sa robe.

Sous mon corps, le visage d'Orchidée s'empourpre. Entre deux sanglots, des râles la secouent. J'éjacule. Ma jouissance a perdu son intensité d'autrefois.

Allongée à côté de moi, Orchidée fume. Sa main libre agite un éventail. J'allume aussi une cigarette.

– À quoi pensez-vous ? me demande-t-elle d'une voix lugubre.

Je ne réponds pas. La fumée blanche du tabac, dispersée par les coups d'éventail, s'élève lentement vers le plafond en plusieurs volutes.

– Est-elle chinoise ou japonaise ? insiste-t-elle.

Je me lève brusquement.

J'erre dans les rues, le corps raidi.

– Rentre chez toi, me dit Huong.

– Laisse-moi tranquille.

– Je t'en prie, rentre à la maison.

– Je hais ma maison.

– Alors pleure. Pleure un bon coup, je t'en supplie.

– Je n'ai pas de larmes.

Elle achète des pains farcis à un marchand ambulant.

– Alors mange !

– Ils sentent mauvais, tes pains farcis.

– Pourquoi dis-tu cela ? Ils sentent bon.

– Ils sont pourris. Ne sens-tu pas l'aigreur des légumes ? On dirait du sang. Jette-les, je t'en prie, sinon…

Mon estomac se tord et je vomis. Terrifiée, Huong lance les pains aux chats qui rôdent autour.

Je me recroqueville. Huong me dit :

– Jing est vivant !

Mais ce bonheur ne me suffit pas :

– Je suis enceinte d'un homme mort. Il faut que je me tue.

– Tu es devenue folle !

Huong me secoue par les épaules :

– Tu es folle ! Dis-moi que tu délires !
Je ne réponds pas.
Elle couvre son visage de ses mains :
– Alors pends-toi ! Personne ne peut te sauver.
Après un long silence, elle me demande :
– As-tu vu un médecin ? Tu n'as peut-être rien.
– Je n'ai confiance en personne.
– Je vais te trouver un médecin.
– À quoi bon ? Min m'a trahie. Je dois mourir.

La Chinoise est arrivée avant moi. Elle a posé les pions sur le damier. Ses yeux gonflés sont cernés d'ombre. Elle n'a pas peigné ses cheveux. Pêle-mêle, ils sont roulés en un simple chignon. Aux pieds, elle porte une paire de pantoufles.

Elle ressemble à une malade qui vient de s'échapper de l'hôpital.

Pendant que je joue, elle fixe les branches d'un saule. Son regard m'inquiète. Soudain, comme prise de nausée, elle sort un mouchoir, s'en couvre le nez et la bouche.

Pour le maniaque de la propreté que je suis, c'est un supplice d'imaginer que je pue et que je la dérange. Je respire profondément : seule l'odeur d'herbe pourrie est perceptible qui annonce l'arrivée de la pluie.

A-t-elle senti sur moi le parfum d'Orchidée ? La prostituée embaume à outrance son corps et ses vêtements. Possessive et jalouse, elle cherche à laisser sur moi son empreinte.

Le ciel s'est assombri, un vent moite fait tourbillonner les feuilles. Les joueurs rangent bruyamment leurs pions.

Absorbée dans ses pensées, la Chinoise ne bouge pas. Je

lui fais remarquer que nous sommes les seuls à être demeurés sur la place. Elle ne dit rien, inscrit les nouveaux résultats sur sa feuille, et se retire sans me saluer.

Ce comportement étrange éveille mes soupçons. Je me lève à mon tour, hèle un pousse-pousse. Dissimulé sous la capote, j'ordonne au tireur de la suivre.

La jeune fille s'engage à pied dans les rues marchandes où règne une grande agitation : les commerçants démontent leurs stands, les femmes rentrent leur linge, les piétons se bousculent. Je manque la perdre plusieurs fois.

Sous les auvents, les hirondelles poussent des cris de détresse. Le ciel est noir, de grosses gouttes commencent à tomber. Bientôt des torrents d'eau s'abattent sur nous accompagnés de coups de tonnerre.

La Chinoise s'arrête à l'orée d'un bois. Je descends du pousse-pousse et me cache derrière un arbre.

Elle s'enfonce dans un brouillard vert. Des éclairs illuminent sa silhouette menue. Un ruban argenté serpente entre les branches. Une rivière, grossie par la pluie, coule vers l'est en tourbillons minuscules et brèves étincelles. À l'horizon, elle devient une large nappe noire qui s'engouffre dans la fente du ciel.

La Chinoise se glisse vers les flots criblés. Je m'élance. Soudain, elle s'arrête. Je freine ma course et me jette à terre.

L'immobilité de la jeune fille contraste avec l'effervescence du fleuve. Une dizaine de coups de tonnerre se succèdent. Les arbres plient sous le vent. Une branche rompt et déchire le tronc dans sa chute.

Le souvenir du séisme me revient.

$\mathbf{L}$'odeur du sang s'est insinuée dans mon corps. Elle s'enfonce sous ma langue, s'exhale de mon nez. Elle me poursuit jusque dans ma chambre.

Je me nettoie dans une bassine. Je savonne mon visage, mon cou, mes mains imprégnées de la mort fétide. La pluie tombe. Pourquoi les dieux versent-ils tant de larmes sur notre monde ? Pleurent-ils mes malheurs ? Pourquoi ces torrents du ciel ne lavent-ils pas nos souffrances, nos impuretés ?

Je me laisse choir dans le lit. Le vent, au souffle irrégulier, est semblable aux murmures des spectres qui s'élèvent, qui s'apaisent. Est-ce Min accompagné de Tang qui rit aux éclats ?

Était-il enfermé avec elle dans la même cellule ? Se tenaient-ils la main pour voir la vie couler comme un fleuve qui se noie dans le néant ? S'étaient-ils déjà embrassés avant ma rencontre avec Min ? Ont-ils fait l'amour ? Libre, elle s'était sans doute refusée à lui. Mais la nuit dernière, ne se sont-ils pas accouplés sous le regard du geôlier, joue contre joue, front contre front, plaie contre plaie ?

Elle l'a reçu dans son ventre, dans son âme. Il est entré

en elle, à genoux, en pénitence. Il l'a étreinte de toute sa force. Sa semence a coulé, leurs sangs se sont mêlés. Elle s'est livrée, il l'a délivrée.

Je me lève en sursaut.

Min m'a trahie. Je dois me tuer.

La Chinoise se retourne.

Comme un fantôme, elle s'éloigne de la rivière et sort du bois. Dehors, sous la pluie, toutes les rues se ressemblent, toutes les rues sont désertes. Dans le noir, tantôt trait, tantôt virgule, la jeune fille m'attire vers un autre monde.

Soudain, elle disparaît : je m'élance à sa recherche. En vain.

Un pousse-pousse surgi du brouillard accepte de me conduire au restaurant Chidori.

Le capitaine Nakamura m'attend dans une pièce isolée. Il m'invite à trinquer à la gloire de l'Empereur. Après trois verres de saké et quelques bouchées de poisson cru, je m'incline profondément devant lui :

– Capitaine, j'ai échoué dans la mission que vous m'avez confiée. Je vous prie de me sanctionner sévèrement.

Un sourire apparaît au coin de ses lèvres.

– Je suis incapable, capitaine, de discerner un espion d'un paisible citadin. Sur la place des Mille Vents, oublieux de mon devoir, je passe mon temps à jouer au go.

Il vide sa coupe de saké. Ses yeux dans les miens, il détache chacun de ses mots :

– Zhuang Zi[1] dit : «Lorsque vous perdez un cheval, vous ne savez jamais si c'est un bien ou si c'est un mal.» Un homme intelligent ne perd jamais son temps.

Puis, il ajoute :

– Savez-vous, lieutenant, que j'étais autrefois amoureux d'une Chinoise ?

Je rougis. Pourquoi cette étrange confession ?

– Je suis arrivé en Chine il y a quinze ans. À Tian Jing, je fus embauché dans un restaurant japonais tenu par un couple de Kobé. Homme de vaisselle, femme de ménage, garçon de service, j'étais nourri et logé dans une chambre minuscule. Pendant mes rares moments de repos, je m'asseyais à la fenêtre. De l'autre côté de la rue, il y avait un restaurant chinois réputé pour ses pains farcis. Une jeune fille entrait à l'aube avec des provisions et ressortait à la nuit tombée, portant les poubelles. Myope, je distinguais vaguement sa silhouette fine et la longue natte qu'elle portait dans le dos. Habillée de rouge, elle était le feu qui marchait. Quand elle s'arrêtait, j'avais l'impression qu'elle levait la tête et me contemplait. Dans le flou de mon regard, je croyais voir un sourire et mon cœur palpitait.

Le capitaine s'arrête pour me remplir une nouvelle coupe de saké et avale la sienne d'un trait. Son visage devient cramoisi.

– Un jour, j'eus le courage de franchir le seuil du restaurant sous prétexte de commander une spécialité. Elle était derrière la caisse. En m'approchant d'elle, je découvris son visage trait par trait. Ses sourcils étaient épais, ses yeux noirs. Je lui demandai des pains farcis. Comme elle ne comprenait pas le japonais, je dessinai sur une feuille. Elle

1. Philosophe chinois (360 ?-280 ? av. J.-C.), fondateur de la pensée taoïste.

se pencha derrière mon épaule pour regarder. Sa tresse glissa, frôlant ma joue.

Une nouvelle bouteille arrive. C'est la cinquième que j'entame avec le capitaine. Dehors, le vent est tombé, le tonnerre s'est tu. On entend le bruissement régulier de la pluie.

– Elle ne parvenait même pas à écrire son nom en chinois. Nous n'avions aucun moyen de communiquer. Nous passions la journée à nous jeter des coups d'œil à travers la rue trop large, sans jamais nous lasser. Je n'apercevais que le rouge de ses vêtements et le noir de sa tresse. Je recomposais son visage, à peine entrevu. J'étais pauvre et mes seuls cadeaux étaient de petits bouquets de fleurs sauvages cueillis au bord de la rue. Je les jetais sous la fenêtre de son restaurant. À la nuit tombée, elle me donnait des pains farcis fraîchement sortis du fourneau. Incapable de croquer ces délices façonnés par ses mains, je les conservais jusqu'à ce qu'ils pourrissent.

«Un jour, comme aujourd'hui, il avait plu tout l'après-midi. De nombreux clients s'étaient réfugiés dans notre restaurant pour manger des nouilles chaudes. À minuit passé, je sortais quand quelqu'un s'élança à mon cou. C'était elle. La Chinoise m'avait attendu dans un coin sombre un temps infini. Son visage était glacé, ses lèvres aussi. Elle tremblait de tout son corps et la pluie m'empêchait de savoir si elle pleurait ou si elle riait. Entraîné par son poids, je m'assis contre le mur. Nous nous embrassâmes en chuchotant dans nos langues les mots de l'amour. La pluie couvrait nos voix. J'oubliai le froid, la nuit, le temps.

Le capitaine sombre dans un long silence. Puis, il se met en colère et demande une nouvelle bouteille. Il remplit nos verres et sa main tremble. Du saké se répand sur ses vêtements mais il ne remarque rien. Le sang bat violemment dans mes tempes. Je prête au récit du capitaine l'attention sans retenue d'un ivrogne. Il a du mal à trouver ses mots. Quel événement tragique frappa cet homme aujourd'hui solitaire ?

– Le lendemain, toutes mes économies en poche, je me rendis dans un magasin japonais. Je n'avais pas suffisamment d'argent pour acheter un kimono. Un bel obi[1] fit l'affaire. Ce cadeau fut le poison que je versai sans le savoir dans le miel de mon amour. Notre relation fut bientôt découverte. Un mois plus tard, la Chinoise disparut sans laisser de trace.

Un terrible silence s'abat sur notre table.

– Plus tard, entré dans l'armée, je me suis informé de son sort. Le restaurant avait fermé depuis des années. Ses propriétaires, des espions chinois, s'étaient volatilisés. Après avoir découvert la liaison de leur servante avec un Japonais, ils l'avaient mise à mort…

« La lune n'est plus
Le printemps n'est plus
Le printemps de jadis !
Moi seul suis encore
Tel qu'autrefois je fus[2] ! »

L'homme sanglote.

Demain, nous serons poussière et terre. Qui se souviendra de l'amour d'un militaire ?

1. Obi : large ceinture que les Japonaises utilisent pour attacher leur kimono.
2. Ce poème est tiré de *Isé Monogatari*, un récit de la province d'Isé, Japon, Xe siècle, traduit par René Sieffert.

Après la classe, Huong m'entraîne dans un coin de la salle.

– Je t'ai trouvé un médecin. Viens avec moi.

– Qui est-ce? Comment l'as-tu trouvé?

Elle regarde autour de nous. La salle s'est vidée. Nous sommes les dernières à partir.

Elle me chuchote à l'oreille :

– Te souviens-tu de la concierge du dortoir qui me laissait faire le mur? Hier, je lui ai dit que j'étais enceinte et que je cherchais un médecin.

– Tu es folle! Si elle se met à jaser, tu seras chassée du collège et ton père te fera raser la tête et t'enverra au temple!

– Ne t'inquiète pas. Car j'ai ajouté ceci : «Si vous parlez, je vous dénoncerai à la police pour proxénétisme. Je dirai aux policiers que pour recevoir de l'argent des collégiennes, vous les poussez à la prostitution. Non seulement vous perdrez votre place, mais vous serez condamnée et pendue en public.» J'ai filé à la vieille une telle trouille qu'elle s'est dépêchée de me trouver un médecin des plus discrets.

Je suis Huong jusqu'à son dortoir, où elle me fait habiller selon ce qu'elle imagine être une femme de trente ans.

Le pousse-pousse traverse le marché aux puces. Le long du trottoir, des monticules de meubles, de vaisselle, de tissus, de bibelots, des parures, des rouleaux de peintures jaunes, moisis. Les vendeurs, aristocrates mandchous en loques, déambulent parmi ces déchets d'une époque révolue, cherchant à troquer une tabatière de jade, un vase ancien, contre une heure d'évasion dans une fumerie d'opium. Seuls quelques officiers japonais se promènent et examinent les objets avec gourmandise.

Par précaution, Huong fait arrêter le pousse-pousse au début de la rue. Après deux cents mètres, nous gravissons un perron à moitié effondré et avançons dans un labyrinthe de draps, de pantalons, de couches de bébé séchant sur des cordes. Agressée par le relent d'urine et d'œufs pourris, je me plie en deux pour vomir.

À l'extrémité du couloir de linges, nous apercevons des chambres écrasées sous une toiture en pente. Chaque famille a installé ses fourneaux en plein air. Les mouches tourbillonnent.

Huong se met à crier :

— S'il vous plaît, le docteur Huang Pu.

Une femme échevelée apparaît sur le seuil. Elle nous lance un regard méprisant.

— Là-bas, au fond, à droite.

Sur la porte, une affiche à l'encre pâlie :

« MÉDECIN RENOMMÉ AUX QUATRE MERS, MAIN DIVINE À FAIRE REVENIR LE PRINTEMPS, SPÉCIALISÉ EN CHANCRES, SYPHILIS, BLENNORRAGIE. »

Nous frappons. Une femme, cheveux permanentés, visage outragé par le maquillage, sort, nous toise et s'en va en claquant des talons. Poussée par Huong, je trébuche dans une pièce sombre. Une fille est recroquevillée dans une encoignure. Elle semble morte. Près d'elle, un homme fume. Il nous examine :

– Quelle maison ?

Nous nous réfugions dans un coin.

L'odeur amère des tisanes médicinales et d'autres puanteurs indescriptibles m'assaillent.

Je ne sais combien de temps s'est écoulé quand je me présente à mon tour dans le cabinet. Avec ses rares cheveux blancs, le docteur Huang Pu laisse pendre dans son dos une natte mandchoue fine comme une queue de cochon. Assis derrière une table noire, devant une bibliothèque dégarnie, il caresse sa barbiche :

– Quelle maison ?

Huong répond à ma place :

– Libérale.

– Quel âge ?

– Vingt ans, dit-elle.

– Quel est votre problème ?

– Mon amie n'a plus ses règles depuis trois semaines.

– Ah, bien. Ouvrez la bouche, tirez la langue. Bon, déshabillez-vous.

– Déshabillez-vous, répète-t-il.

Huong détourne la tête. Je me hais. Les larmes aux yeux, je déboutonne ma robe.

– Allongez-vous là.

Il me désigne une planche couverte d'un drap sale.

– Écartez les jambes.

Je pense mourir. Je serre les poings pour ne pas pleurer.

La lampe à la main, le vieillard s'approche. Il regarde, palpe, s'attarde.

– Bon, dit-il en se relevant. Pas de putréfaction. Habillez-vous.

Il me demande de mettre la main droite sur la table et pose sur mon poignet l'index et le médius. Ses ongles jaunes, longs de plus de cinq centimètres, sont incurvés à leur extrémité.

– Le pouls est chaotique. On y distingue le son de la fécondation. Vous êtes enceinte !

Je m'entends lui demander d'une voix faible :

– Êtes-vous sûr, docteur ?

– Certain, dit-il en prenant mon pouls gauche.

Derrière moi, Huong se lève :

– Docteur, vous avez sûrement un remède.

Le vieillard secoue la tête :

– Criminel, criminel.

Huong ricane.

– Prescrivez-nous une ordonnance ! dit-elle en jetant au milieu de la table l'énorme bracelet d'or qu'elle porte au poignet. Le vieux Mandchou réfléchit un instant en lorgnant l'objet, et saisit son pinceau.

Huong me raccompagne.

– Demain soir, après la classe, je reviendrai avec les tisanes et tout sera oublié, me dit-elle.

– Ne te donne pas cette peine. Seule la mort peut réparer mon honneur. Tiens, prends ce bracelet en jade. Je ne veux pas que tu paies pour moi. Je ne le mérite pas.

Elle replace le bijou à mon poignet.

– À quoi ces belles choses pourraient-elles me servir désormais ? Demain, tu boiras la tisane et tu seras libérée de ton fardeau. Dans un an, je me marierai et je serai violée par un inconnu.

72

Le lendemain de l'orage, un beau ciel.

En cette saison, les petits vendeurs de jasmin harcèlent les passants. Incapable de résister à leurs supplications, j'achète un bracelet de fleurs en pensant au poignet bruni de la Chinoise.

Quand je l'aperçois sur la place des Mille Vents, je revois son étrange silhouette de la veille, sous la pluie, au bord de la rivière. Que faisait-elle là ? Que pensait-elle ? Hier, une paire de pantoufles aux pieds, elle errait dans la ville comme une folle, aujourd'hui, front dégagé, cheveux lissés et réunis en une lourde tresse, elle redevient une joueuse froide et perspicace.

Quelque chose a changé en elle depuis les dernières vingt-quatre heures. Ou est-ce moi qui n'ai plus le même regard ? Sous sa robe au teint triste, ses seins ont gonflé. Son corps a délaissé la raideur enfantine pour une souplesse vigoureuse. Malgré son regard dur et ses sourcils froncés, sa bouche tendre et rose se fait désirer. Sombre, elle joue nerveusement avec le bout de ses cheveux. On dirait qu'elle souffre de la vie qui s'épanouit en elle.

Elle pose un pion.

– C'est bien joué ! clame un homme qui s'approche de notre table.

Place des Mille Vents, des gens passent, regardent, se permettent parfois de donner des conseils. Celui-là, à peine vingt ans, cheveux gominés, parfumé à l'excès, m'agace.

Je réplique.

Le blanc-bec s'écrie :

– Quelle erreur ! Il fallait le mettre ici !

Il pointe le damier, une bague de jade blanc au doigt, la main fine et rose.

Puis, il s'adresse directement à la Chinoise :

– Je suis un ami de Lu. Je viens de la Capitale nouvelle.

Elle lève la tête. Après un échange de politesses, elle l'entraîne à l'écart du damier.

Le vent porte jusqu'à moi la voix des deux jeunes gens. La familiarité s'est installée entre eux. Déjà, ils se tutoient. La langue chinoise, dotée de cinq tonalités, est une musique et leur conversation un opéra insupportable. Dépité, j'écrase les fleurs de jasmin dans ma poche.

Depuis que je fréquente la place des Mille Vents, le go me fait oublier que je suis japonais. J'ai cru être l'un des leurs. À présent, je suis forcé de me rappeler que les Chinois sont d'une race à part, et d'un autre monde. Mille ans d'histoire nous séparent.

En 1880, mon grand-père participait à la réforme de l'empereur Meiji tandis que leurs ancêtres servaient Ci Xi, l'Impératrice douairière. En 1600, les miens, ayant perdu une bataille, s'ouvrirent le ventre ; les leurs prirent le pouvoir à Pékin. Au Moyen Âge, lorsque les femmes de ma famille se vêtaient de kimonos à large traîne, rasaient leurs sourcils et teintaient leurs dents de noir ; leurs mères, leurs sœurs rassemblaient leur chevelure en de hauts chignons.

CHAPITRE 72

Déjà, elles bandaient leurs pieds. Un Chinois et une Chinoise se comprennent avant même d'ouvrir la bouche. Porteurs de la même culture, ils s'attirent tels deux aimants. Comment un Japonais et une Chinoise pourraient-ils s'aimer ? Ils n'ont rien en commun.

La joueuse s'attarde. Parmi les arbres avec lesquels elle se confond, sa robe verdâtre, qui, tout à l'heure, semblait exprimer tant de désolation, respire soudain la fraîcheur. Est-ce là l'image de la Chine, l'objet de ma passion et de ma haine ? Proche d'elle, sa misère me déçoit. Loin d'elle, ses charmes m'obsèdent.

Elle ne jette pas un regard dans ma direction.

Je quitte la place.

Chen me dit que cousin Lu enseigne désormais le go à Pékin.

– D'ailleurs, il s'est marié, ajoute-t-il en me scrutant.

Cette information me laisse froide.

Chen vit à la Capitale nouvelle. Il prétend être le meilleur ami de mon cousin. C'était lui, dit-il, qui avait présenté Lu à l'Empereur. À l'entendre, on croirait qu'il est le personnage le plus puissant de Mandchourie.

J'envie l'insouciance de ce fils de ministre, content de lui-même, satisfait de son existence. Le passé me revient par bribes. C'était il y a cent ans. La vie était douce. Nous lui ressemblions, mon cousin et moi. Nous nous croyions les meilleurs joueurs du monde. Ma sœur n'était pas encore mariée. Nous étions vierges toutes les deux. Elle venait troubler nos parties de go en nous apportant du thé, des gâteaux. Sans se presser, le crépuscule tissait dans le ciel son filet pourpre. J'ignorais la trahison.

Chen repart le jour même pour la Capitale nouvelle. Il me laisse une carte parfumée sur laquelle figure la nouvelle adresse du cousin Lu, et jure de revenir bientôt me défier au go.

Je regagne ma place. La table est déserte, mon adversaire est parti sans laisser un mot. À bout de forces, je ne suis même pas fâchée. Sur cette terre, les êtres viennent et disparaissent. À chacun son heure.

Je range les pions. À l'ouest, le soleil s'attarde. Des nuages, longs traits cursifs, se profilent dans le ciel. Qui peut déchiffrer ces mots qui prédisent mon destin ?

Je saisis un pion noir entre mes doigts. Sa surface lisse reflète le jour. J'envie son cœur insensible, sa pureté de glace.

Cousin Lu a fui sa déception dans un nouvel amour et je me réjouis de sa félicité si vite retrouvée. L'Inconnu a quitté le jeu. Pour lui, le go demeure un amusement. Les hommes ne vivent pas pour les passions. Ils franchissent les turbulences sentimentales avec désinvolture. Min m'en a montré l'exemple. Le centre de leur existence est ailleurs.

Mon pousse-pousse s'arrête brusquement. Au milieu de la rue, un homme s'incline jusqu'à terre. C'est l'Inconnu. Il me prie de l'excuser et me supplie de continuer la partie le lendemain après-midi. Je lui adresse un vague signe de tête et ordonne au tireur de reprendre sa course. Je dois le laisser là. Sur son chemin.

« En ce monde nous marchons sur le toit de l'enfer et regardons les fleurs[1]. »

Seule la contemplation de la beauté détourne un militaire de son obstination. Quant aux fleurs, elles se moquent de leurs admirateurs. Elles s'épanouissent pour l'éphémère, pour la mort.

Les dernières dépêches ont mis la caserne en effervescence. Après avoir infligé à l'armée chinoise une succession de défaites, nos divisions ont progressé jusqu'à la banlieue de Pékin. Isolée et désemparée, l'armée de Song Zheyuan et de Zhang Zizhong redoute davantage Chiang Kaï Tchek que les Japonais. Craignant que les troupes de ce dernier ne remontent vers le nord pour annexer leur territoire, les généraux refusent les renforts chinois et sollicitent la paix.

Au restaurant Chidori, de table en table, la colère monte. Parmi les officiers, les plus belliqueux réclament la conquête de Pékin. Les plus prudents craignent l'intervention de l'Union soviétique et prêchent avant tout le renforcement de la présence japonaise en Mandchourie.

1. Poème de Issa, poète japonais du XVIIIe siècle.

Aujourd'hui, je ne suis pas allé voir Orchidée. Mon corps conserve sa fraîcheur et sa souplesse. Ayant peu dîné, je me sens léger et lucide. Je ne me laisse pas gagner par l'ardeur de la discussion et tente en vain d'empêcher mes camarades de se battre.

Le vacarme se poursuit tard le soir jusque dans les chambres. Quelques lieutenants exaltés ouvrent leur chemise et jurent de faire seppuku si l'armée impériale négocie la paix avec Pékin. L'évocation du sang achève d'enflammer nos hommes.

Je me glisse dehors. Au milieu du terrain d'entraînement, le vent souffle sur mon visage le parfum discret des fleurs nocturnes. Je suis ému d'appartenir à une génération désintéressée, aspirant à une cause sublime. C'est en nous et par nous que renaît l'esprit samouraï, assassiné par la modernité. Nous traversons une période d'incertitude. La grandeur de demain désespère notre attente.

Une plainte amère déchire le silence, le son sec d'une flûte parvient à mes oreilles. J'ai vu une shakuhachi dans la chambre du capitaine Nakamura. Est-ce lui, ivre et mélancolique, qui tourmente son instrument ?

De note en note, le son descend dans les graves et devient inaudible. Soudain, un souffle strident perce les cieux.

L'air me pénètre comme un rayon lunaire projeté sur le sombre océan. Aujourd'hui, je vis, demain, au front, je mourrai. Ma félicité éphémère est plus intense qu'un éternel bonheur.

La flûte expire dans un soupir interminable, puis se tait. Autour de moi, les feuillages s'agitent. Mon regard se pose sur une cigale agrippée à un arbre. Sa cuirasse s'est ouverte en une large fente, d'où émerge un corps translucide. Traversée de tremblements, cette nouvelle vie se déploie, s'étire, se tord, se balance. J'attends le moment où elle se détachera de sa dépouille et l'incite à grimper sur mon doigt. À la clarté de la lune, la cigale molle ressemble à une sculpture de jade ciselée par un artisan habile. Ses ailes s'allongent sur une chair de soie, comme deux gouttes de rosée prêtes à tomber. Je touche l'extrémité de son abdomen. À peine l'ai-je frôlé que ses veines se décomposent, sa transparence s'altère. L'insecte émet un liquide d'encre. Son corps s'affaisse. L'une de ses ailes enfle, éclate, et se répand en larmes noires.

Je pense à la Chinoise, à la Chine que nous serons obligés de pulvériser.

– **V**oici la tisane, me dit Huong en déballant une théière enveloppée d'un tissu épais et enfouie au fond de son sac. Je t'ai
également apporté du coton. Il paraît qu'on saigne pas mal.
Cache tout ça. La tisane sent fort ? J'ai dû menacer de me suicider pour que ma concierge accepte de faire bouillir les ingré-
dients chez elle. Prends-la avant de te coucher, puis allonge-
toi et attends. Normalement, le remède se boit chaud. Froid, il
doit aussi marcher. Seulement c'est plus amer. Je te laisse,
sinon tes parents vont se douter de quelque chose. Courage !
Demain matin, tu seras débarrassée de ce mauvais sort !

Mère nous quitte avant le repas. Jusqu'au lendemain, elle
veillera sur ma sœur, alitée depuis plusieurs jours. Je dîne
seule avec Père. Comme toujours, sa voix m'apaise. Je l'interroge sur ses traductions. Son regard s'anime. Il me récite
quelques sonnets. Je remarque avec peine ses tempes argentées. Pourquoi les parents vieillissent-ils ? La vie est un château de mensonge démantelé par le temps. Je regrette de ne
pas avoir assez contemplé les miens.

Père me demande ce que je pense de ses poèmes.

– Ils sont très beaux, mais je préfère nos vers anciens qui
disent :

« Quand fanent les fleurs de printemps,
La lune d'automne,
Tant de souvenirs me reviennent[1] ! »
Ou bien :
« Que de chagrin dans cette vie brève,
Demain, je m'en irai,
Les cheveux épars,
Sur la proue d'un esquif[2]. »

Père se fâche. Il ne supporte pas mon indifférence à l'égard des civilisations étrangères. Il considère que cet égocentrisme culturel perd la Chine.

J'explose :

– Je hais les Anglais qui nous ont fait la guerre à deux reprises pour nous vendre l'opium qu'ils interdisaient chez eux. Je déteste les Français qui ont pillé, saccagé puis brûlé le Palais de Printemps, perle de notre civilisation. Ici, en Mandchourie, depuis que le Japon dicte sa loi sur notre sol, tout le monde crie au progrès, à la croissance économique. Je hais les Japonais ! Demain, ils auront envahi l'ensemble du continent, et vous serez soulagés de voir une Chine anéantie se débarrasser enfin de son obscurantisme.

Blessé par mes propos, il se lève, me souhaite bonne nuit et se retire dans sa chambre. Je quitte la salle à manger en traînant le pas. J'ai eu tort d'accuser mon père. Il ne vit que pour la poésie.

Je verrouille ma porte et tire les rideaux.

Assise sur le lit, je regarde la théière posée au milieu de la table. Avec mes écharpes et mes mouchoirs, je fabrique une corde solide.

---

1. Poème de Li Yu, Chine, Xe siècle, traduit par l'auteur.
2. Poème de Li Po, Chine, VIIIe siècle, traduit par l'auteur.

Sous la fenêtre, la fumée grise de l'encens qui enivre les moustiques s'élève lentement.

Mourir, c'est si simple. Une brève souffrance. En un clin d'œil, on franchit la porte. On avance dans un autre monde. Plus de tourment, plus d'angoisse. Là-bas, on dort si bien.

Mourir, c'est frotter la neige contre la neige, incendier un hiver de frimas et de glace.

J'attrape la corde et attache les deux extrémités aux anses du lit à baldaquin. Le nœud est immobile comme un arbre poussé là, il y a mille ans.

Assise sur mes talons, je le regarde jusqu'à me faire mal aux yeux.

Il suffit que je me lève pour que ma pensée s'arrête.

Je n'entends aucun bruit.

Je me dresse pour vérifier la solidité du nœud.

J'y passe la tête.

La corde, sous le menton, me gêne. J'aspire au vide, à la chute dans l'abîme. La volupté m'effraie : je suis ici et là-bas ; je suis moi et je ne suis plus !

Suis-je déjà morte ?

J'ôte ma tête de la boucle et me rassois sur le lit.

Je me déshabille, trempée de sueur. Avec une serviette mouillée dans la bassine, je me lave. L'eau fraîche me fait frissonner. Je saisis la théière. La liqueur est si amère que je m'interromps plusieurs fois pour respirer. J'attache la bande hygiénique fourrée de coton entre mes jambes, défais le nœud, la corde, m'allonge sur le lit, les mains sur le ventre.

J'attends, la lumière allumée.

Depuis la mort de Min, je ne peux plus m'endormir dans l'obscurité. Je crains son fantôme. Je le fuis.

Je rêve d'une forêt où les arbres laissent filtrer un soleil radieux, un animal superbe se promène. Couvert d'un pelage court et doré, il porte une crinière de lion. Son corps est fin et élancé comme celui d'un chien racé. Je suis furieuse qu'il pénètre mon territoire. À mon appel, un léopard surgit et se jette sur l'intrus. Soudain, je deviens l'animal blessé. Le léopard déchire mon ventre et laboure mes intestins de ses crocs.

Je suis réveillée par mes propres gémissements. Une douleur insupportable descend de mon ventre gonflé le long de mes cuisses, puis, brusquement s'apaise. Je me lève avec peine et me dirige vers la bassine pour y plonger mon visage. Je me traîne jusqu'à la cuisine où dix louches d'eau étanchent enfin ma soif.

Plus tard, mon sommeil est de nouveau interrompu par la douleur. Je tombe du lit, entraînant dans ma chute les draps, les oreillers. À terre, j'agrippe les pieds de la table et lutte en vain contre une crampe intenable.

Quand le mal se calme, je me recroqueville pour voir si le sang est venu entre mes jambes. La bande de tissu demeure immaculée et je perçois dans cette blancheur la moquerie de Min. Je ne sens plus le poids de mes membres. Après le supplice, une vague chaleur remonte des orteils le long de mon corps. Cette douceur, au lieu d'être agréable, me fait frissonner. Étendue sur le sol, je contemple le désordre de ma chambre avec indifférence.

Une nouvelle vague de spasmes, puis une autre. La nuit me paraît courte, j'ai peur qu'elle ne se termine et qu'on ne me voie dans cet état pitoyable. J'aurais dû me tuer.

Déjà, l'aube a blanchi les rideaux. Le gazouillement des oiseaux annonce l'arrivée du jour. J'entends la cuisinière balayer la cour. Dans un instant, je serai découverte. Dans un instant, mon regard croisera celui de mon père et je mourrai de honte.

Je rassemble mes dernières forces pour me lever. Mes bras tremblent. Une plume, si je la soulevais, me paraîtrait peser dix mille kilos.

Lentement, je mets un peu d'ordre dans ma chambre.

Le soleil du matin enflamme les carreaux. J'ai les reins brisés. Debout ou allongée, je n'arrive pas à me débarrasser de cette sensation que je vais accoucher d'un ballon plombé. Je m'assois devant le miroir qui reflète un visage défait. Je me poudre et me farde légèrement.

Le sang vient pendant le petit déjeuner, quand je n'y pense plus, quand plus rien n'occupe mon esprit. Un fleuve brûlant qui rampe entre mes jambes. Je me précipite aux toilettes. Sur la bande hygiénique, je découvre un liquide écumeux et noir. Je n'éprouve ni joie ni tristesse.

Rien désormais ne peut m'émouvoir.

Il est l'heure de partir à l'école. Pour éviter le déshonneur d'une robe tachée, je confectionne une bande hygiénique rembourrée de tout ce que je trouve, coton, tissu, papier, enfile deux culottes l'une sur l'autre et revêts une vieille robe en lin de ma sœur que j'ai toujours détestée à cause de sa couleur triste et de sa coupe large. Je noue mes cheveux en une tresse unique et l'attache avec un mouchoir.

Descendue du pousse-pousse, j'avance à petits pas vers le bâtiment scolaire. Autour de moi, les écolières courent. Le matin, la jeunesse est bruyante comme un essaim de moineaux élancés vers le ciel. Une camarade de classe me tape sur l'épaule :

– Hé, tu ressembles à une vieille de trente ans !

J'attends la Chinoise depuis une heure.

Quand j'étais encore simple soldat, j'adorais être la sentinelle. L'arme serrée contre ma poitrine, je passais la nuit à guetter chaque bruit. Lorsqu'il pleuvait, une capote me coupait du monde extérieur et je devenais fœtus blotti dans sa propre pensée. Lorsqu'il neigeait, de gros flocons tombaient en virevoltant comme des milliers de syllabes, encre blanche sur papier noir. Immobile, les yeux écarquillés, il me semblait devenir oiseau, arbre. J'oubliais mon corps, mon origine. Je faisais partie de la nature immuable.

La Chinoise apparaît enfin. Elle me fait un vague sourire en guise de salut. Je me lève, m'incline. Elle se voûte un peu. On dirait qu'une sieste lourde a gonflé ses paupières, défait son visage. Deux rides se creusent aux commissures de ses lèvres. Elle a ramené derrière ses oreilles des mèches de cheveux échappées de sa tresse. Absent et rêveur, son visage ressemble à celui de ma mère quand elle pliait mes kimonos.

Elle m'invite à commencer. Après le deux centième coup, les pions noirs et blancs forment des pièges enchevêtrés où les encerclements sont à leur tour encerclés. Nous luttons pour d'étroits couloirs, des espaces exigus. La Chinoise réplique au bout de quelques minutes. Son pion bruit comme une épingle tombée dans une pièce silencieuse.

La brièveté du délai qu'elle s'accorde pour réfléchir me surprend. La nervosité dont j'ai fait preuve à la séance précédente m'a laissé un si mauvais souvenir que je me suis préparé à résister à toute influence extérieure. Je prends une demi-heure de méditation pour lui répondre. Trois minutes plus tard, le blanc est joué. Étonné par cette brutalité, je lève les yeux.

Elle modifie subitement la direction de son regard et feint d'observer les autres joueurs par-dessus mes épaules. Mon cœur bat plus vite. Je baisse les yeux et essaie de me concentrer. Chose incroyable, je retrouve sur le damier, traits blancs et traits noirs, le dessin de son visage !

À peine ai-je placé un noir, son blanc s'empare d'une intersection voisine. Jamais elle n'a répliqué aussi vite. Et pourtant, ce coup est irréprochable. De nouveau, je lève les yeux. Mon regard croise le sien qui me fixe. Je frissonne. Pour dissimuler mon malaise, je fais semblant de réfléchir.

Elle continue à me fixer. Je sens mon front brûler sous son regard. Soudain, sa voix sonne :

– Voulez-vous me rendre un service ?

Mon cœur bat la chamade.

– … Oui.

Après un silence, elle murmure :

– Je compte sur vous.

– En quoi pourrais-je vous être utile ?

– Partons d'ici, je vous expliquerai.

Je l'aide à relever la position du jeu et à remettre les pions dans leurs pots. Après avoir rangé le tout dans son sac, elle me prie de la suivre.

La jeune fille marche devant. Moi derrière. Quelques mèches de ses cheveux battent l'air. Elle avance à petits pas.

Le cœur serré, je me sens envahir par une étrange angoisse. Où m'emmène-t-elle? Les arbres s'écartent devant sa menue silhouette puis se resserrent derrière moi. Les rues tissent un vaste labyrinthe. Et je m'égare.

Parfois, elle se retourne en souriant. La froideur a disparu de son regard. Elle lève le bras, arrête un pousse-pousse, me fait asseoir à côté d'elle.

– La colline des Sept Ruines, s'il vous plaît.

Le jour, à travers le store baissé, couvre son visage d'un voile doré. De fines poussières, presque des scintillements, tombent du toit en tournant et se posent sur le bout de ses cils. Je me tiens désespérément à l'autre extrémité de l'étroite banquette, en vain. Au tournant d'une rue, mon bras frôle le sien. Sa peau glacée laisse sur la mienne l'empreinte d'une morsure. Elle feint l'indifférence. Son cou exhale un parfum de jeune fille, l'odeur du thé vert et du savon. Le pousse-pousse roule sur un caillou, ma cuisse presse la sienne.

L'excitation et la honte m'étranglent.

Je meurs du désir de l'étreindre! À défaut de pouvoir passer mon bras autour de son épaule et de coucher sa tête sur ma poitrine, je serais comblé si je pouvais simplement effleurer ses doigts. Du coin de l'œil, je scrute son visage, prêt à m'élancer comme une phalène vers la flamme. Mais les traits de la Chinoise demeurent fermés. Sourcils noués, elle contemple le dos du tireur qui court.

Je garde fermement mes mains appuyées sur mes genoux.

Le pousse-pousse s'arrête et nous descendons. La tête renversée, mon regard escalade une colline boisée. Au sommet, perdue dans le soleil, j'aperçois vaguement une pagode dominant la végétation exubérante.

Devant nous, un sentier pavé d'ardoises serpente entre les buissons en fleurs, les herbes hautes, et se perd en gravissant la colline dans l'ombrage des arbres et des roseaux.

En classe, Huong me passe sous la table un billet plié en quatre :

« Alors ? »

Je déchire une feuille et lui réponds : « ! »

Quelques minutes plus tard, une autre missive arrive. Son écriture est si violente que le papier en est percé par endroits :

« Mon père est arrivé ce matin. Il m'emmène avec lui à la fin de l'année scolaire. Je suis perdue ! »

Nos cours se terminent cette semaine. L'idée que Huong épouse le fils d'un quelconque dignitaire de campagne me désespère. Sous l'émotion, les contractions reprennent. Au premier son de cloche, après avoir salué le professeur, je m'élance aux toilettes avec mon sac rempli de couches.

Huong m'a suivie et attend à la porte. Ses lèvres tremblent, elle peut à peine articuler. Je l'entraîne à l'écart des élèves et elle éclate en sanglots. J'ai mal au ventre. Huong se jette dans mes bras, ce qui m'empêche de me plier en deux pour réprimer le spasme. Je la serre contre moi. Mes sueurs se mêlent à ses pleurs.

Elle doit déjeuner avec son père et me supplie de l'accompagner. Elle veut négocier un an de sursis.

Tunique de soie, montre accrochée au bout d'une chaîne en or, le père de ma pauvre amie est un fermier déguisé en gentilhomme. Il nous emmène dans un restaurant luxueux. À peine assis, il énumère les frais scolaires, tout cet argent gagné à la sueur de son front.

— Enfin, dit-il en tapant du poing sur la table, ces bêtises touchent à leur terme. Tu plies bagage.

Ses dents jaunes me répugnent. Huong, blanche comme la neige, n'ose ouvrir la bouche.

Je me sens mal. Par moments, le cliquetis des assiettes et le brouhaha des conversations deviennent un bourdonnement assourdissant. Les baguettes s'échappent de mes doigts. Je me penche pour les ramasser. Huong se courbe et me souffle à l'oreille :

— Vas-y ! Parle !

Que dois-je dire ? Par où commencer ? Mon amie fait peser sur moi tout le poids de son bonheur.

Luttant contre la douleur qui me tenaille, je vide d'un trait trois tasses de thé. Quelque peu requinquée, je tente d'expliquer au vieux bandit que sa fille doit terminer ses études et obtenir un diplôme. L'homme me postillonne à la figure :

— Un diplôme, ça vaut combien ? Je ne sais pas lire et je me porte bien ! Il y en a marre d'investir dans ce pot de chambre, maintenant il faut qu'elle me rapporte ! Et vous, Mademoiselle-je-me-mêle-de-tout, songez à votre avenir. Vous n'êtes pas trop moche, vos parents devraient se dépêcher de vous trouver un bon parti.

Je me lève de table et quitte le restaurant. Derrière moi, j'entends le vieux glapir :

— C'est ça ta meilleure amie ? La garce. Je t'arrache les yeux si tu la vois encore. Maintenant, mange, au lieu de pleurnicher. Après le déjeuner, je t'emmène acheter des robes. Tu verras, tu auras la plus belle dot de la région.

Je hèle un pousse-pousse dans la rue.

Depuis midi, le sang est moins abondant. Mais je suis épuisée. Je rêve de sombrer dans un sommeil profond. À la maison, Mère est là. Rentrer maintenant, c'est m'exposer à son regard. Me coucher, c'est m'avouer malade. On en découvrirait la cause.

Dans le pousse-pousse, je somnole. Après avoir fait longtemps errer le tireur, je me souviens de mon rendez-vous de go. Je me rends chez moi sur-le-champ. À la porte, je reste cachée dans le pousse-pousse et envoie le tireur demander à la femme de ménage les deux pots de pions.

Place des Mille Vents, la statue de terre cuite est déjà là.

Notre partie évolue vers sa phase ultime. Sur le damier, je retrouve mon élan, ma dignité. Mais le temps joue contre moi. Tandis que mon adversaire médite longuement, je suis éblouie par le soleil. Je ferme les yeux. Des bruissements sourds, vagues incessantes, emplissent mes oreilles. Une vaste clairière se déploie à mes pieds. Je me couche sur les herbes.

Le claquement d'un pion me réveille. Mon adversaire vient de jouer. Nos regards se croisent.

– Voulez-vous me rendre un service ?

La demande à peine formée dans ma tête s'échappe de ma bouche. Il ignore jusqu'à mon nom.

Je me lève, fiévreuse, la douleur au ventre. Je dois fuir les joueurs, le go, fuir ma ville.

Je monte dans un pousse-pousse. Mon adversaire s'installe à mes côtés. Ses muscles sont plus développés, ses épaules plus larges que celles de Min. La banquette en devient étroite.

Bercée par le roulis de la voiture, j'ai l'impression de partir pour un long voyage. Je ne suis plus moi-même. Je flotte.

Le pousse-pousse s'arrête au pied de la colline. J'entreprends son ascension. L'Inconnu me suit, toujours muet. Le vent souffle en rafales légères le parfum amer des fleurs sauvages. Mes jambes tremblent. J'ai peine à respirer. Heureusement, je transpire et la fièvre semble s'apaiser. J'attends l'Inconnu qui marche lentement les mains croisées derrière le dos. Il lève la tête puis baisse aussitôt les yeux.

Qui est-il? D'où vient-il? Est-il nécessaire de poser des questions dont les réponses effaceront les êtres, étrangers et familiers, troublants et fugitifs, qui traversent nos rêves?

Nous dépassons le chemin qui mène à l'endroit où, assise sur un marbre ébréché en forme de fleur, face à Min, j'attendais mes premiers baisers.

Après le kiosque effondré, je m'enfonce dans un bois de pins. Le chemin s'arrête là. Des insectes crissent. Le vent cesse de frémir. Des rayons de soleil se déversent par endroits en cascade. Une clairière.

À mes pieds, l'amour est enterré sous les feuillages, à jamais.

Je m'allonge à terre, pose la tête sur mon sac. Les herbes chatouillent mes bras repliés sous la nuque.

Je veux dormir.

Au milieu de la clairière, elle s'incline :

– Veillez sur moi. Ne me réveillez pas si je m'endors.

Sous un arbre, elle s'allonge dans les herbes, la tête sur son sac d'écolière.

Stupéfait, je ne sais que faire. Je comprends tout et ne comprends rien. Elle veut que je la rejoigne sous cet arbre. Elle qui connaît le danger des encerclements, elle qui calcule dix coups à l'avance pour les éviter, vient de pénétrer dans le lacis des sentiments humains pour se constituer ma prisonnière.

Je touche le pistolet dissimulé sous ma tunique. Aurait-elle découvert mon identité ? Me tendrait-elle un piège ? Autour de moi, arbres et buissons forment un cercle menaçant. Je prête l'oreille. Rien, excepté le gazouillement d'un oiseau, le chant monotone des cigales, le murmure d'une source.

Je m'approche de la Chinoise. Les yeux fermés, les jambes légèrement pliées, elle s'est blottie sur le côté gauche. D'un coup d'éventail, je chasse une abeille qui a confondu le fin duvet de son visage avec le pistil d'une fleur. Elle ne réagit pas, je me penche. Son buste se soulève et s'abaisse au rythme régulier de sa respiration. Elle s'est endormie !

Je m'assois contre l'arbre qui nous couvre de son ombre. Le sommeil profond de la jeune fille m'attendrit. Je décide d'attendre son réveil, et me laisse envahir par la paix d'une sieste à l'abri de la chaleur. Mes paupières s'alourdissent. Bercé par le bourdonnement monotone des insectes, je ferme les yeux.

Comment cette histoire a-t-elle débuté ? J'habitais le Japon, elle la Mandchourie. Par un matin de neige, notre division s'est embarquée pour le continent. Depuis le pont, on apercevait une mer brumeuse hantée par le clapotis des vagues. La terre chinoise, invisible, restait pour moi une idée abstraite. De cette immobilité grise ont jailli les chemins de fer, les forêts, les fleuves, les villes. Les sentiers tortueux du destin m'ont conduit place des Mille Vents, où l'adolescente m'attendait.

Je ne me souviens pas de ma première partie de go. L'apprentissage de ce jeu remonte à plus de quinze ans. Plus tard, je m'acharnai à défier les adultes qui condescendaient à m'accorder des handicaps. On se moquait de mes tactiques primaires. Mes sièges avaient la pesanteur d'un repas tombé dans le ventre d'un affamé. À cette période de ma vie, je ne pouvais concevoir l'avenir, pas plus que le passé. Le go aura mis des années à m'initier à la liberté de circuler entre hier, aujourd'hui et demain. De pion en pion, de noir en blanc, ces millions de pierres finissent par construire un pont jeté dans l'infini de la Chine.

Je rouvre les yeux. Dans le ciel, une montagne de nuages aux vallons profonds donne un étrange relief à la clairière. Les herbes, les branches, les fleurs qui demeuraient invisibles sous la lumière incandescente prennent une forme précise, comme si elles avaient été fraîchement ciselées. Le vent fait bruire les arbres. La Chinoise dort au milieu de ce concert de kotos, de flûtes et de shamisens. Sa robe la couvre jusqu'aux chevilles. Les feuilles mortes tombées sur elle transforment le tissu bleu-violet, froissé selon l'ondulation de son corps, en un drapé somptueux, orné de plis, de sillons, déferlement de vagues. Va-t-elle se lever et danser sur ce plateau, réservé aux dieux et aux rêveurs?

Le soleil surgit de derrière un nuage. Il jette sur le visage de la dormeuse un masque d'or. Elle gémit, se tourne sur le côté droit, la joue gauche striée par les brindilles. Je déploie silencieusement mon éventail et le maintiens ouvert au-dessus de sa tête. Ses sourcils froncés se dénouent. Un vague sourire apparaît sur ses lèvres.

Doucement, je caresse son corps de cette ombre artificielle. Une volupté incontrôlable me gagne. Je ferme brusquement l'éventail.

Comment ai-je pu confondre l'indifférence et la pudeur, rester sourd à ses messages? Elle m'aimait déjà lorsque je la traitais en petite fille. C'est donc la puissance de cette passion longtemps dissimulée qui l'a faite femme. Aujourd'hui, avec une audace inouïe, elle s'offre à moi. Face à elle, je fais l'effet d'un lâche qui, tout à l'heure encore, craignait un piège, hésitant à venir dans ses bras pour préserver ma vie.

La guerre va éclater. Demain, je partirai au front et l'abandonnerai. Comment pourrais-je abuser de sa virginité en toute tranquillité?

Un militaire mérite la mort, non l'amour.

Pour retrouver ma lucidité, je ferme les yeux. J'oppose à cette clairière ensoleillée l'image d'un champ de neige, des tranchées creusées dans la terre gelée, des cadavres décomposés.

Quelque chose heurte mes jambes. La Chinoise se recroqueville. Elle paraît souffrir. A-t-elle froid ? Il n'est pas bon pour elle, enfant choyée, de dormir trop longtemps à même le sol. Je la secoue doucement. Au lieu de se réveiller, elle frissonne et poursuit son cauchemar. Je saisis ses mains et les ramène sur mes genoux. Elle semble s'apaiser.

Je crois distinguer entre ses paupières closes une lueur de bonheur.

Je dois me rendre chez Perle de Lune, à l'autre bout de la ville. Craignant que je ne puisse être de retour pour le déjeuner, Mère me retient.

Je me moque de son inquiétude :

– Regardez !

Je frappe la terre du pied et bondis. Au lieu de retomber, je m'élève dans les airs en battant des ailes. Notre maison devient brique, puis grain de sable perdu dans le jardin de la ville.

Devant moi, pas un nuage, pas un oiseau. Portée par le vent, je glisse, tourne. J'escalade l'infini en spirale. Soudain, la nuit éternelle, froide et profonde. Les étoiles, regards pensants, ne scintillent pas. Aimantée par leur éclat immobile, je m'apprête à voler jusqu'à elles, quand une douleur me transperce les entrailles.

Paralysée par le spasme, je dégringole. J'agite les mains, les pieds, les ailes, mais rien ne me soutient, rien ne me porte. En un instant, je traverse ma ville, ma maison et poursuis ma chute dans l'abîme.

Mon corps s'embrase. J'ai la nausée. Je pousse des cris d'épouvante.

Quelqu'un saisit mon corps dans sa chute. Qui a les bras assez longs pour me repêcher au fond de l'océan? Je ne bouge plus. Je ne dois pas bouger pour qu'il puisse m'extraire des ténèbres. Fermement et doucement, il me ramène vers le haut, vers la vie, pareil à une sage-femme qui guide l'enfant à naître. La chaleur de ses paumes pénètre ma peau et se répand en moi. Je suis nue, plissée, rouge, blottie. Je suis intimidée par la lumière, le bruissement du monde. Je frémis de plaisir.

Quand j'ouvre les yeux, mon regard croise celui d'un inconnu. Surprise, je me lève d'un bond.

Il se redresse à son tour. Je ramasse mon sac et m'enfuis.

Le couchant a jeté sur les collines son manteau cramoisi. Hier encore, je ne pouvais fixer le pourpre du crépuscule. Il évoquait le soleil rouge suspendu dans la brume, le matin de l'exécution. À présent, je le défie.

Longtemps, je cherche un pousse-pousse. Le soleil décroît à l'horizon, et dans la pâle obscurité s'élancent les corbeaux. Bientôt la nuit me submerge. La route traverse un vaste champ de blé où zigzaguent les lucioles.

Dans le ciel, la lune est une ligne de craie.

L'Inconnu me suit. Le bruit de ses pas m'angoisse et me ravit tout à la fois. Va-t-il me rejoindre?

Je n'ai plus peur des fantômes. Cette nuit, Min et Tang ont regagné leurs sépulcres. Qu'ils y dorment en paix! Je suis une autre femme et porte mon nom comme la cigale la réminiscence de la terre où elle sommeillait avant sa métamorphose. Je n'ai plus peur de rien. Cette existence n'est qu'une partie de go!

L'homme garde ses distances.

Un pousse-pousse passe.

Je l'interpelle.

Je monte seule.

Le tireur se met à courir.

– Attendez !

D'un geste, l'Inconnu retient la voiture.

– Attendez ! répète-t-il d'une voix tremblante.

Debout, sous un réverbère, il me paraît démesurément grand et solitaire. Son regard caresse mon visage.

Je baisse les yeux et fixe le dos du tireur.

Le pousse-pousse s'ébranle.

Derrière moi, la voix s'éloigne :

– Vous viendrez jouer demain après-midi, n'est-ce pas ?

Je lève les yeux. Des larmes glissent sur mes prunelles et me font mal. À travers ce brouillard, je dévore le paysage noir. Il faut que je sèche ces pleurs insensés. L'ombre des passants titube sur le trottoir, les maisons sont éclairées. Des centaines de vies défilent aux fenêtres.

Épuisé, je décide d'aller me coucher sans dîner. Sur mon lit, je découvre le courrier arrivé cet après-midi.

Mère a consigné avec la fluidité et le calme propres à une femme lettrée l'événement du mois : Petit Frère s'est embarqué pour la Chine.

«Au début, le silence de cette maison m'a étonnée, m'écrit-elle. Pour éviter de penser que nous sommes tous séparés, je me suis mise à ranger. Mettre de l'ordre m'aide à oublier votre absence. En retrouvant vos kimonos d'enfants, j'ai eu peine à croire que vous aviez grandi si vite, que déjà vous combattiez tous deux pour l'Empereur.»

Dans sa lettre, Petit Frère me prie de lui pardonner. Il n'a pas eu le temps de me demander la permission de quitter notre mère.

«Nous nous reverrons bientôt en Chine, au front. Tu seras enfin fier de moi!»

Sa naïveté me fait soupirer. J'aurais voulu qu'il demeure protégé de la cruauté de la guerre. Mais comment pourrais-je lui interdire de préférer la patrie à la vie? Lorsqu'il était enfant, j'étais son idole. Après la mort de Papa, il s'est rebellé contre mon autorité. Aujourd'hui, je suis de nouveau son modèle.

J'ai pitié de ma mère. Ses hommes l'ont quittée, et les dieux la condamnent à vivre seule. Quelle ne sera pas sa douleur lorsqu'elle recevra deux urnes contenant les cendres de ses fils !

Dans la chambre voisine, une partie de cartes bat son plein. Les cris me parviennent à travers le mur :

– Je double ma mise !

– Moi aussi.

Chaque militaire défie l'avenir à sa façon.

Je pense à ma mère, à sa maigre silhouette enveloppée d'un kimono de veuve. À cette image affligeante s'ajoute celle de la Chinoise blottie dans les herbes. Malgré la différence d'âge et d'origine, elles partagent un sort commun : l'immense chagrin d'un amour impossible.

Les femmes sont nos offrandes à ce vaste monde.

À la maison, Mère m'interroge avec sévérité :

– Où étais-tu ? Pourquoi rentres-tu si tard ?

Je mens mal. Curieusement, elle fait semblant de me croire. Père lit le journal sur le canapé, un sourire énigmatique aux lèvres. Il ne m'adresse pas un mot de toute la soirée.

À la cuisine, je dévore les restes. L'appétit m'est revenu. Depuis deux jours, je supporte mieux les odeurs.

Mère entre silencieusement et s'assoit en face de moi. Dans la pénombre, la table laquée rouge vire au noir. Cirée méticuleusement par la cuisinière, elle est lisse comme un miroir. Ne sachant comment fuir son regard, je compte les grains de riz que je tiens au bout de mes baguettes.

Descendante d'une noblesse chinoise dont les femmes ont allaité les empereurs mandchous, Mère a connu l'anéantissement du faste et son cœur s'est durci. Elle scelle ses souvenirs dans des coffres, et regarde désormais le monde se détériorer avec la froide dignité d'une femme blessée.

Le séjour en Angleterre l'a détournée de la Chine. Ma sœur me disait souvent que, sans l'insistance de Père, Mère ne serait jamais revenue. Contrairement à la plupart des

Chinoises chez qui l'amour maternel déborde constamment, Mère garde vis-à-vis de nous une pudeur courtoise qui interdit la tendresse. Quand elle se met en colère, c'est toujours pour des détails insignifiants : un retard, un manquement à la politesse, un livre froissé…

– Tu as maigri, me dit Mère.

Mon cœur se serre. Où veut-elle en venir ?

– Tu n'as pas bonne mine. Donne-moi ton pouls.

Lentement, je lui tends mon bras gauche. De la droite, je continue à manger. Serait-elle en train de découvrir mon secret ?

– Faible et désordonné, dit-elle après avoir serré mon poignet. Il faut que je t'emmène voir mon médecin. Ta santé m'inquiète. Les jeunes filles de ton âge sont fragilisées par l'évolution de leur corps. C'est pourquoi les anciens les mariaient très tôt, pour les stabiliser.

Je n'ose pas la contredire. Elle se lève :

– Tu prendras des soupes de nids d'hirondelles. Elles réchauffent le sang et les intestins, harmonisent la croissance et la décroissance de l'énergie. Demain, nous irons voir le vieux maître Liu. Il nous conseillera d'autres tisanes médicinales. Puis, je t'emmènerai à l'hôpital américain. La médecine occidentale comble nos lacunes. Les vacances commencent à la fin de la semaine. Tu vas cesser de jouer au go place des Mille Vents. Ta sœur rentre à la maison. Je vous garde toutes les deux sous mon toit pour mieux vous soigner.

Je n'ai aucune envie de me faire examiner, je lui dis que demain, je n'aurai pas le temps d'aller chez le médecin.

– Tu n'as pas cours en fin d'après-midi, répond-elle.

– Je dois terminer ma partie de go.

Mère est en colère, mais sa voix demeure calme :

– Je vous ai accordé trop de liberté à ta sœur et à toi. Cela ne vous convient pas. Annule ta partie de go.

Sur le seuil de la cuisine, elle se retourne :

– Tu t'habilles très mal en ce moment. Cette robe est à ta sœur. Elle est trop longue pour toi et sa couleur ne convient pas à ton teint. Où sont les robes que je t'ai fait tailler il y a deux mois ?

Dans ma chambre, je me laisse choir sur le lit. Cette nuit-là, mes pertes de sang sont moindres. Je dors pourtant d'un sommeil agité. Huong, vêtue de rouge, couverte de broderies et de bijoux, salue un homme d'une laideur épouvantable. En larmes, elle ressemble à une déesse bannie des cieux qui purge sa peine dans la souillure. Un inconnu s'est aperçu de ma tristesse. Il saisit ma main. Sa paume, rugueuse comme une pierre ponce, polit mes nerfs agités. Derrière lui, j'aperçois Min sous un arbre, devant le temple du Cheval Blanc. Il me sourit et s'efface dans la foule.

Le matin, au réveil, mon corps est las, ma peau sèche. Pour faire plaisir à ma mère, j'enfile une robe neuve. La raideur du tissu me contrarie.

Au carrefour du temple, je jette un regard vers l'arbre sous lequel Min se tenait dans mon songe. Un homme s'y trouve accroupi. Son regard me glace le sang. C'est Jing !

Je saute du pousse-pousse. Il a perdu dix kilos. Un chapeau dissimule son visage recouvert d'une barbe noire, déformé par les cicatrices.

Quand j'avance vers lui, il recule. Longtemps, il reste silencieux. Ses yeux fixent les fourmis qui grimpent le long d'un arbre, en file ininterrompue.

– J'ai trahi.

Sa voix lugubre me fait frissonner.

– Leurs corps ont été jetés dans une fosse commune. Je

n'ai même pas pu me recueillir sur leurs tombes. Hier, Min était encore là, vivant, gai.

Jing cogne sa tête contre le tronc. Je saisis son bras.

Il se débat :

– Ne me touche pas. Je suis un lâche, un mort-vivant. J'ai tout avoué, tout dit. C'était aussi simple que pisser. Je n'avais pas honte. Je ne pensais à personne. Les mots m'ont échappé, débordé. C'était enivrant de tout détruire…

Jing éclate de rire en secouant violemment la tête :

– Toi seule sembles ne pas me regarder comme un monstre. Mon père a souhaité ma mort et interdit à ma mère de me revoir. Je porte désormais sur mon front les stigmates du mal.

Il tape l'arbre de son poing, si fort qu'il s'ouvre la main.

Je lui tends un mouchoir. Il murmure :

– Je ne peux plus retourner à l'université. J'ai honte. Je vis comme un rat. Je fuis les amis et je fais peur aux enfants dans la rue. La nuit, je ne dors plus. J'attends que l'Union des Résistances envoie ses tueurs. Ils me traîneront par terre, pointeront sur moi leurs armes. Ils diront : «Tu as trahi notre confiance, tu as vendu ta dignité, au nom de la Résistance, au nom du peuple chinois, au nom des victimes et de leur famille, nous t'expédions aux enfers…» Tu verras mon cadavre dans la rue, ici même, au milieu du carrefour, avec au cou une pancarte : «Il a trahi, il a payé!»

Les paroles de Jing me font pitié. Mais je ne trouve pas de mots pour le consoler. Il scrute mon visage, s'élance soudain vers moi et serre mes mains jusqu'à me faire mal.

– Tu dois savoir la vérité. Min s'est marié avec Tang en prison pour être uni à elle devant la mort. Je n'ai aimé que toi. De nous deux, Min a trahi en premier. Il t'a trompée et cela m'a révolté. C'est pour toi que j'ai refusé de le suivre. Je voulais t'épouser, je voulais te protéger, je voulais te revoir avant de mourir et te dire combien je t'aimais. J'ai troqué le déshonneur contre l'amour. Comprends-moi ! Dis-moi que tu ne me méprises pas !

Un vertige me saisit, je tente de me débarrasser de l'étreinte de Jing.

Il me fixe dans les yeux :

– J'ai deux passeports pour la Chine intérieure. Viens avec moi. Nous irons à Pékin. Nous poursuivrons nos études là-bas. Je travaillerai pour te nourrir, pour te rendre heureuse. Je me ferai tireur de pousse-pousse, s'il le faut. Demain matin, le train est à huit heures. J'ai déjà pris deux billets. Viens avec moi !

Je me débats :

– Laisse-moi !

Il soupire :

– Tu me détestes. J'ai été stupide de croire qu'on puisse aimer un minable comme moi. Adieu, prends soin de toi et oublie-moi.

Il hausse les épaules, baisse la tête, le dos voûté, et s'en va lentement, les mains dans les poches.

– Attends ! Je dois réfléchir. Retrouvons-nous ici demain matin.

Il se retourne et jette sur moi son regard désespéré.

– Demain ou jamais !

Amer et pétri d'angoisse, Jing s'éloigne en rasant le mur du temple. Je remarque qu'il boite et que sa jambe gauche traîne comme une branche pourrie. Cette vision me fait mal. J'appuie mon front contre l'arbre et ferme les yeux. L'écorce me communique la faible chaleur du soleil matinal. Il me semble que Min est là, près de moi.

– Je te hais.

Il me sourit et ne me répond pas.

Une femme se baigne dans une source thermale. Sous l'eau, son corps nu scintille, s'éparpille, se tord comme une longue feuille. Près du bain, un kimono de coton bleu est suspendu à une branche d'arbre. La brise le caresse délicatement.

Le son strident du clairon interrompt mon rêve. Machinalement, j'attrape les vêtements pliés au pied du lit, posés sur les chaussures. Je charge le paquetage sur mon dos et m'élance dehors.

Les sifflets du rassemblement fusent. Le régiment se met en branle. L'ordre arrive de la tête de file. Nous nous mettons à courir. Les portails s'écartent et les sentinelles nous saluent. Puis, les portes de la ville s'ouvrent à leur tour, l'air frais et lugubre de la campagne me fouette le visage.

Je suis en nage. Au lieu de nous enfoncer dans le bois comme lors des exercices précédents, nous continuons sur le chemin principal. Une appréhension m'étrangle : nous sommes en train de nous diriger vers Pékin.

Lorsque le soleil apparaît à l'horizon, nous sommes déjà loin de la ville. Je m'efforce de me mettre dans l'état du soldat prêt à l'assaut, j'invoque la mort. Curieusement, au lieu de m'emplir de force et de m'apaiser, comme chaque fois, cette prière me rend plus nerveux encore.

Les mois de douceur que j'ai connus à la garnison s'évaporent en un instant. La ville des Mille Vents a-t-elle réellement existé? Et la joueuse de go, l'héroïne d'un émerveillement? La vie est un cercle infernal où avant-hier se joint à aujourd'hui pour évacuer hier. Nous croyons avancer dans le temps, nous sommes toujours prisonniers du passé. Partir. C'est bien. Place des Mille Vents, je me serais laissé détruire par les instincts les plus tenaces : aimer, vivre, enfanter.

J'entends siffler l'arrêt de la marche. Comme un accordéon, notre troupe se resserre pour souffler. Je décroche mon bidon et verse dans ma gorge l'eau tiédie par le soleil.

Un nouvel ordre arrive : demi-tour, la queue de la troupe devient la tête. Nous retournons à la ville.

Des cris de joie s'élèvent. Pressés par les officiers, les soldats se mettent en route.

Je me laisse emporter par cette vague de bonheur.

Pendant la leçon, Huong gratte nerveusement le pupitre de ses ongles. Je déchire une feuille et lui écris :

– Arrête ! Tu me rends folle avec ce grincement.

Elle me répond :

– Sois indulgente, je t'en prie. Je n'ai pas fermé l'œil de la nuit.

– Jing m'a proposé de partir avec lui pour Pékin. Viens nous rejoindre ! Il te procurera un passeport et un billet. Là-bas, nous serons libres !

– Un lâche n'est jamais fiable. Il faut avoir pitié de lui mais ne pas le suivre.

– Jing est différent des autres.

– Tous les traîtres se ressemblent, méfie-toi !

– Quand tu retourneras à la campagne avec ton père, et que tu te marieras avec un inconnu, tu te trahiras toi-même, tu connaîtras la souffrance d'être lâche.

– Laisse-moi tranquille. Mon choix est fait. Je n'irai pas m'aventurer avec toi à Pékin. Je ne veux pas fuir la réalité en fuyant la vie. Reste ici ! La guerre va éclater en Chine. Personne n'échappera à sa terreur.

– Tu parles comme une femme mariée. Est-ce ton père qui t'a lavé le cerveau?

– J'ai réfléchi. Je veux un homme dans ma vie. C'est tout ce que je désire.

– Huong, tu es bizarre aujourd'hui.

– Les romans nous ont perverties. La passion n'est qu'une chimère créée par des écrivains. Pourquoi rêverais-je de liberté si elle n'est pas le chemin de l'amour? Puisque l'amour n'existe pas, j'accepte de me faire prisonnière de la vie. Je veux que ma souffrance soit récompensée par le plaisir des robes, des bijoux et de la joie facile.

– Es-tu tombée sur la tête? Pourquoi débites-tu toutes ces bêtises?

Huong met longtemps à me répondre. Sa plume crisse sur le bout de papier.

– Je ne te l'ai jamais avoué. J'ai fait la connaissance d'un banquier il y a deux ans. Hier, je suis devenue sa maîtresse. Tout à l'heure, il viendra me chercher au collège et m'installera dans une de ses maisons. Il donnera une importante somme d'argent à mon père et le vieux n'apparaîtra plus.

Je me demande laquelle d'entre nous est folle. La sonnerie des cloches interrompt notre correspondance. Je range mes affaires dans mon sac. Sans un mot à Huong, je sors de la salle.

Elle m'arrête dans la rue.

– Tu as honte de moi!

Je secoue la tête et me mets à marcher à grandes enjambées. Huong se jette sur moi :

– Je t'en supplie. Ne m'abandonne pas! Ne pars pas pour Pékin! Je pressens qu'un grand malheur t'attend là-bas.

Jure-moi que tu ne vas plus revoir Jing. Jure-moi que tu restes ! J'avertirai tes parents. Ils t'enfermeront...

Je la bouscule. Elle trébuche et tombe. Je regrette aussitôt mon geste mais, incapable de lui tendre la main, je m'enfuis.

Surprise de me voir, Orchidée manifeste une joie intense. En une seconde, elle se débarrasse de sa robe et me dépouille de mon uniforme. Je me laisse manipuler. Sa nudité me fait bander. J'entre en elle. Le plaisir que j'éprouve est aussi chaotique que la demi-journée passée. La Mandchoue hurle, ses cris me donnent la migraine. Soudain, elle dégage ses bras et tente de me repousser. Je ne me sépare d'elle qu'après avoir joui violemment. Elle se tord sur son lit, couvrant son sexe des deux mains. Ses gémissements me mettent hors de moi. Cette folle est encore jalouse !

J'avale une tasse de thé et m'assois sur une chaise. Comme elle ne cesse de pleurnicher, je me lave méticuleusement et m'habille pour partir.

– Va-t'en ! crie-t-elle de sa voix cassée. Va-t'en, ne reviens plus me voir.

Je me dirige vers la porte. Elle s'élance alors vers moi et baigne mes bottes de ses larmes :

– Pardonne-moi. Ne me quitte pas…

Je l'écarte du pied.

En route pour la place des Mille Vents, je réalise que je

suis l'homme le plus misérable du monde. Quelque chose en moi a été brisé. Je retrouve l'état que j'éprouvai, enfant, après le séisme : le vide, l'inextricable, un bourdonnement continu. La raison m'ordonne de ne plus retourner au damier. Et mes jambes m'y entraînent. Je veux fuir ma perte et je cours à la catastrophe.

La Chinoise est déjà là, vêtue d'une robe nouvelle. Son col raidi, étroitement fermé par deux boutons de passementerie, donne à sa figure une dignité tragique. Mon cœur bat à se rompre. Le visage me brûle. Les yeux fixant les pions, je la salue et m'assois.

Sur le damier, océan tourmenté, vagues noires, vagues blanches se poursuivent, se bousculent. Près des quatre rives, elles reculent, tourbillonnent, s'élancent vers le ciel. Entremêlées, elles s'écrasent pour s'étreindre encore plus profondément.

Comme d'habitude, elle ne parle pas. Son silence, mystère insondable des femmes, m'étrangle. Que pense-t-elle ? Pourquoi ne me dit-elle rien ? On prétend que les femmes n'ont pas de mémoire. A-t-elle déjà tout oublié ?

Certes, hier soir, sur le chemin du retour, le courage de la serrer dans mes bras m'a manqué. Elle attendait de moi l'amour qu'un Chinois destine à une Chinoise. Comment lui ouvrir mon cœur sans trahir ma patrie ? Comment lui dire qu'un miroir nous sépare, que nous tournons en rond dans deux mondes hostiles ?

Ses pions ont pris leur envol. Ses coups sont de plus en plus rapides. Elle multiplie les ruses. Quelle joueuse !

Soudain, son rythme ralentit.

Chaque pion est une marche de plus dans la descente de l'âme. J'ai aimé le go pour ses labyrinthes.

La position d'un pion évolue au fur et à mesure qu'on déplace les autres. Leur relation, de plus en plus complexe, se transforme et ne correspond jamais tout à fait à ce qui fut médité. Le go se moque du calcul, fait affront à l'imagination. Imprévisible comme l'alchimie des nuages, chaque nouvelle formation est une trahison. Jamais de repos, toujours sur le qui-vive, toujours plus vite, vers ce qu'on a de plus habile, de plus libre, mais aussi de plus froid, précis, assassin. Le go est le jeu du mensonge. On encercle l'ennemi de chimères pour cette seule vérité qu'est la mort.

Plutôt que de rentrer à la maison où Mère attend de me conduire chez le médecin, j'ai résolu de braver son autorité.

Je suis là, devant le damier et mon inconnu.

Avec sa tunique un peu démodée, son chapeau et ses lunettes, il a l'allure d'un être ordinaire. Cependant, quelque chose en lui trahit sa différence. Malgré un rasage soigneux, sa forte pilosité donne un reflet bleu à ses joues hâlées. Entre ses cils, noirs et denses, brillent deux diamants. Deux cernes violacés s'étirent sous ses yeux. Je me rappelle que Min avait des yeux marqués ainsi après qu'il eut joui en moi.

Gênée, je détourne mon regard. Sur la place des Mille Vents, les tables sont désertes et les joueurs sont rentrés. Mes innombrables parties de go me reviennent en mémoire. Des visages inconnus se confondent dans le masque porté par mon adversaire. Il possède la noblesse des hommes qui préfèrent les méandres de l'esprit à la barbarie de la vie.

Partir avec Jing, c'est lui confier ma nouvelle existence. Mais il ne m'attire plus. Autrefois, son visage sombre faisait vibrer mon imagination. Sa jalousie m'enivrait. Je conservais au bout des doigts le souvenir de sa peau ferme et lisse ce jour où il m'avait transportée sur sa bicyclette. Aujourd'hui, il n'est plus qu'un mendiant qui me harcèle.

L'enchantement tortueux qui nous liait, Min, Jing et moi, s'est évanoui. J'ai été fascinée par un héros double. Jing n'est plus rien sans Min. Min n'aurait pas compté sans Jing. L'amour d'un survivant m'étouffera de sa pesanteur. Comment lui expliquer qu'entre nous, seules restent la nostalgie d'un bonheur brisé et une pitié affectueuse?

Pourtant, si je ne fuis pas aujourd'hui même, ma mère me traînera de force chez le médecin. Ils découvriront le secret de mon malaise. Huong a préféré se vendre. Je refuse de la voir richement habillée, parée d'un sourire affable. Min est mort et Jing à jamais terrassé. Cette ville est un cimetière. Pourquoi rester? Qui me retient?

Devant moi, mon adversaire s'incline et murmure :

– Excusez-moi, je dois partir. Pouvons-nous nous retrouver demain?

Cette phrase si ordinaire me bouleverse. Le go m'a permis de vaincre la douleur. Pion par pion, je suis revenue à la vie. Quitter le jeu maintenant serait trahir le seul homme qui m'a été fidèle.

La nuit tombe, me rappelant à l'existence de la caserne et au rendez-vous fixé avec le capitaine Nakamura. La Chinoise continue à jouer dans l'obscurité. Je suis déjà en retard. Mais la perspective d'être seul avec elle sous un ciel étoilé me rend désinvolte. Désolé, capitaine, vous attendrez un peu.

Enfin, la conscience de la discipline aidant, je décide de m'en aller. Elle me retient :

– Attendez, s'il vous plaît.

Lentement, elle baisse les yeux. Ses paupières frissonnent. Au rythme de son souffle, ses grains de beauté, papillons de nuit, semblent battre des ailes.

Elle dit :

– Maintenant nous sommes seuls. Personne ne nous écoute, si ce n'est le vent. Maintenant je ferme les yeux, je suis avec vous, dans la nuit. J'ose vous poser une question que je n'oserais pas les yeux ouverts. Dites-moi, qui êtes-vous ?

La question de la Chinoise fait battre le sang dans mes tempes. Il me semble que j'attends cette délivrance depuis une éternité. A-t-elle percé mon secret ? Veut-elle simplement savoir mon nom et me connaître ? Étouffé par l'émotion, je ne trouve pas mes mots.

Elle poursuit :

– Je ne me suis jamais demandé qui était mon adversaire. Les hommes assis là, à votre place, se confondaient, et seules leurs figures de go se distinguaient les unes des autres. Hier, je vous ai vu pour la première fois sur cette colline. À travers vos yeux, j'ai connu le pays de votre origine : sur une terre recouverte de neige éternelle, les arbres brûlent et les flammes s'épanouissent dans le vent. L'ardeur de la neige et du feu a fait de vous un magicien errant. Vous guérissez les êtres en comprimant leurs mains dans les vôtres. Vous leur faites oublier le froid, la famine, la maladie et la guerre.

Je ferme les yeux. Je suis dans le corps de ma Chinoise et je suis si loin d'elle.

Une tristesse poignante me secoue. Je ne mérite pas cet amour. Je suis un espion, un assassin !

Elle ne parle pas. Dans le silence, la lune se lève. J'entends crier les arbres et ma voix glacée :

– Vous vous trompez, mademoiselle, je ne suis qu'un être de passage séduit par votre intelligence. Je ressemble à tous ces hommes qui se présentent à votre damier pour disparaître un jour. Pardonnez-moi si je me suis laissé aller hier après-midi. Je vous promets que c'était la première fois, que ce sera la dernière. Je vous respecte, mademoiselle. Oubliez ce que vous venez de dire. Vous êtes trop jeune pour juger des inconnus.

Son rire moqueur me surprend.

– Au début de notre partie, votre main de go m'a paru étrangère. Elle m'a intriguée si fort que j'ai décidé de plonger dans votre pensée. À l'aide de la feuille sur laquelle je relevais le jeu, j'ai triché. Dans le pousse-pousse qui me ramenait chez moi, je la lisais et la relisais. Ce n'était pas pour vous vaincre, je voulais vous découvrir. J'ai visité votre âme, j'ai palpé des recoins que vous ignorez, je suis devenue vous et j'ai compris que vous n'étiez pas tout à fait vous-même.

Je soupire. Il y a quelques jours, j'ai deviné ce qu'elle vient de m'avouer. Depuis, gagner n'a plus eu d'importance. Le jeu est devenu un prétexte à revoir l'adversaire, un mensonge qui justifie ma faiblesse.

Elle a raison. Je ne suis pas capable d'être moi-même. Je ne suis qu'une succession de masques.

– Maintenant que vous connaissez mon vice, dit-elle, vous pouvez interrompre le jeu. Vous pouvez me mépriser, ne plus me revoir. Vous pouvez aussi me défier pour une nouvelle partie. À vous de décider.

– À moi?

– Je ferai ce que vous désirez.

Interloqué, j'ouvre les yeux. La joueuse de go me regarde intensément et ses prunelles angoissées me rappellent celles de Lumière m'invitant à la déflorer.

La chaleur m'étouffe. Je respire avec peine.

– Je vais bientôt partir pour la Chine intérieure, vous ne pouvez pas compter sur moi.

Sa voix tremble :

– Moi aussi, je dois quitter la ville. Je veux aller à Pékin. Aidez-moi!

Je dois prendre une décision. Elle me demande de défier l'impossible. Il suffirait pourtant de gestes simples. Je lèverais les bras, saisirais ses mains et l'attirerais vers moi. Nous partirions ailleurs.

Je ne sais combien de temps s'est écoulé, je demeure sur

mon siège, paralysé. La nuit est si sombre que je deviens aveugle. Cette obscurité efface la honte et incite au délire, cependant, je n'ai pas le courage de forcer nos destinées.

Je m'entends parler. Ma voix est dure et rauque. L'intonation des mots fait exploser ma poitrine :

– Excusez-moi. Je ne peux pas.

Longtemps après, il y a le bruissement de sa robe : elle se lève et s'éloigne.

Il est étrange d'examiner sa chambre et de se demander quels sont les objets les plus précieux de sa vie. À seize ans, je possède des pinceaux, du papier, des bâtons d'encre d'une qualité rare, cadeaux de ma grand-mère. Chaque année, mes parents me faisaient tailler quatre robes. J'ai aussi des manteaux, des capes, des manchons, des chaussures brodées, des chaussures en cuir verni, des bracelets, des boucles d'oreilles, des broches, des colliers. J'ai des uniformes scolaires, des vêtements de sport, des boîtes à crayons, des stylos, des gommes. J'ai des jouets, des marionnettes, des ombres, des animaux en porcelaine qui me faisaient pleurer quand je les égarais; des livres que j'aurais voulu emporter dans ma tombe.

Il y a des meubles précieux, incrustés de nacre, un paravent en soie brodée, un lit ancien recouvert de tentures, un bonsaï, présent de Cousin Lu. Il y a des miroirs, des boîtes à outils, des accessoires de toilette, des vases antiques, les calligraphies des ancêtres. Il y a les aiguilles, les fils colorés, les boîtes de thé, les verres qui portent l'empreinte de mes lèvres, les draps imprégnés de mon odeur, les oreillers qui ont embrassé ma pensée. Il y a les châssis de mes fenêtres sur lesquels je m'appuyais, les plantes du jardin que je caressais du regard.

Perle de Lune vient m'annoncer que le dîner est servi. Ma sœur a maigri. Son visage a perdu toute expressivité. Je lui demande de rester un peu dans ma chambre. Sans un mot, elle s'assoit devant la coiffeuse, et les larmes se mettent à couler.

Mon dernier dîner est un repas de triste présage. Tout le monde est muet. Mes parents mangent sans se regarder. L'état de Perle de Lune les rend coupables. La cuisinière, désemparée, laisse tomber une paire de baguettes. Le bruit réveille chez ma sœur les pleurs qui sommeillaient. Elle sanglote. Il m'est aisé d'imaginer les soirs qui suivront mon départ : une table lugubre où l'on continuera de dresser mon couvert, il paraît que cela fait revenir les absents ; les mets que personne ne touche ; le silence de mes parents ; ma sœur noyée dans ses larmes.

Je fourre dans mon sac quelques bijoux à revendre, deux robes, et des cotons pour absorber le sang qui coule toujours entre mes jambes. Je dépose sur ma table les deux pots de pions. Je veux emporter avec moi une pierre blanche, une pierre noire. Puis je décide de ne pas me laisser attendrir par le souvenir.

Je ne retourne pas sur la place des Mille Vents.

Je ne mange presque plus. J'inflige à mon corps un entraînement des plus durs, il résiste pourtant à l'épuisement. Il n'y a pas eu une goutte de pluie depuis des jours et le soleil de bronze fait craquer ma raison. Mon amour s'est transformé en désir animal. Dans mes longues nuits d'insomnie, comme un homme assoiffé qui se désaltère d'une eau imaginaire, il me semble parfois toucher sa peau à force de me la représenter. Inlassablement, je dessine son visage, son cou, ses épaules, ses mains, et lui invente des seins, des hanches, des fesses, des cuisses ouvertes. J'imagine les mille postures de l'étreinte, plus sauvages les unes que les autres. Je me caresse. Mais mon sexe se moque de mon désir. Il se refuse à me donner la jouissance, à soulager ma douleur.

Bientôt, l'obsession de la nuit gagne le jour. Je bande pendant les courses à pied. Lorsque je hurle les ordres aux soldats, ma voix se casse. La déchirure, au fond de ma gorge m'évoque le plaisir que la Chinoise m'aurait donné. Son sexe étroit fracturant le mien, cette souffrance aurait été l'extase la plus violente que j'aurais jamais connue.

Un matin, ne parvenant pas à trouver l'apaisement, je me rends place des Mille Vents en uniforme. Il est cinq heures. Agités par une forte brise, les arbres murmurent. On dirait que mille courants d'air se sont donné rendez-vous là pour attendre le lever du jour.

Le premier joueur apparaît, une cage à oiseaux à la main. Tandis qu'il nettoie la table et dispose les pots de pions, un autre se dirige vers lui qui s'installe en face.

Mon cœur se serre.

Le soir, après m'être soûlé avec le capitaine, je frappe à la porte d'Orchidée. Déjà, elle a oublié ses rancœurs et, en quelques secondes, se débarrasse de sa robe. Il y a longtemps que je n'ai pas touché une femme. À travers sa nudité, je vois celle de la Chinoise et je décharge en elle comme on vide une cartouche.

J'erre dans les rues dans l'espoir de la rencontrer par hasard. Cette ville minuscule me paraît immense. Déçu, je franchis le seuil d'un nouveau bordel. Parmi les filles qui défilent, aucune ne me plaît. Je monte pourtant dans la chambre de Pivoine dont le sourire découvre une dent en or. Son corps est gras et blanc. Elle crie avec exubérance.

À quatre heures du matin, une Russe blanche accepte que je la frappe en la chevauchant. La boucle de ma ceinture strie sa peau de marques violacées.

L'aube pointe. Un nouveau jour se lève, semblable aux précédents. Je secoue un tireur qui somnole. Il me conduit au pied de la colline des Sept Ruines. Là-haut, habillé de rayons pourpres, l'arbre sous lequel elle était couchée demeure fidèle à ma mémoire. Le reste du paysage a perdu sa poésie. Au milieu de la clairière, les herbes, trop hautes, commencent à se dessécher.

À la caserne, je ne sais plus haranguer mes soldats, ni me tenir debout, ni m'asseoir. Ma pensée est ailleurs, nulle part.

Cette nuit-là, des sifflets stridents me réveillent. J'ouvre les yeux. L'heure de ma délivrance est arrivée.

Sur le quai, la locomotive crache des colonnes de vapeur. Bousculant mes soldats, je crie qu'il faut se dépêcher. Je monte et tire la porte du wagon derrière moi. Tout à coup, je m'aperçois que j'ai oublié de dire adieu au capitaine Nakamura.

Pékin, ville de poussière.

Jing revient avec les journaux sous le bras. Son visage est chaque jour plus sombre. La négociation avec l'armée japonaise a échoué. La guerre est proche. Le gouvernement central de Chiang Kaï Tchek appelle le peuple chinois à résister à l'invasion étrangère. Dans les rues, l'exode a commencé. Des milliers de Pékinois, ballots sur le dos, affluent vers le sud.

Depuis notre arrivée, Jing m'interdit de quitter l'hôtel. Quand il est là, je refuse de me lever. Il s'accuse de m'avoir entraînée vers la mort et cette culpabilité le rend irritable. Il devient répugnant. Il s'enlaidit de jour en jour. Ses cheveux sont trop longs. Il ronge ses ongles. Il mange salement.

Enveloppée d'un drap aussi blanc qu'un linceul, je me dispute avec lui pour un rien : un bol de nouilles trop tièdes, du thé trop amer, les moustiques. La canicule m'incite à déverser sur lui un flot de plaintes. La plupart du temps, il me répond par un silence méprisant. Parfois, il s'énerve. Sous l'emprise de la fureur, son visage devient écarlate, son corps tremble, il se jette sur moi et tente de m'étrangler.

Je hurle :

– Vas-y, tue-moi ! Comme tu as tué tes amis !

Un rictus déforme son visage. Dans ses yeux, je vois passer le fantôme de Min.

Je finis par lui donner l'adresse de mon cousin et lui demande de me le ramener. Jing, d'abord, se fâche. Puis, apprenant que Lu est marié, il part joyeusement à sa recherche.

Quand il sort, je respire enfin.

Sans Jing, notre chambre devient spacieuse et lumineuse. Je me lève, me lave le visage, puis je peigne mes cheveux près de la fenêtre ouverte.

À Pékin, notre hôtel est une maison sans étage. Les chambres entourent une cour carrée au milieu de laquelle s'élève un jujubier. De l'autre côté du mur, dans la rue, des enfants bavardent en pur pékinois. Je traque dans l'intonation de leur voix l'accent du joueur de go. Il était légèrement différent. Au lieu de rouler les «r», il les labialisait. Je nous revois sur la colline des Sept Ruines où il veillait sur mon sommeil. Place des Mille Vents, il déployait parfois son éventail. Ce n'était pas pour se rafraîchir. Il faisait en sorte que la brise parvienne doucement à mon visage. Ce souvenir me serre le cœur. Je n'ai toujours pas compris son refus. Pourquoi les êtres qui reconnaissent leur bonheur désirent-ils le fuir ?

Des avions passent dans le ciel, puis j'entends de vagues grondements. Dans la rue, les gens crient que les Japonais menacent d'anéantir la cité.

À Pékin, l'air est plus sec que dans nos villes mandchoues. Sous un soleil blanc, tout luit, vibre, éclate, puis s'efface dans un gris de cendre.

À peine levée, j'ai déjà sommeil. Pékin, la cité de mes ancêtres, est un songe dont je ne peux me réveiller.

Retournée au lit, je somnole. Les visages de mes parents apparaissent et m'accablent. Puis, lentement, je me rends place des Mille Vents, vers le damier. Que je suis heureuse de saisir entre mes doigts les pions glacés. L'Inconnu est devant moi, statue tranquille. Notre jeu se poursuit. Il évolue en un chemin tortueux vers la Terre Pure.

La nuit, Jing guette le tumulte des affrontements. Adossé contre le mur, il s'endort. Tout à coup, ses cris d'épouvante me tirent de mon sommeil. Les mains sur la tête, il se débat comme un possédé. Je sors du lit et l'étreins de mes bras. Comment l'abandonner?

À l'aurore, il me secoue. Sa décision est prise, mieux vaut risquer de mourir sous les bombes et descendre vers le sud qu'attendre le massacre. Je regrette d'avoir écouté mes impulsions. J'ai voulu embrasser la liberté et je me retrouve prisonnière de Jing.

– Je dois parler à mon cousin. Ici, il est mon unique parent. Continue ta recherche. Trouvons-le. Partons avec lui.

Le regard de Jing devient mauvais.

– Je t'ai menti tout à l'heure quand je t'ai dit qu'il avait déménagé. J'ai vu sa femme. Elle est presque folle. Lu l'a abandonnée. Il s'est engagé dans l'armée. Il est peut-être déjà mort à l'heure qu'il est.

– Tu mens! Rends-moi l'adresse de mon cousin.

– Tiens, la voilà, tu verras toi-même.

Je sais que Jing a dit la vérité. Désespérée, je crie:

– Je veux retourner en Mandchourie. Nos chemins se séparent. Je vais rentrer chez moi, je vais reprendre ma partie de go.

– C'est trop tard. Il n'y a plus de transport. Tous les trains sont réquisitionnés par l'armée japonaise. Tu n'as pas le choix. Il faut me suivre.

— Tu es jaloux de Min. Tu m'as éloignée de ma ville pour l'effacer de ma mémoire.

— Min a couché avec toi pour s'amuser. N'oublie pas que Tang a été sa sœur aimée, son professeur et sa femme !

Jing croit me blesser, mais j'éclate de rire.

— Tu te trompes. Min, c'est fini ! J'ai creusé une tombe dans mon cœur et je l'y ai enterré. D'ailleurs, je ne l'ai jamais aimé. Nous étions beaux. Cette beauté me flattait. Il me plaisait de vous voir tous deux jaloux. Maintenant j'ai compris que ce n'était que vanité. Tu entends, la vanité de devenir femme.

Le visage de Jing vire au noir. Il fixe sur moi son regard glacé.

— Tu as joué avec mes sentiments, je te pardonne. Ton corps est sale et personne n'épousera une fille déflorée. Dans ce vaste monde, il n'y a que moi qui t'aime, et je prends la femme souillée par mon meilleur ami ! Tu n'as que moi ! Tu es à moi !

Min avait dit que mon corps lui appartenait. Il avait exigé l'exclusivité de mon corps tout en se donnant à une autre femme. Décidément, Jing lui ressemble. Sous l'emprise de l'émotion, les larmes me montent aux yeux :

— Quelqu'un d'autre m'aime, et je viens de comprendre que je l'ai aimé à mon insu. Je retourne aux Mille Vents pour lui. Il m'attend.

— Menteuse. Qui est-il ? D'où vient-il ? Pourrais-je avoir son nom s'il te plaît ? Dis-le-moi.

Soudain, je m'aperçois que j'ignore jusqu'à son nom. Je ne connais rien de lui, excepté son âme.

Me voyant hésiter, Jing se calme. Il me prend dans ses

bras. Je le gifle, mais il réussit à poser ses lèvres sur mon front :

– Viens avec moi ! Ne fais pas la petite fille. À Nankin, nous allons commencer une nouvelle vie.

Des nuées de mouches s'envolent.

Sur la plaine, les obus ont creusé des cratères profonds. Les champs ont été ravagés. On rencontre partout des cadavres. Certains conservent un visage cireux, la bouche ouverte. D'autres ne sont plus qu'un tas de chair mêlée à la boue.

Notre troupe traverse lentement ce vaste cimetière. J'apprends que les soldats, pris au piège par l'ennemi, ont résisté jusqu'au dernier. Le soleil me donne la nausée. Je comprends à l'instant que, en Mandchourie, notre combat contre les terroristes n'a été qu'un jeu de cache-cache. L'ampleur et l'atrocité de la guerre m'avaient jusque-là échappé.

Au milieu d'un village désert, nous sommes pris dans une tempête d'explosions. Je m'élance à terre. Une pluie de balles crible le sol blanchi par la sécheresse. Après quelques échanges de coups de feu, nous réalisons que la troupe qui nous assaille n'est composée que de quelques téméraires restés là pour entraver notre marche. Le clairon sonne l'assaut. Les Chinois détalent comme des lapins pris pour cibles d'un concours de tir. Visant l'homme le plus rapide, près d'atteindre la lisière d'un bois, j'appuie sur la détente. Il s'effondre au pied d'un arbre.

À midi, nouvelle attaque violente. Les Chinois ivres de désespoir deviennent féroces. Je me couche sur une pente. Le sol est brûlant. Je flaire une odeur douce qui me rappelle la joueuse de go. Devant moi, un soldat touché d'une balle dans le dos se roule par terre en hurlant. Je reconnais l'un de mes hommes, celui auquel je suis le plus attaché. Nous venons de fêter ses dix-neuf ans.

Je tenais à enterrer le garçon après le combat. Mais l'ordre de marche est donné et je dois laisser son corps aux soins du régiment suivant. L'inégalité nous poursuit après la mort. Les plus heureux sont brûlés sur le champ de bataille, les autres, jetés dans une fosse. Les plus malchanceux sont récupérés par les Chinois qui leur coupent la tête et les font défiler sur une pique.

Cette première journée de guerre est un long rêve. Rien ne m'affecte, ni l'atrocité des combats ni les marches épuisantes, ni la disparition de mes soldats. Je déambule dans un univers ouaté où la vie et la mort me sont aussi méprisables. Pour la première fois, l'aventure militaire a cessé de m'exalter : nous rejoignons notre destin comme les saumons remontent les fleuves. Il n'y a dans cet acte aucune beauté, aucune grandeur.

Le soir, me voyant renfrogné et songeur, le major diagnostique une insolation. Je laisse mes hommes couvrir mon front d'une serviette froide. Allongé sur une botte de paille, je fixe le sombre plafond de la chaumière réquisitionnée. Je suis dégoûté de moi-même.

Au petit matin, nous sommes réveillés par des sifflements et des explosions. Nous répliquons avec des grenades. Les mitrailleuses enchaînent. Soudain, nous reconnaissons dans le tumulte le clairon qui sonne l'assaut.

La division qui vient de nous attaquer est japonaise. Ce malentendu nous a coûté la vie de plusieurs soldats.

Un feu de camp crépite.

Jing ronfle.

Autour de moi, les centaines de réfugiés se sont également endormis. Les humains en exode ressemblent aux troupeaux de cerfs fuyant la sécheresse. Ils sont maigres, malades. Leur sommeil n'est pas moins lourd que leur angoisse.

Je sors de mon sac une paire de ciseaux et taille mes cheveux aussi court que me le permet la force de mes bras. Je pose mes deux tresses réunies par un ruban près de Jing, franchis une dizaine de corps et m'élance dans la nuit.

Dans un bois, je me débarrasse de ma robe et enfile les habits volés à Jing.

Derrière les arbres, l'aurore pâle éclaire la plaine de Pékin. Je marche à contre-courant des réfugiés en route depuis l'aube. Les femmes, chargées de ballots, traînent d'une main les enfants, de l'autre les chèvres. On entend hurler des nouveau-nés. Des hommes portent leurs vieux sur le dos, d'autres, plus chanceux, les ont installés dans un pousse-pousse. Une vieille, presque centenaire, serre dans ses bras une poule. Les pieds bandés, elle chancelle à chaque pas.

Depuis notre fuite de Pékin, ces scènes, quotidiennes, m'ont brisé le cœur. Je ne regrette pas d'avoir suivi Jing dans ses tribulations. Grâce à lui, j'ai connu la force d'un peuple chassé de sa terre. La ténacité de cette marche vers le sud est une protestation muette contre la mort. Ces hommes et ces femmes forment une vague mêlant la haine et l'espoir. Désormais, jusqu'au bout de ma solitude, cette rage m'accompagnera.

Comme eux, je désire la vie. Je veux rentrer en Mandchourie et retrouver ma maison, mon damier. Place des Mille Vents, j'attendrai le joueur inconnu. Je sais qu'il viendra à moi, un après-midi, comme la première fois.

À midi, assise sous un arbre au bord de la route, je mange, miette par miette, un pain vieux de trois jours. Le vrombissement des avions, des explosions lointaines contrastent avec le silence de la foule qui s'avance.

Dans le fleuve humain apparaissent les premiers soldats chinois. Uniforme maculé de sang, visage enfumé, ils me rappellent les militaires qui, en 1931, ont envahi notre maison après avoir fui devant les Japonais : leurs yeux expriment l'épuisement et la dureté des hommes qui ont laissé les leurs à la tuerie.

— Pékin est tombé ! Dépêchez-vous de fuir.

— Les Japonais arrivent ! Les Démons arrivent !

Cris, pleurs s'élèvent. Soudain, j'aperçois Jing qui court en boitant dans le sens inverse des réfugiés. Je me cache derrière un arbre. Il passe à cinq pas de moi en demandant à une femme si elle a vu une jeune fille, petite et pâle, les cheveux coupés court, habillée en garçon. Sa voix est brisée. Mes tresses à la main, il crache par terre et m'appelle en m'injuriant.

Ses cris me déchirent : Tu es monstrueuse de me faire souffrir, moi qui suis revenu de l'Enfer !

Il s'éloigne finalement.

Tout à coup, un avion qui tourne depuis un certain temps au-dessus de nous lâche une bombe, puis une seconde. Les explosions me renversent à terre. Je perds connaissance. Quand je reviens à moi, la foule court dans toutes les directions telle une procession de fourmis dérangée par un marcheur.

Je me lève. Mon bras saigne. Dans le ciel, le grondement des moteurs se fait de plus en plus pressant. D'autres avions approchent ! Je me précipite dans un pré.

Les Japonais bombardent la route. J'erre dans la campagne sans savoir où me cacher. La tête me tourne. Mon bras me pèse. Quand me réveillerai-je de ce cauchemar ?

Avant la nuit, je distingue à l'horizon un village. Je presse le pas.

Il y règne un étrange silence. Dans l'obscurité, les portes sont ouvertes, des meubles brisés jonchent les rues. Plus loin, je découvre des cadavres : quatre paysans ont été transpercés à coups de baïonnette. Dans les maisons, pas un animal vivant, pas un grain de riz, pas un brin de paille dans les fours. Après le massacre, l'armée japonaise a tout raflé.

Je n'ai plus la force de poursuivre ma route. Je pénètre dans une chaumière vide. Me souvenant d'une vieille recette dont parlait ma mère, je couvre ma plaie de cendre froide avant de l'entourer d'un morceau d'étoffe, déchiré de ma chemise. Je me blottis contre le fourneau éteint et j'éclate en sanglots.

Au matin, un fracas terrible me réveille. J'entends hurler des hommes dans une langue incompréhensible.

J'ouvre les yeux.

Des soldats pointent sur moi leurs armes.

Pékin est conquis.

Nous avons reçu l'ordre de battre la campagne à la recherche des espions et des soldats chinois blessés. Tous doivent être exécutés.

Ce matin, mes hommes découvrent un individu douteux. Ils lui attachent les mains dans le dos et le traînent jusqu'au milieu du village.

C'est un jeune espion aux cheveux hirsutes, blessé au bras. Un costume d'étudiant trop grand flotte sur son corps. Il garde opiniâtrement la tête basse et un silence insolent.

Les soldats chargent leurs fusils.

D'un geste, le lieutenant Hayashi qui dirige l'opération avec moi les arrête. Il tire son sabre et me dit :

– Vous avez toujours vanté votre sabre de famille datant du XVIe siècle. Le mien a été forgé cent ans plus tard. Mais on le nommait à l'époque « faucheur de têtes ». Je vais vous faire une démonstration.

Les soldats, excités à la perspective du spectacle, claquent la langue et s'interpellent.

Dans la posture du samouraï qu'il a apprise des estampes

anciennes, les pieds écartés, les genoux fléchis, Hayashi porte le sabre au-dessus de sa tête.

Lentement, le prisonnier lève les yeux.

Un vertige me saisit.

– Attendez !

Je m'élance vers le jeune homme et essuie son visage noirci par la boue et la fumée. J'y distingue des grains de beauté en forme de larmes.

– Ne me touchez pas, hurle-t-elle.

– Une femme, s'écrie Hayashi qui rentre le sabre dans son fourreau.

Il me bouscule, renverse le captif et introduit la main dans son pantalon.

Mon cœur se glace. C'est elle ! Que fait-elle là, dans ce village ? Quand a-t-elle quitté la Mandchourie ?

– Une femme ! confirme Hayashi, excité.

La jeune fille se débat en poussant des cris stridents. Il lui donne deux gifles, lui enlève ses chaussures et lui retire son pantalon. Il desserre sa propre ceinture. Les soldats, subjugués, forment un cercle autour de lui.

– Écartez-vous ! Chacun son tour ! ordonne-t-il.

– Imbéciles !

Je me jette sur le lieutenant. Il tourne vers moi un visage furieux. En apercevant mon pistolet braqué sur son front, il se met à rire de bon cœur :

– D'accord, vous consommez en premier. Après tout, c'est votre découverte.

Je ne lui réponds pas. Il croit comprendre et me murmure à l'oreille :

– C'est la première fois, n'est-ce pas ? Si vous êtes gêné de le faire en public, tenez, allez dans ce temple, je monterai la garde à la porte.

Hayashi m'entraîne dans le temple en face. Deux soldats portent la jeune fille et la jettent au sol. Ils ferment la porte en gloussant.

Elle tremble de tout son corps. J'enlève ma veste pour couvrir ses jambes nues.

– N'ayez pas peur, lui dis-je en chinois.

Ma voix la trouble. Elle écarquille les yeux et m'examine. Une souffrance intense déforme ses traits. Soudain, elle crache sur moi et se met à sangloter en se roulant par terre :

– Tue-moi ! Tue-moi !

Hayashi frappe à la porte, je l'entends ricaner :

– Lieutenant, dépêchez-vous. Mes soldats n'en peuvent plus !

Je serre ma Chinoise dans les bras. Elle me mord l'épaule. Malgré la douleur, je colle ma joue contre la sienne. Des larmes s'échappent de mes yeux. Je lui murmure :

– Pardonne-moi, pardonne-moi…

Elle me répond par des hurlements hystériques :

– Tue-moi, je t'en prie. Tue-moi ! Ne me laisse pas vivre !

De l'autre côté de la porte, Hayashi crie :

– Lieutenant, vous êtes bien long. Faites vite. Ne soyez pas trop égoïste.

J'empoigne mon pistolet et l'appuie sur la tempe de la Chinoise qui relève la tête. La crainte a disparu de ses yeux. Elle me regarde maintenant avec l'indifférence qu'elle avait l'habitude d'adresser à un inconnu.

Je frissonne et presse mon arme un peu plus :

– Vous me reconnaissez ?

Elle ferme les yeux.

– Je sais que vous me haïssez, je sais que vous ne me pardonnerez pas. À présent, je me fiche de votre mépris. Je vais vous tuer et je me tuerai après. Pour vous, je renonce à cette guerre, je trahis ma patrie. Pour vous, je suis un fils indigne, un descendant qui aura terni sa lignée. Mon nom ne figurera jamais dans le temple des héros. Il sera maudit.

Je couvre la jeune fille de baisers. Des larmes coulent sur ses joues. Elle me laisse faire sans se débattre.

Des coups de crosse font trembler le sol.

– Lieutenant, avez-vous fini ? Je vais compter jusqu'à trois et j'entre ! Un…

Je n'ai plus le temps de lui demander pourquoi elle a quitté son pays, pourquoi elle a coupé ses beaux cheveux. J'ai mille questions à lui poser et je n'en prononcerai aucune. Je n'ai jamais su lui dire des mots d'amour.

– Deux…

Je lui murmure à l'oreille :

– Ne vous inquiétez pas. Je vais suivre. Je vous protégerai dans les ténèbres.

Elle ouvre les yeux et me fixe :

– Je m'appelle Chant de nuit.

Mais j'ai déjà appuyé sur la détente. Ses prunelles noires tressaillent, ses pupilles se dilatent. Le sang jaillit de ses tempes. Les yeux écarquillés, elle tombe sur la nuque.

La porte s'ouvre. J'entends des pas derrière moi. Je constate avec désespoir que je n'ai pas même le temps de m'ouvrir le ventre comme un digne samouraï.

J'introduis l'arme maculée de son sang dans ma bouche.

Un bruit, le tremblement de terre.

Je tombe sur la joueuse de go. Son visage me paraît plus rose que tout à l'heure. Elle sourit. Je sais que nous continuerons notre partie là-haut.

Pour contempler ma bien-aimée, je fais l'effort de garder les yeux ouverts.

Arrêt
sur
lecture 3

Un dénouement inattendu

Le suspense à son comble

Fausses pistes – Dans la dernière partie du texte, après l'exécution de Min, et la victoire provisoire du camp japonais, le récit fait miroiter diverses possibilités de dénouement :

– la joueuse envisage de se suicider (p. 225, 228, 230) ;

– la réapparition de Jing constitue une possible résurgence de l'intrigue amoureuse initiale : « À Nankin, nous allons commencer une nouvelle vie » (p. 297) ;

– plusieurs épisodes suggèrent un possible accomplissement de l'amour né entre la joueuse et le soldat : la promenade aux Sept Ruines, la proposition de la jeune fille de l'accompagner : « Je veux aller à Pékin. Aidez-moi » (p. 286) ;

– le chapitre 82 évoque la possibilité d'un départ impromptu du régiment japonais pour Pékin, hypothèse abandonnée avant la fin du chapitre ;

– Huong menace la joueuse d'empêcher son départ pour Pékin (p. 277-278) ;

– une séparation définitive des protagonistes recommençant à suivre des trajectoires séparées est mise en place à partir des chapitres 88 et 89 ;

– une réapparition du cousin Lu est mentionnée comme possible réouverture du récit (p. 295).

Dernière rencontre – Ces dénouements sont successivement évoqués par le récit, puis abandonnés au profit d'une résolution inattendue : les retrouvailles des protagonistes au cœur de la guerre, et leur mort commune, presque simultanée. La rencontre de la joueuse et du lieutenant sur le champ de bataille, et non plus de part et d'autre d'un goban, le meurtre et le suicide des personnages principaux ont pour effet de décevoir les attentes du lecteur, qui, dès le début du récit, assiste à la naissance d'une histoire d'amour qu'il attend de voir se réaliser. Cet amour s'accomplit bel et bien, mais sous la forme violente et inattendue du meurtre de la joueuse par le lieutenant, afin de lui épargner le viol de ses soldats. Pris dans la tourmente de la guerre, les personnages n'ont pas d'alternative. L'histoire d'amour espérée par les personnages comme par le lecteur n'aura pas lieu (p. 281) :

> La position d'un pion évolue au fur et à mesure qu'on déplace les autres. Leur relation, de plus en plus complexe, se transforme et ne correspond jamais tout à fait à ce qui fut médité.

Le récit met donc en place de nombreuses fausses pistes, explorées l'une après l'autre par les personnages, y compris dans leur caractère non satisfaisant. L'amour de Jing tourne à la rancœur, la séparation cause une douleur insupportable au Japonais, qui s'efforce en vain d'oublier la joueuse mais dont l'idéal chevaleresque rend toute relation amoureuse impossible entre eux…

Ce n'est que poussé par la coïncidence de leurs retrouvailles et mû par la nécessité impérieuse de protéger la joueuse des autres soldats que le lieutenant se résout à faire un geste d'amour, qui est aussi un geste de mort et de trahison envers son camp.

La mort pour épilogue – De la sorte, dans sa brutalité, son caractère irrémédiable et imprévu, la conclusion du récit met un terme à la partie entamée entre les protagonistes. Le récit semble avoir exploré, *via* les fausses pistes, toutes les possibilités qui s'offraient aux personnages. Leur disparition s'impose comme la seule possibilité, à l'exclusion de toutes les autres. Leur mort conjointe n'apparaît donc pas au lecteur comme un incident fortuit, qui aurait pu être évité, un épilogue choisi parmi d'autres. Elle prend la forme souveraine de ce qui devait être, à l'exclusion de tous les autres possibles. C'est la réalisation incontournable et spectaculaire de ce qui ne pouvait être évité, d'un destin.

Un espace marqué par la division

De la séparation à la rencontre – Dans le roman, qui se déroule pour l'essentiel en Mandchourie, et pour les derniers chapitres aux alentours de Pékin, l'espace se caractérise par la division. Le récit du lieutenant et celui de la joueuse, qui se déroulent pourtant essentiellement au même endroit, prennent place dans des univers qui ne semblent pas coïncider. Chine et Japon, domaine privé et histoire militaire… À l'exception de leurs rencontres place des Mille Vents et de moments percutants où leurs univers se heurtent brutalement – comme l'arrestation des « terroristes » Min et Jing –, les personnages semblent enfermés dans des espaces clos et non communicants. Le récit est marqué par le parallélisme de leurs vies. Cette division organise le récit dans la mesure où elle en marque les principales étapes (p. 261) :

> Comment cette histoire a-t-elle débuté ? J'habitais le Japon, elle la Mandchourie. Par un matin de neige, notre division s'est embarquée pour le continent. [...] Les sentiers tortueux du destin m'ont conduit place des Mille Vents, où l'adolescente m'attendait.

Tout le début du roman retarde la rencontre, avec un mouvement progressif du régiment japonais vers la ville de Mille Vents en Mandchourie. La confrontation du lieutenant et de la joueuse n'a lieu qu'au chapitre 38, autour du goban, au centre de la ville.

Une radicale scission – Du chapitre 38 au chapitre 87, les deux héros se rejoignent régulièrement au centre de Mille Vents. Leurs récits, comme les pièces d'un puzzle, s'emboîtent pour donner une image complète et complexe de la réalité qu'ils perçoivent différemment.

Cependant, sauf exception, aucun dialogue n'anime leurs rencontres, marquées par l'affrontement au go et par le mensonge du lieutenant quant à son identité. La séparation entre les deux narrateurs paraît donc irrémédiable, en raison de leurs caractères, du contexte hostile, et de la nature de leur lien, reposant sur la confrontation.

« Comment lui dire qu'un miroir nous sépare, que nous tournons en rond dans deux mondes hostiles ? » se demande le lieutenant.

L'échec à habiter un espace commun – Une seconde séparation intervient ensuite : la joueuse est partie à Pékin, le régiment du soldat progresse en direction de cette ville, sur le point d'être conquise. Cet événement symbolise dans le roman la défaite amoureuse que connaît leur relation. Alors que la joueuse a prié le lieutenant de l'accompagner dans sa fuite, qu'elle l'a incité à dire la vérité sur lui-même et à abandonner son masque, celui-ci s'est dérobé. La déclaration amoureuse n'a pas eu lieu : « Il suffirait pourtant de gestes simples. Je lèverais les bras, saisirais ses mains et l'attirerais vers moi. Nous partirions ailleurs. » Mais le lieutenant manque cette occasion. Dès lors, leurs trajectoires divergent. Elle s'enfuit avec Jing, tandis que lui reste en Mandchourie, avant de partir à son tour pour Pékin.

Leur séparation dure quelques chapitres (de 88 à 91), le temps pour eux de réaliser leur erreur. À partir du moment où ils sont séparés, tous deux songent avec nostalgie à leurs parties de go place des Mille Vents.

Une réunion ultime – La fin du roman est marquée à la fois par leurs retrouvailles dans un lieu non défini (un village des alentours de Pékin, déserté par ses habitants et pris d'assaut par les troupes japonaises) et leur mort commune, qu'on peut considérer comme une fuite simultanée vers un autre espace : « Je sais que nous continuerons notre partie là-haut. »

De même que Roméo et Juliette ou Tristan et Iseut, la joueuse et le lieutenant choisissent la mort plutôt que d'accepter la séparation. Cette décision extrême résulte de l'impossibilité à trouver sur terre un lieu où vivre leur amour. La division de l'espace dans lequel ils évoluent depuis le début du récit, qui les contraint à être des ennemis, ne peut donc être surmontée que dans la mort.

Les éléments d'un contrepoint

Le clivage de l'espace, la situation militaire, l'absence de dialogue entre les personnages installent entre eux une distance qui semble infranchissable. Semblables à deux lignes parallèles, leurs récits alternés où foisonnent le mensonge, l'incompréhension et les malentendus donnent une image d'incommunicabilité entre les êtres, et évoquent des existences qui ne pourront jamais se rejoindre. Cela se trouve cependant contrebalancé par un certain nombre d'échos et de parallélismes reliant les récits, et tendant à atténuer leurs divergences.

La duplication de certains épisodes mineurs – Le récit se plaît à jouer des parallèles entre le récit de la Chinoise et celui du lieutenant. Trois bracelets sont évoqués entre les pages 238 et 239 : Huong paie l'avortement de son amie d'un bracelet d'or. Cette dernière lui en offre un de jade en retour. À la page suivante, le lieutenant acquiert un bracelet de jasmin destiné à la joueuse, sans oser le lui offrir. De même, les pains farcis achetés par Huong trouvent leur complément dans les pains farcis offerts autrefois au capitaine Nakamura par la Chinoise dont il était aimé.

La promenade aux Sept Ruines effectuée une première fois avec Min puis en compagnie du lieutenant ouvre et ferme l'histoire d'amour avec Min. À la cigale, que le soldat compare à la Chine et à la joueuse, fait écho le rêve de la jeune femme : « Je m'élève dans les airs en battant des ailes. »

Les faux départs sont également au nombre de deux : le soldat croit quitter Mille Vents au chapitre 82, tandis que la joueuse veut revenir en arrière au chapitre 91, quitte Pékin pour retourner à Mille Vents et rejoindre l'Inconnu. De même, le déguisement du lieutenant en Chinois se trouve pour finir imité par le déguisement final de la joueuse en étudiant chinois.

De la sorte, les deux récits autonomes se rapprochent, se ressemblent et se font écho pour le lecteur à l'insu même des protagonistes.

La ressemblance des personnages féminins – Par ailleurs, le récit crée un parallèle visible entre l'histoire d'amour non consommée du soldat et de la geisha Lumière et celle qui se résout dans la mort entre le soldat et la Chinoise. Les noms des personnages féminins sont symétriques – Lumière répond à Chant de nuit –, et l'impossibilité de parler prévaut dans les deux relations (p. 110 et 307) :

> Nous observâmes un long silence. Entre elle et moi, il y avait un fleuve que nous n'avions pas la force de traverser.

> J'ai mille questions à lui poser et je n'en prononcerai aucune. Je n'ai jamais su lui dire des mots d'amour.

Les deux personnages féminins se ressemblent : « La joueuse de go me regarde intensément et ses prunelles angoissées me rappellent celles de Lumière m'invitant à la déflorer » (p. 286). En outre, les deux femmes aimées par le lieutenant sont représentées par des paysages identiques, qu'elles font surgir ou dans lesquels elles s'inscrivent. Tandis que la geisha joue de la musique, les éléments se déchaînent : « Ce fut comme l'éclat du tonnerre dans un ciel d'été. Le vent souffla, courba les arbres, déchira les nuages d'encre. » De même, la joueuse se détache sur un univers exalté : « Une dizaine de coups de tonnerre se succèdent. Les arbres plient sous le vent. » Personnages immobiles et muets, les deux jeunes filles sont caractérisées par la passion qu'elles déchaînent. À leur apparition, le cœur des hommes et l'univers se dérèglent violemment.

Autant de points qui suggèrent la gémellité de ces deux relations, et qui manifestent cet amour sans paroles ni gestes tendres. Enfin, malgré des sentiments réciproques, les deux histoires d'amour se soldent par un constat d'impossibilité. Ni l'une ni l'autre ne seront consommées.

L'aboutissement des intrigues secondaires – Il est pessimiste, et fait écho à celui de l'intrigue principale. Les histoires d'amour finissent mal : Perle de Lune, après sa grossesse imaginaire, quitte son mari et retourne chez ses parents ; Huong, pour échapper à la tyrannie paternelle et à un mariage forcé, devient la concubine d'un homme riche. Le cousin Lu, après s'être marié, s'engage dans l'armée et disparaît. Jing, amer et physiquement amoindri, ne semble pas capable de se remettre de son emprisonnement. En outre, un parallèle est créé entre l'histoire que vivent les deux protagonistes et celle racontée au lieutenant par le capitaine Nakamura ; pour un Japonais et une Chinoise, l'amour ne paraît décidément pas possible.

De nombreuses résonances sont instaurées entre le récit de la joueuse et celui du soldat, entre des pays ennemis (Chine et Japon) et même entre des temporalités différentes. Par la démultiplication d'un même motif, le récit crée des effets d'annonce, d'écho et de diffraction, qui tendent à atténuer, voire à effacer le clivage entre les différents espaces et les narrations distinctes.

Des temporalités multiples

Construction complexe jouant de la division de l'espace et de l'éclatement des points de vue, le roman se plaît également à multiplier les temporalités.

Un temps linéaire traditionnel

Le récit s'étale sur une durée de quelques mois. S'ouvrant en hiver (les joueurs de la place des Mille Vents sont couverts de givre), il se termine à la fin de l'été 1937, et ses principales étapes sont scandées par le passage des saisons.

Le passage des saisons – La plupart du temps, on trouve dans le récit de la joueuse et dans celui du lieutenant des références aux dates clés, suggérant que tous deux se déroulent bien en parallèle :

> Coutume importée d'Occident, le Nouvel An ouvre la saison des bals.
> / Vénérable Mère me raconte en détail le déroulement de la fête du Nouvel An.
> Avril nous offre sa clarté. / La fraîcheur d'un printemps balbutiant m'empêche de dormir.
> La chaleur rend l'entraînement difficile. / Déjà l'été arrive.
> L'été mandchou est aussi rude que son hiver. / La chaleur me rend malade.

Les deux récits se déroulent donc simultanément, au cours de quelques mois, du milieu de l'hiver au cœur de l'été, et le passage des saisons crée une scansion* dans le récit.

L'Histoire comme point d'ancrage – Les références à une temporalité historique clairement définie permettent en outre de situer les événements avec précision : « Le 7 juillet, après un exercice nocturne, le régiment en poste à Feng Tai perd un soldat. »

Le tremblement de terre de Tokyo, l'invasion de la Mandchourie, la prise en otage de Tchang Kaï-chek sont autant d'éléments historiques constituant l'arrière-plan temporel sur lequel le récit est construit. Cette temporalité traditionnelle subit cependant certaines perturbations dans le cours du récit.

La durée et l'urgence – Tandis que le cœur du roman est marqué par la lenteur, née de la répétition des nombreuses rencontres entre la joueuse et le lieutenant, au cours desquelles le silence et l'immobilité prédominent, la fin du récit se caractérise en revanche par l'urgence, la précipitation des événements. En quelques pages, les deux protagonistes se retrouvent, se reconnaissent, s'avouent leur amour, et meurent (p. 307) :

> Je n'ai plus le temps de lui demander pourquoi elle a quitté son pays, pourquoi elle a coupé ses beaux cheveux. J'ai mille questions à lui poser et je n'en prononcerai aucune.
>
> Je n'ai pas même le temps de m'ouvrir le ventre comme un digne samouraï.

Cette accélération est rendue sensible par les effets de la narration : la joueuse semble parler encore au moment de sa mort : « Je m'appelle Chant de nuit. Mais j'ai déjà appuyé sur la détente. »

Cet effet de condensation brutale de la temporalité était déjà présent au centre du texte : la découverte de la réalité de l'arrestation relatée par le lieutenant au chapitre 48 précipite les événements. Lorsque la Chinoise et le lecteur comprennent que les « rebelles » arrêtés sont Min et Jing, la coïncidence inattendue entre le domaine militaire et le domaine privé crée une déflagration émotionnelle et bouleverse le cours du roman. La guerre sino-japonaise et les amours des héros cessent soudain d'appartenir à des univers distincts. La rencontre de ces deux temporalités met un terme au roman par la mort des protagonistes.

Un temps oriental cyclique et infini

Le système de temporalité du roman, subtil et complexe en raison de ses changements de rythme, se double en outre d'une autre temporalité, influencée par une conception orientale. Au temps occidental historique, mesurable et orienté se superpose un temps cyclique infini :

« J'ai traversé sa vie. Ce fut un voyage sans retour », affirme le lieutenant à propos de son premier amour, la geisha Lumière. En réalité, il se trompe, puisque Lumière revient à lui sous la forme de la joueuse, comme en témoignent les nombreux parallèles que le récit tisse entre les deux personnages : « Je crois voir Lumière à l'âge de seize ans », « Les premiers jours, j'ai vu en elle Lumière ».

Ce retour du même correspond à la conception orientale du temps, qui repose sur l'idée d'une transformation constante des êtres et des choses. Point d'état fixe, ni définitif : ce qui est stable se fond dans le mouvant ; ce qui est apparemment fini se noie dans l'infini. C'est ce qu'exprime Lao Tseu, au chapitre 2 du *Tao Te King, Le livre de la voie et de la vertu* (Desclée de Brouwer) :

《 Ainsi, avoir et n'avoir pas s'engendrent l'un l'autre.
Le difficile et le facile se transforment l'un en l'autre.
Le durable et l'éphémère se forment l'un l'autre.
Le haut et le bas s'inclinent l'un vers l'autre.
La voix et le ton s'accordent l'un l'autre.
L'avant et l'arrière se suivent l'un l'autre. **》**

Divers motifs se répètent à l'intérieur du récit : le tremblement de terre de Tokyo relaté par le lieutenant au chapitre 24 revient à plusieurs reprises dans le récit, sous des formes différentes, comme une scansion*. Tandis qu'il contemple la joueuse à la dérobée, le lieutenant se remémore cet événement : « Le souvenir du séisme me revient. » Enfin, son suicide est évoqué comme une réitération du séisme : « J'introduis l'arme maculée de son sang dans ma bouche. Un bruit, le tremblement de terre. »

Réitération, échos et parallélismes s'inspirent d'une conception du temps en spirale, radicalement différente de la conception occidentale. Ce processus de duplication et de transformation peut être expliqué ainsi, à partir de l'exemple de la transformation permanente d'un fleuve (François Cheng, *Le Dit de Tianyi*, Le Livre de poche) :

《 Son eau s'évapore, se condense en nuage, lequel retombe en pluie pour l'alimenter. Par ce mouvement en cercle vertical, le fleuve, assurant la liaison entre terre et ciel, rompt la fatalité de son propre cours forcené. De même, à ses deux extrémités, il imprime la même sorte de cercle entre mer et montagne, *yin* et *yang*. Ces deux entités, grâce au fleuve, entrent dans le processus de devenir réciproque : la mer s'évaporant dans le ciel et retombant en pluie sur la montagne, laquelle active sans cesse la source. Le terme rejoint par là le germe.

Le temps procéderait donc par cercles concentriques, ou par cercles tournant en spirale si vous voulez. Mais attention, ce cercle n'est pas la roue qui tourne sur elle-même, sur les choses du même ordre selon la pensée indienne, ni ce qu'on appelle l'éternel retour. Le nuage condensé en pluie n'est plus l'eau du fleuve, et la pluie ne retombe pas sur la même eau. Car le cercle ne se fait qu'en passant par le Vide et par le Change. Oui, l'idée de la mutation et de la transformation est essentielle dans la pensée chinoise. **»**

Exemplaire de cette philosophie orientale, la réitération de certains motifs du roman suggère donc que tout recommence, mais aussi que tout change. Tout recommence mais sous une autre forme, paradoxe* de l'éternelle transformation. Dans *La Joueuse de go*, une conception cyclique du temps, fondée sur l'éternel retour de certains motifs déterminants, se superpose donc à la temporalité linéaire historique, ce qu'exprime ainsi le narrateur japonais : « Nous croyons avancer dans le temps, nous sommes toujours prisonniers du passé. »

Les supplications de la joueuse, « Tue-moi », font écho à celles du soldat précédemment blessé à mort : « Tuez-moi ! Je vous en prie, tuez-moi ! » Le « crime de délivrance » que le soldat n'a pas été capable de commettre vis-à-vis de son compatriote blessé, il le commet lorsqu'il s'agit de protéger la Chinoise.

C'est cette temporalité orientale qui triomphe à la fin du roman, puisque le soldat japonais, contemplant le visage de celle qu'il vient de tuer, affirme la victoire de l'amour sur la mort, et celle de l'éternité orientale sur le temps historique occidental : « Elle sourit. Je sais que nous continuerons notre partie là-haut. »

à vous...

1 – Chapitre 68 : quelles erreurs d'interprétation le lieutenant commet-il à propos de l'attitude de la joueuse ? Sur quel point voit-il cependant clair ? À quoi voyez-vous l'amour du soldat pour la joueuse ? Cherchez le parallélisme avec une scène antérieure.

2 – «Je rougis. Pourquoi cette étrange confession ?» (p. 232) Quel lien pouvez-vous établir entre le récit de Nakamura et l'histoire du lieutenant ?

3 – Chapitre 72 : montrez le lien qui est établi entre les personnages et leurs pays respectifs.

4 – Lecture analytique : «Une plainte amère déchire le silence [...] que nous serons obligés de pulvériser» (p. 245-246). Analysez la conception du temps qui s'exprime dans le passage. Montrez le caractère symbolique de l'épisode de la cigale.

5 – Chapitres 76 et 77 : analysez l'effet de ce double récit d'un même événement.

6 – Chapitre 79 : lecture analytique. Décrivez les éléments qui apparentent ce récit à celui d'un rêve. Montrez comment ce rêve reflète la réalité de la joueuse. Assurez-vous que ce chapitre répète un élément antérieurement relaté par le soldat.

7 – Lecture analytique : «Elle dit : Maintenant nous sommes seuls [...] une succession de masques» (p. 284-286). Expliquez l'ambiguïté du discours de la joueuse. Analysez la différence entre le discours du lieutenant et son discours intérieur. Analysez le motif du masque dans ce passage.

Bilans

Le go : un motif aux multiples significations

Omniprésent dans le roman, le go est tout d'abord présenté dans sa fonction ludique par la joueuse, qui y trouve le plaisir du délassement et celui de l'évasion : « Après la classe, je me rends sur la place des Mille Vents. Le jeu de go me propulse dans un univers de mouvement. Les figures sans cesse renouvelées me font oublier la platitude du quotidien. » Cependant, il ne se borne pas à ce rôle de dérivatif, mais présente une triple fonction narrative, initiatique et symbolique.

Un espace d'affrontement

Il est tout d'abord le lieu des rencontres et des joutes amoureuses ; la joueuse y affronte successivement divers adversaires, dont un soldat barbu, le cousin Lu et le lieutenant. Quant à ce dernier, il joue avec le capitaine Nakamura. Permettant de multiples entrevues entre les différents personnages du roman, le jeu est aussi la seule intersection existant entre les deux héros, qui évoluent dans des univers par ailleurs nettement séparés, et que le destin a constitués en adversaires, puisque les pays auxquels ils appartiennent sont ennemis.

« La guerre, écrit Clausewitz, c'est la continuation de la politique par d'autre moyens. » En ce sens, le go s'apparente à une forme atténuée de la guerre, car il est un terrain d'antagonisme, le lieu où s'affrontent les joueurs. Le lieutenant japonais assimile d'ailleurs objectivement la guerre et le go : pour lui, le soldat est « un pion parmi d'autres. Il vit et meurt anonyme pour la victoire du Tout ». À l'inverse, il voit ses pions comme autant de soldats (p. 188) :

> Le go me transforme en état-major qui manie ses hommes avec froideur. Les pions progressent. Beaucoup sont condamnés à périr encerclés au profit d'une stratégie. Leur trépas se confond avec celui de mes camarades.

Le capitaine Nakamura voit dans le jeu pratiqué par les joueurs chinois un leurre, un faux-semblant. Il suspecte les joueurs de se réunir en réalité pour préparer la rébellion : « Le go n'est qu'un camouflage. C'est sur cette place, sous prétexte de jouer à la guerre, que nos ennemis combinent leurs coups tordus. » Par cette comparaison*, le go est associé à la guerre, dont il est une image, en même temps qu'un masque, et un prélude.

Mais la guerre, dans le roman, n'oppose pas seulement les nations ; elle a lieu aussi d'individu à individu : « Le go oppose les êtres autour d'un damier mais leur donne dans la vie une confiance réciproque. Sans hésiter, je lui ouvre mon cœur. » Le capitaine Nakamura, à qui le lieutenant a fait confiance, le piège alors en l'envoyant espionner, déguisé en Chinois : « En jouant au go, il a tressé les rets qui m'enserrent à présent : je suis obligé de me glisser dans la peau d'un Chinois. » Enfin, entre le lieutenant et la joueuse, le go lui-même fonctionne comme un piège amoureux (p. 286) :

> Le jeu est devenu un prétexte à revoir l'adversaire, un mensonge qui justifie ma faiblesse.

Terrain de jeu, piège amoureux et prélude à la guerre, le go permet de couvrir toute une gamme, qui va de l'innocent divertissement à l'affrontement sans pitié. Mensonge, trahison, abus de confiance y sont couramment pratiqués : à la guerre comme au go, tous les coups sont permis.

Un lieu initiatique

Les règles du go s'avèrent valables pour tous les domaines de la vie ;

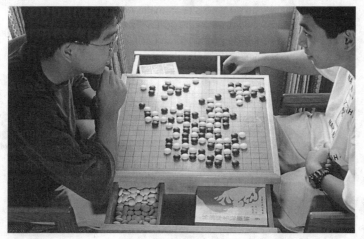

Une version actuelle du jeu de go, qui se pratique encore beaucoup en Chine, comme les échecs en Occident.

ainsi la joueuse les utilise-t-elle pour diriger sa conduite amoureuse (p. 163) :

> En choisissant l'un, je renonce à l'autre et je les perds tous deux. Dans une telle situation, au jeu de go, on opte pour une troisième solution : attaquer l'adversaire là où il s'y attend le moins.

De même, après la mort de Min, c'est le jeu qui sauve la joueuse du désespoir : « Le go m'a permis de vaincre la douleur. Pion par pion, je suis revenue à la vie. Quitter le jeu maintenant serait trahir le seul homme qui m'a été fidèle. » En parallèle, le go a contribué à forger le caractère du lieutenant, il l'a aidé à surmonter les épreuves de son enfance (p. 261) :

> À cette période de ma vie, je ne pouvais concevoir l'avenir, pas plus que le passé. Le go aura mis des années à m'initier à la liberté de circuler entre hier, aujourd'hui et demain. De pion en pion, de noir en blanc, ces millions de pierres finissent par construire un pont jeté dans l'infini de la Chine.

Par ailleurs, jouer au go nécessite de maîtriser ses émotions, de canaliser son agressivité, et de trouver un équilibre permanent entre attaque et défense… c'est-à-dire de progresser spirituellement. C'est en ce sens que le lieutenant révèle sa supériorité tactique ; insensible à la chaleur, aux circonstances, il demeure continuellement maître de lui-même :

> Au Japon, j'ai appris à observer les règles strictes du go. Là-bas, j'ai joué dans le silence, au sein de la nature clémente. Le corps détendu, l'inspiration diffusant son énergie dans le ventre, la respiration guidant la pensée, mon âme accédait timidement à la dualité universelle.

Cette attitude suscite l'admiration et les railleries de la joueuse : « L'Inconnu m'attend déjà. Son visage masqué d'une paire de lunettes est figé, tout comme son corps. Droit sur le tabouret, il ressemble au gardien de l'Enfer des temples anciens. » Mais elle finit par admirer la constance de son adversaire : « Il est ponctuel et ne se plaint jamais de mes retards. Aucune expression ne traverse son visage. Il résiste au soleil, au vent, à mes provocations. Cette force intérieure doit lui épargner bien des peines terrestres. »

Lieu d'une initiation spirituelle, le go fournit donc à ceux qui le pratiquent des armes pour le quotidien ainsi qu'une règle de vie.

Le go comme architecture du récit

Affrontement et trahison – Élément constitutif de l'intrigue, le go fournit aussi une image de l'architecture du récit : l'alternance des chapitres correspond à l'alternance des coups joués par les adversaires. En outre, l'imbrication dans le roman des différentes intrigues amoureuses et militaires, principales et secondaires, privées et internationales est à l'image de la complexité du go :

> Après le deux centième coup, les pions noirs et blancs forment des pièges enchevêtrés, où les encerclements sont à leur tour encerclés.

Caractéristique de la logique du go, jeu dans lequel il s'agit d'encercler l'adversaire et non de l'abattre, le motif de l'affrontement détourné parcourt le récit : « Le go est le jeu du mensonge. On encercle l'ennemi de chimères pour cette seule vérité qu'est la mort. » La même image de

l'encerclement, de la spirale, figure du piège, est employée par le narrateur japonais pour décrire les relations humaines :

> Elle qui connaît le danger des encerclements, qui calcule dix coups à
> l'avance pour les éviter vient de pénétrer dans le lacis des sentiments
> humains pour se constituer ma prisonnière.

L'antagonisme direct cède le pas à sa forme oblique : la trahison,
dont le cercle et la spirale sont autant de représentations. Moteur dans
le récit, le motif de la trahison intervient à maintes reprises comme une
force de perturbation, remettant en cause l'ordre établi : « Imprévisible
comme l'alchimie des nuages, chaque nouvelle formation est une trahison. »

Perfidies amoureuses – Ce motif est tout d'abord évoqué sur le plan
de l'intrigue amoureuse : Perle de Lune est trompée par son mari, avec
lequel elle a pourtant contracté un mariage d'amour. Cette situation la
désespère, et amène la narratrice, témoin de son chagrin, à formuler
des conclusions pessimistes : « Pour moi, Perle de Lune n'est pas une
femme mais une fleur qui se fane. »

Au chapitre 29, entraînée par sa sœur, la joueuse se rend à une soirée donnée pour l'anniversaire du nouveau maire : « Convaincue que
son mari s'y rend avec sa maîtresse, elle tient à le surprendre en flagrant
délit. » La maîtresse du beau-frère n'apparaît pas lors de la soirée. En
revanche, la joueuse y apprend des éléments qu'elle ignorait : Jing est le
fils du nouveau maire. Il méprise la concubine de son père, « une
ancienne pute » qui désormais « couche avec un colonel japonais ». En
outre, le mari de Perle de Lune est surnommé par Jing « le délateur », à
la grande surprise de la joueuse. Trahison amoureuse et intrigues politiques semblent donc aller de pair, et s'entrelacer étroitement dans le
récit.

L'arrestation de Min et de Jing est pour la joueuse la révélation d'une
vérité qu'elle ignorait, et l'occasion de ressentir la trahison : « Pourtant
mes amis m'ont trompée. » Cette découverte s'aggrave d'un autre
manquement : au moment de l'exécution, Min embrasse Tang, ce qui la
désespère (« Min m'a trahie. Je dois mourir »). La trahison apparaît
comme le revers obligé de l'amour, et sa négation : « La passion des
hommes tarit plus vite que la beauté des femmes. » Enfin, la réappari-

tion de Jing constitue un nouveau coup de théâtre. Celui-ci est passé aux aveux : « J'ai trahi », « J'ai troqué le déshonneur contre l'amour ». Il apprend à la joueuse que la trahison de Min a été encore plus importante qu'elle ne pouvait le supposer : en prison, Min a épousé Tang. Ce revirement sert de prétexte à Jing pour justifier ses aveux.

La défection d'un soldat – Pris en tenailles entre la loyauté à sa patrie et l'amour pour la joueuse, le lieutenant oscille pour sa part entre deux types de trahisons (p. 280) :

> Comment lui ouvrir mon cœur sans trahir ma patrie ? Comment lui dire qu'un miroir nous sépare, que nous tournons en rond dans deux mondes hostiles ?

Après avoir refusé de tout abandonner pour fuir avec la joueuse, comme elle le lui demandait, le lieutenant choisit de les tuer tous deux, et de renoncer à tout ce qu'il a espéré au long de sa vie : « Pour vous, je renonce à cette guerre, je trahis ma patrie. » Geste sublime, où l'amour et la trahison se rejoignent au lieu de s'opposer et de s'anéantir.

Alors que le centre du roman montre pour la joueuse une série de défaites (l'arrestation de Min, puis la trahison de celui-ci, l'avortement auquel elle est contrainte, le refus du soldat de la suivre dans la fuite), la fin du texte, plus ambiguë, lui concède cependant une forme de victoire. Le lieutenant se rend à l'amour qu'il a pour elle, et accepte de la suivre, ce qu'il a auparavant refusé.

En acceptant de la protéger et de mourir à sa suite, il renonce à ce qui a été le plus important pour lui tout au long du récit : la gloire militaire, la voie tracée pour lui par sa mère, le service de l'empereur. Il opte pour la voie confucianiste, c'est-à-dire l'honneur d'être un homme, au détriment du code hagakure. « Entre le déshonneur et la mort, choisis sans hésiter la mort », lui a prescrit sa mère à maintes reprises. En soustrayant la joueuse au viol des Japonais, il renonce donc à la guerre dont la Chinoise dénonce la violence et l'absurdité : « Tue-moi, je t'en prie. Tue-moi, ne me laisse pas vivre ! » En outre, en se suicidant d'une manière non traditionnelle (« Je constate avec désespoir que je n'ai même pas le temps de m'ouvrir le ventre comme un digne samouraï»), il renonce à son honneur de soldat. Il choisit la mort et l'amour, et renie le principe du samouraï (p. 306-307) :

> Pour vous, je renonce à cette guerre, je trahis ma patrie. Pour vous, je suis un fils indigne, un descendant qui aura terni sa lignée.

D'une loyauté à l'autre – Mise en demeure de quitter la ville par Jing, menacée de voir son avortement découvert, la joueuse a hésité à quitter Mille Vents au nom de l'amour pour le soldat : «Quitter le jeu maintenant serait trahir le seul homme qui m'a été fidèle» (p. 283). Elle s'y résout pourtant, poussée par la nécessité d'échapper à la révélation de sa grossesse.

Les deux personnages principaux effectuent donc dans le récit des trajectoires convergentes et manifestent une évolution psychologique comparable : la joueuse, qui se montrait initialement sous le jour d'une manipulatrice immature, se révèle capable d'amour. Le lieutenant, qui s'est montré continuellement soucieux de son honneur, et qui affirme tout au long du récit son renoncement aux attachements, renie son idéal militaire à la seule fin d'honorer l'amour, la foi dans l'humanité.

Enfin, la figure de l'encerclement rend compte de la très particulière clôture du récit (p. 148-149) :

> Dans une partie d'échecs, les deux royaumes, avec leurs guerriers cuirassés, s'affrontent face à face. Les cavaliers de go, virevoltants et agiles, se piègent en spirale.

Après s'être affrontés tout au long du récit, le lieutenant et la joueuse s'entraînent l'un l'autre dans la mort, dans une configuration que rien ne laissait présager. À la dualité occidentale du bien et du mal, du vainqueur et du vaincu, s'oppose la stratégie orientale de l'encerclement. C'est donc le go qui imprime sa forme particulière, caractérisée par l'oblique et le motif de la spirale, au dénouement du roman. Prétexte à l'affrontement des personnages, voie de leur initiation spirituelle, architecture du récit, le go structure le roman et en régit les significations.

De l'individuel à l'allégorie : plusieurs lectures possibles

Par-delà l'histoire individuelle touchante d'une jeune fille et d'un jeune homme issus de pays ennemis, destinés à s'aimer sans se le dire et à périr l'un par l'autre, le roman, nourri de différentes cultures, limpide mais complexe, simple mais profond, peut faire l'objet de multiples lectures.

Une lecture métaphorique

La structure du roman reflète la partie de go. En ce sens, l'anonymat des joueurs trouve sa signification : « La joueuse ne demande même pas mon nom, insignifiant détail dans une partie de go », affirme le lieutenant. « Il ignore jusqu'à mon nom », remarque la joueuse. De même, le lecteur ignore jusqu'à l'avant-dernière page le nom de celle-ci (Chant de nuit) et continue d'ignorer celui du lieutenant après la fin du roman. Un parallèle est ainsi suggéré entre la partie de go et le récit : les personnages n'ont pas besoin de cette identité éphémère que constitue une dénomination, parce qu'ils incarnent des principes qui dépassent infiniment l'identité individuelle.

Leurs récits respectifs ne fonctionnent que l'un par rapport à l'autre, de même qu'au go les noirs et les blancs n'existent que pour l'affrontement, et non en eux-mêmes (p. 201) :

> Mes pions sont des touches d'encre avec lesquelles je dessine les pleins et les vides. Au go, seule la perfection esthétique conduit à la victoire.

Sans le savoir, les personnages dessinent à eux deux une seule et même partie pour les yeux du lecteur placé en situation surplombante, partie au terme de laquelle leur affrontement se résout dans le dessin d'ensemble.

Une lecture historique

« Les deux joueurs partagent ainsi cette terre vierge et comparent à la fin l'étendue des territoires occupés. » Cette définition de l'objectif du go donne à voir le parallèle existant entre le go et la stratégie militaire. Comme lors d'une campagne militaire, il s'agit d'occuper un espace et de s'en rendre maître. On peut donc lire également le roman comme une image de l'affrontement séculaire de deux civilisations, Chine et Japon, continuellement attirées l'une par l'autre, continuellement en lutte d'influences l'une par rapport à l'autre. À la partie de go effectuée par les joueurs place des Mille Vents se superpose une autre partie, dans laquelle, cette fois, les personnages principaux ne sont plus que des pions, et au terme de laquelle ils perdent la vie. C'est cette partie qui va conduire le Japon belliciste à l'anéantissement de la Seconde Guerre mondiale, et mener la Chine au communisme.

Le passage de l'individuel au collectif est explicitement franchi par le lieutenant à plusieurs reprises dans le roman. Effrayé de la fragilité du corps d'une cigale, il s'interroge sur son activité militaire (p. 246) :

> À peine l'ai-je frôlé que ses veines se décomposent.
> Je pense à la Chinoise, à la Chine, que nous serons obligés de pulvériser.

L'infime cigale que le lieutenant a tuée sans lui vouloir de mal renvoie à l'individu qu'il est susceptible de blesser, la joueuse. Celle-ci est elle-même perçue comme représentative d'une unité plus vaste dont elle incarne une représentation : la Chine. De même, pour la joueuse, intérieur et extérieur se correspondent, selon une vision typiquement orientale. Les troubles politiques ont une influence sur l'être intime (p. 198) :

> L'armée étrangère défile dans nos rues, nous les remercions d'être les gardiens de la paix. Serait-ce ce désordre extérieur qui a déréglé ma vie ?

Dès le début du roman, elle constatait : « Le mal de cette naissance déplacée se manifeste aussitôt dans les caprices de mon âme dérangée. » (p. 46).

Dans le roman, destin individuel et destin national se répondent et se représentent mutuellement dans un jeu de miroirs qui donne le vertige : le meurtre final de la joueuse par le lieutenant est simultané à l'invasion de Pékin par les Japonais. À l'idéal Hagakure perverti par le bellicisme japonais fait écho la trahison du lieutenant. Celui-ci préfère l'amour à sa patrie et reconnaît l'erreur de l'invasion. Les péripéties survenant aux personnages du roman coïncident avec l'Histoire et en annoncent aussi le dessin global : la mort de la joueuse et du soldat préfigure, en quelque sorte, l'issue tragique pour le Japon et la Chine de cette guerre sanglante. La partie de go qui se déroule place des Mille Vents trouve sa correspondance dans une partie plus vaste, se jouant à l'échelle internationale.

Une lecture allégorique

Centre du roman, le jeu de go réfère également à une conception de l'univers héritée du taoïsme. La joueuse décrit ainsi le goban : « Sur un damier carré, les pions se disputent les 361 intersections constituées par 19 lignes horizontales et 19 lignes verticales. » Cette description fait écho à la conception orientale antique du monde : pour les anciens chinois, le monde est un univers clos, que l'on peut subdiviser en 9 provinces, soit un centre et 8 directions appelées « vents ». (Cet élément entre évidemment en résonance avec le nom de la ville où se trouvent les personnages, et au nom de la place sur laquelle se jouent les parties de go : Mille Vents.)

Cet univers est généralement symbolisé par un carré dont les composantes, au nombre de 360, entourent le centre qui correspond à la 361e intersection d'un goban. En d'autres termes, le goban peut par conséquent être décrit comme une représentation de l'origine du monde. Microcosme du goban et macrocosme de l'univers sont donc en étroite correspondance.

Il est donc possible d'attribuer au goban sur lequel rivalisent le Japonais et la joueuse une fonction de représentation à l'échelle humaine des forces qui combattent à l'échelle cosmique : « Là-haut, un dieu affronte une déesse en bousculant les étoiles », remarque la joueuse au premier chapitre. À l'inverse, dans le microcosme du goban se reflète le macrocosme qui l'entoure : « Chose incroyable, je retrouve sur le damier, traits blancs et traits noirs, le dessin de son visage ! »

Enfin, les pierres noires et blanches du goban évoquent immanquablement le yin et le yang, principes fondamentaux de la philosophie taoïste. Féminin et masculin, clair et obscur, passif et actif, le yin et le yang incarnent des principes opposés, des forces étroitement interdépendantes régissant l'univers. Se complétant mutuellement, ils ne peuvent exister l'un sans l'autre ; ils président, à travers leur affrontement, à l'apparition de tous les phénomènes dans le monde, mais aussi à leur résorption dans l'unité du Tao, l'entité universelle transcendantale à l'origine de la création.

À l'instar des blancs et des noirs, de la joueuse et du lieutenant, de la Chine et du Japon, les forces opposées du yin et du yang ne sont pas autre chose que les aspects d'une seule et même réalité. L'équilibre dans lequel elles se tiennent provient de l'harmonie de leur interaction. Dès lors, le roman tout entier peut être lu comme une allégorie des principes taoïstes ; la joueuse incarnant alors le principe yin de féminité, ainsi que la passivité de la Chine, tandis que le lieutenant est une image du principe yang et de l'attitude virile et conquérante du Japon. Comme ces deux principes se résorbant simultanément dans le Tao d'où ils sont sortis, la joueuse et le lieutenant s'anéantissent simultanément à la fin du roman. Notion complexe en elle-même et tout particulièrement difficile à saisir pour des Occidentaux, le Tao, dans la philosophie taoïste, désigne, outre l'énergie universelle à l'origine du monde, la voie, le chemin que chacun doit découvrir pour acquérir sagesse et éternité… Mais, en Chine, les lignes du goban sont aussi appelées : Tao.

Groupement de textes
Formes et registres du narratif :
l'Histoire dans le roman

Agota Kristof, *Le Grand Cahier*

« Nous sommes venus chercher notre linge propre à la cure. Nous mangeons des tartines avec la servante dans la cuisine. Nous entendons des cris venant de la rue. Nous posons nos tartines et nous sortons. Les gens se tiennent devant leur porte ; ils regardent dans la direction de la gare. Des enfants excités courent en criant :
  – Ils arrivent ! Ils arrivent !

Au tournant de la rue débouche une Jeep militaire avec des officiers étrangers. La Jeep roule lentement, suivie par des militaires portant leur fusil en bandoulière. Derrière eux, une sorte de troupeau humain. Des enfants comme nous. Des femmes comme notre mère. Des vieillards comme le cordonnier.

Ils sont deux cents ou trois cents qui avancent, encadrés par des soldats. Quelques femmes portent leurs petits enfants sur le dos, sur l'épaule, ou serrés contre leur poitrine. L'une d'entre elles tombe ; des mains se saisissent de l'enfant et de la mère ; on les porte car un soldat a déjà pointé son fusil.

Personne ne parle ; personne ne pleure ; les yeux sont fixés sur le sol. On entend seulement le bruit des souliers cloutés des soldats. Juste devant nous, un bras maigre sort de la foule, une main sale se tend, une voix demande :

– Du pain.

La servante, souriante, fait le geste d'offrir le reste de sa tartine ; elle l'approche de la main tendue puis, avec un grand rire, elle ramène le morceau de pain à sa bouche, mord dedans, et dit :

– Moi aussi, j'ai faim !

Un soldat qui a tout vu donne une tape sur les fesses de la servante ; il lui pince la joue et elle lui fait des signes avec son mouchoir jusqu'à ce que nous ne voyions plus qu'un nuage de poussière dans le soleil couchant. »

(Éditions du Seuil, 1986)

à vous...

1 – À quel temps est fait le récit ? Quel est l'effet de ce choix ? En comparant le temps verbal, le titre de l'œuvre, définissez le genre auquel elle appartient.

2 – Relevez tous les indices qui montrent que la scène est vue depuis un point de vue enfantin. Qu'est-ce que ce point de vue apporte à la scène ?

---

3 – À quel événement historique ce passage se réfère-t-il ? Qu'est-ce qui permet de le supposer ? Quel est le registre dominant ? Quels procédés contribuent à le créer ?

Marguerite Yourcenar, *Mémoires d'Hadrien*

« Un automne brumeux, puis un hiver froid, succédèrent à un humide été. J'eus besoin de mes connaissances en médecine, et d'abord pour me soigner moi-même. Cette vie aux frontières me ramenait peu à peu au niveau du Sarmate : la barbe courte du philosophe grec devenait celle du chef barbare. Je revis tout ce qu'on avait déjà vu, jusqu'à l'écœurement, durant les campagnes daces. Nos ennemis brûlaient vivants leurs prisonniers ; nous commençâmes à égorger les nôtres, faute de moyen de transport pour les expédier sur les marchés d'esclaves de Rome ou de l'Asie. Les pieux de nos palissades se hérissaient de têtes coupées. L'ennemi torturait ses otages ; plusieurs de mes amis périrent de la sorte. L'un d'eux se traîna jusqu'au camp sur des jambes sanglantes ; il était si défiguré que je n'ai jamais pu, par la suite, me rappeler son visage intact. L'hiver préleva ses victimes : groupes équestres pris dans la glace ou emportés par les crues du fleuve, malades déchirés par la toux geignant faiblement sous les tentes, moignons gelés des blessés. D'admirables bonnes volontés se groupèrent autour de moi ; la petite troupe étroitement intégrée à laquelle je commandais avait la plus haute forme de vertu, la seule que je supporte encore : la ferme détermination d'être utile. Un transfuge sarmate dont j'avais fait mon interprète risqua sa vie pour retourner fomenter dans sa tribu des révoltes ou des trahisons ; je réussis à traiter avec cette peuplade ; ses hommes combattirent désormais à nos avant-postes, protégeant les nôtres. Quelques coups d'audace, imprudents par eux-mêmes, mais savamment ménagés, prouvèrent à l'ennemi l'absurdité de s'attaquer à Rome. Un des chefs sarmates suivit l'exemple de Décébale : on le trouva mort dans sa tente de feutre, près de ses femmes étranglées et d'un horrible paquet qui contenait leurs enfants. Ce jour-là, mon dégoût pour le gaspillage inutile s'étendit aux pertes barbares ; je regrettai ces morts que Rome aurait pu assimiler et employer un jour comme alliés contre des hordes plus sauvages encore. Nos assaillants débandés disparurent comme ils étaient venus, dans cette obscure région d'où surgiront sans doute bien d'autres orages. La guerre n'était pas finie. J'eus à la reprendre et à la terminer quelques mois après mon avènement. L'ordre, du moins, régnait momentanément à cette frontière. Je rentrai à Rome couvert d'honneurs. Mais j'avais vieilli. **»**

(Éditions Gallimard, Folio n° 921)

à vous...

1 – En analysant les temps verbaux employés dans ce texte et le titre de l'œuvre, vous définirez le genre auquel appartient ce texte.

2 – À quels événements historiques ce passage se réfère-t-il?

3 – Relevez tous les indices permettant de définir l'identité du narrateur.

4 – Qu'est-ce que ce point de vue apporte aux scènes relatées?

Marc Dugain, *Heureux comme Dieu en France*

« Un jour du mois de septembre 40, deux de mes camarades de promo s'étaient mis en tête d'établir un record de crevaison de pneus de véhicules allemands en tout genre. Je fus convié à l'équipée qui prévoyait un assortiment de spectatrices pulpeuses. J'ai d'abord refusé. Au nom de mon aversion pour l'amateurisme. Mes deux copains ont réagi en me traitant de trouille-cul. Pour leur montrer que je n'avais pas peur, j'ai accepté d'accompagner l'expédition, en les prévenant que je ne participerais pas aux sabotages. Parce qu'ils ne servaient à rien. Je suis donc resté auprès des filles pendant que mes copains enfonçaient leurs lames de couteaux dans les chambres à air de tous les engins gris-vert qui traînaient sans surveillance autour de la gare de Lyon. Le commando s'est ensuite dispersé. Les trois filles sont rentrées avec les deux creveurs de pneus, et je suis reparti seul, à vélo, dans une nuit pluvieuse et grasse. Le lundi qui a suivi cette folle virée, mes deux copains ne sont pas reparus à l'école. Ils avaient été arrêtés peu après avoir raccompagné les filles qui ne semblaient pas pressées de conclure malgré l'ivresse de l'adrénaline. À la Bastille. Ils n'avaient pas su résister à la tentation de se faire un dernier pneu. L'officier à qui le véhicule était affecté se serait approché d'eux pendant que deux soldats les tenaient en joue. Il leur aurait fait un long sermon sur l'antinomie qu'il percevait entre leur jeune âge et cet acte de terrorisme stérile et inconsidéré qui sans nuire vraiment à l'autorité allemande pouvait leur causer un préjudice qu'ils n'étaient pas à même d'apprécier. Mes deux copains ont dû louer le ciel d'être tombés sur un officier qui s'écoutait parler français. Ils ont dû se sentir soulagés de ce qui, après tout, ne devait être qu'un sermon. Ils n'ont même pas prêté attention aux deux derniers mots de conclusion de l'officier, en allemand, à l'adresse des deux soldats qui ont ensuite appuyé sur la détente sans le moindre changement d'expression sur le visage.

Notre école avait ses deux premiers héros. Les trois filles ne m'ont plus jamais adressé la parole comme si j'étais coupable de ne pas m'être fait fusiller avec mes copains. **»**

(Éditions Gallimard, Folio n° 4019)

à vous...

1 – En comparant le début du texte et sa clôture, vous définirez sa progression.

2 – À quels événements historiques ce passage se réfère-t-il ? À quel univers appartient encore le narrateur ? Que pensez-vous de la rencontre de ces deux univers ?

3 – Comment faut-il comprendre le mot «héros» ? Quelle est la tonalité dominante du texte ? Relevez-en une dizaine d'indices.

4 – Qu'est-ce que ce point de vue apporte aux événements relatés ?

Dai Sijie, *Balzac et la Petite Tailleuse chinoise*

Au cours de la Révolution culturelle de 1968, une dure période de répression politique en Chine, de nombreux intellectuels, parmi lesquels le père de Luo, un dentiste, sont incités à confesser publiquement des actions dont ils sont le plus souvent innocents.

« Il n'est pas exagéré de dire que Luo fut le meilleur ami de ma vie. Nous grandîmes ensemble, et connûmes toutes sortes d'épreuves, parfois très dures. Nous nous disputions très rarement.

Je me souviendrai toujours de la seule fois où nous nous sommes battus, ou plutôt où il m'a battu : c'était durant l'été 1968. Il avait environ quinze ans, moi à peine quatorze. C'était un après-midi ; une grande réunion politique se tenait à l'hôpital où travaillaient nos parents, sur un terrain de basket en plein air. Nous savions tous les deux que le père de Luo était l'objet de cette réunion, et qu'une nouvelle dénonciation publique de ses crimes l'attendait. Vers cinq heures, personne n'étant encore revenu, Luo me demanda de l'accompagner là-bas.

– On va identifier ceux qui dénoncent et battent mon père, me dit-il, et on se vengera d'eux quand on sera plus grands.

Le terrain de basket bondé grouillait de têtes noires. Il faisait très chaud. Le haut-parleur hurlait. Le père de Luo était agenouillé au centre d'une tribune. Une grande pancarte en ciment, très lourde, était suspendue à son cou par un fil de fer qui s'enfonçait et disparaissait presque dans sa peau. Sur cette pancarte, étaient inscrits son nom et son crime : RÉACTIONNAIRE.

Même à trente mètres de distance, j'eus l'impression de voir sur le sol, sous la tête de son père, une large tache noire, formée par sa sueur.

La voix menaçante d'un homme cria dans le haut-parleur :

– Avoue que tu as couché avec cette infirmière !

Le père courba la tête, de plus en plus bas, si bas que l'on eût cru que son cou avait fini par être écrasé par la pancarte en ciment. Un homme approcha un micro de sa bouche, et l'on entendit un « oui » très faible, presque tremblant, s'en échapper.

– Comment ça s'est passé ? hurla l'inquisiteur dans le haut-parleur. C'est toi qui l'as touchée le premier, ou c'est elle ?

– C'est moi.

– Et après ?

Il y eut un silence de quelques secondes. Puis toute la foule cria comme un seul homme.

– Et après ?

Ce cri, répété par deux mille personnes, retentit comme un coup de tonnerre, et tournoya au-dessus de nos têtes.

– J'ai avancé…, dit le criminel.

– Encore ! Des détails !

– Mais dès que je l'ai touchée, avoua le père de Luo, je suis tombé… dans les nuages et le brouillard.

Nous partîmes, tandis que les cris de cette foule d'inquisiteurs fanatiques recommençaient à se déchaîner. En chemin, je sentis soudain des larmes couler sur mon visage, et je réalisai combien j'aimais ce vieux voisin, le dentiste.

À cet instant, Luo me gifla, sans dire un mot. Le coup fut tellement surprenant, que je faillis être propulsé par terre. »

(Éditions Gallimard, Folio n° 3565)

à vous...

1 – Les éléments de la dénonciation : relevez tous les termes qui suggèrent que le narrateur condamne l'événement auquel il assiste.

2 – En quoi le point de vue du narrateur est-il essentiel ? Comparez le projet initial de Luo et la fin du texte.

Une adaptation cinématographique

Le roman de Shan Sa devrait bientôt être porté à l'écran. L'écrivain elle-même a participé à la transposition de son texte en synopsis, dont nous vous proposons ici les premières pages :

Chap	Personnages	Lieux 1 Japon	Lieux 2 Chine	Période	Résumé de l'action
1	Chant de nuit	Place des Mille vents		Hiver	Un étranger venu tout droit de la gare se fait battre de dix-huit points par la très jeune narratrice.
1	Adversaire étranger				
1	Joueurs de go				
2a	Le soldat japonais	Chambre de la mère			Shinji annonce à sa mère son affectation en Mandchourie. Elle se retire dans sa chambre pour prier.
2a	Sa mère				
2b	Le soldat japonais	Autel des ancêtres		Hiver	À genoux sur le tatami, il se prosterne devant l'autel des ancêtres. Le portrait de son père lui sourit.
2c	Le soldat japonais	Salon du soldat			Silence cérémonial : assis sur ses talons, chacun rend son salut au soldat partant pour la guerre.
2c	Sa mère				
2c	Son petit frère				
2c	Sa petite sœur				
2d	Le soldat japonais	Jardin enneigé			Mère, petit frère et petite sœur suivent le soldat dans le jardin enneigé. Mère pleure. Il se met à courir, se retourne, elle recule. « Entre la mort et la lâcheté, choisis sans hésiter la mort. »
2d	Sa mère				
2d	Son petit frère				
2d	Sa petite sœur				
2e	Famille de soldats	Quai au port			Départ en bateau sous les acclamations.
2f	Le soldat japonais		Corée à Pusan Train intérieur Train en rase campagne		Débarquement en Corée et transbordement dans un train. Au troisième jour de voyage vers le nord : mort de Tadayuki : « Mourir, est-ce aussi léger que s'étonner ? »
2f	Groupe d'hommes				
2f	Officier Tadayuki				
2g			Gare mandchoue		Le train arrive en gare mandchoue en pleine nuit.
3	Chant de nuit	Intérieur maison		Hiver	Chant de nuit reçoit une lettre de son cousin Lu : « Je viens pour toi. »

Scènes au Japon   En Chine. Récit de Chant de nuit   Récit du soldat japonais

à vous...

Continuez la transposition de *La Joueuse de go* en synopsis sur les quatre chapitres suivants.

Annexes

De vous à nous

Arrêt sur lecture 1 (p. 120-122)

1 – La phrase comporte une métonymie* (déplacement du style à l'instrument de l'écriture) : « l'encre fade » renvoie à une manière détournée de s'exprimer.

2 – « J'embrasse mon rival, mais c'est pour l'étrangler » : dans cette réplique de *Britannicus*, pièce de Jean Racine, où le verbe embrasser signifie « prendre dans ses bras », Néron affirme sa duplicité. De même Tchang Kaïchek feint de s'allier aux communistes pour mieux leur nuire.

3 – Trois détails nous font comprendre qu'il s'agit d'un rêve : la résurgence d'un personnage dont le lecteur sait qu'il est mort, le père ; le mélange des temporalités : « son visage est celui d'une jeune femme » ; l'importance des sensations (visuelle, olfactives).

4 – On peut relever plusieurs métaphores* : « la neige tombée m'enlace les genoux » ; les soldats tombent « foudroyés » ; ainsi que des erreurs d'interprétation : « je suis blessé. Je meurs ».

5 – Le soldat sait vaincre sa peur, sa fatigue. Le courage est pour lui la vertu suprême, avec l'honneur.

6 – La proposition de la joueuse montre la certitude qu'elle a de gagner, et, par-là, son orgueil. Sa proposition crée un fort suspens quant à l'enjeu de la partie, et peut aussi susciter l'envie de voir cet orgueil châtié.

7 – Les deux intrigues semblent entièrement opposées : l'une est amoureuse, l'autre militaire. Leur opposition suggère que les deux personnages vont se rencontrer et s'aimer ou se combattre.

8 – L'enfance est associée par métaphore* à un coucher de soleil.

9 – La mort des deux grands-pères coïncide avec l'effondrement de l'empire ; la mort de la grand-mère avec celle de l'invasion japonaise. La sphère intime (mort des proches) coïncide avec la sphère publique. En outre, l'intérieur et l'extérieur se répondent : «Le mal de cette naissance déplacée se manifesta dans les caprices de mon âme dérangée. »

10 – Instruit par l'Histoire, le lecteur contemporain peut y voir une allusion aux kamikazes de la Seconde Guerre mondiale.

11 – Un cadavre apparaît dans l'univers de la joueuse, qui jusqu'ici semblait comporter seulement des éléments frivoles, préservé de tout événement dramatique.

12 – Min et Jing évitent les barrages de police «comme s'ils les connaissaient à l'avance». Jing s'est vu confier la charge de gardien «avec joie»; on dirait qu'une réunion s'est tenue dans la maison la nuit précédente; Jing sourit aux bruits des tirs…

13 – Les mentions de temps : « avril» et «le printemps».

14 – Les éléments d'une atmosphère orientale : le décor (les portes coulissantes), les costumes (kimono à manches larges), le maquillage de la geisha, l'instrument de musique installent une atmosphère orientale dépaysante pour le lecteur.

Avec l'arrivée de la geisha, la musique et la noblesse font irruption au milieu d'une beuverie. Sa chanson coïncide avec le déchaînement des éléments naturels, qui suggère le déchaînement des émotions de ses auditeurs.

15 – L'importance de la nature et l'absence de dialogue entre les deux couples sont deux éléments très marqués dans ces deux chapitres. Le parallèle entre les deux histoires d'amour, l'une consommée, l'autre non, s'établit également clairement.

Arrêt sur lecture 2 (p. 221-222)

2 – Le nom de la ville fait écho au nom de la place évoqué par la joueuse au premier chapitre.

3 – La mention du maire de la ville renvoie au père de Jing. La deuxième mention de ce personnage secondaire suggère qu'il va jouer un rôle dans le récit.

4 – Le lieutenant n'a pas eu le temps de dire au revoir à la prostituée Masayo (p. 79) mais son arrivée à Mille Vents est marquée par la présence des prostituées. Entre-temps, il a relaté son amour pour Lumière, et la séparation d'avec celle-ci. Le motif de la répétition, du cycle, du retour du même est ainsi inscrit dans son parcours.

5 – Un parallèle est établi entre la relation amoureuse de la joueuse et ce que vit sa sœur aînée, dont le mariage est un échec. Celle-ci se livre à une description très pessimiste de l'amour. Cependant, rien n'indique que la joueuse doive connaître le même destin : « Tu es plus forte que moi. » Néanmoins, le chapitre suggère une relation étroite entre ce qui arrive aux deux sœurs.

6 – La structure du passage montre la narratrice en position de force vis-à-vis de Min et de Jing, comme le montre le parallélisme entre les « gouttes blanches » et le jus du fruit. L'attitude de Jing (« le désespoir et le mépris qui se lisent sur son visage », son empressement à satisfaire le désir de fruits de la joueuse), tout indique qu'il est également épris d'elle. L'affirmation renouvelle un cliché : d'ordinaire, les femmes sont comparées à des araignées prenant les hommes au piège, et la joueuse se montre en effet assez perverse dans sa relation aux deux garçons ; cependant, le piège ne réside pas là où le pense la joueuse. Rétrospectivement, le lecteur apprend que le piège résidait dans l'activité politique des deux rebelles.

L'écriture multiplie les sensations auditives, visuelles, gustatives, olfactives. L'univers ainsi dessiné est un univers de plénitude sensuelle.

7 – La construction du chapitre est fondée sur le renversement de situation. Le capitaine, tourné en dérision par les autres militaires, est en fait supérieurement intelligent, et piège le lieutenant : « Le capitaine est un malin et sa bizarrerie un leurre. »

8 – Le go est à la fois un élément de l'intrigue (le lieutenant et le capitaine y jouent), un élément du décor (la place des Mille Vents) et une mise en abyme de la guerre et du piège : « Le go n'est qu'un camouflage : c'est sur cette place, sous prétexte de jouer à la guerre, que nos ennemis combinent leurs coups tordus » (p. 145). Le jeu de la guerre constitue en réalité un véritable conflit : le lieutenant, piégé par le capitaine, en fait l'expérience.

9 – Divers éléments suggèrent dans le récit l'appartenance de Min et Jing aux rebelles : « Min se vante de posséder des livres interdits par le gouvernement » ; la rencontre des deux garçons lors de l'émeute, qu'ils ont sans doute orchestrée, etc. Mais le point de vue de la joueuse, pour qui l'essentiel est dans la découverte amoureuse, contribue à reléguer ces éléments à l'arrière-plan du récit. De la sorte, la surprise est totale pour le lecteur comme pour le personnage lors de l'arrestation de Min et de Jing.

10 – Le récit met ironiquement en parallèle la grossesse désirée, mais imaginaire, de Perle de Lune et la grossesse non désirée, mais bien réelle, de la joueuse. Ces événements opposés, mais tous deux tragiques, suggèrent une certaine fatalité et la cruauté du destin.

Arrêt sur lecture 3 (p. 318)

1 – Le lieutenant interprète à tort les nausées de la joueuse. Cependant, il voit juste sur le fait qu'elle est «malade», et sur sa tentation de se suicider. Ce point de vue plus limité que celui du lecteur permet de montrer la sensibilité du personnage narrateur : il est prêt à empêcher la joueuse de se jeter à l'eau. La scène évoque à la fois le souvenir du séisme et celui de la rencontre avec Lumière, également marquée par le déchaînement des éléments. À ce trouble, on peut déduire que le lieutenant est épris de la joueuse.

2 – La rougeur du lieutenant suggère qu'il se sent découvert par le capitaine. Le récit de Nakamura fonctionne comme un avertissement pour le lieutenant : l'amour entre un Japonais et une Chinoise est impossible. De nombreux parallèles sont tissés entre les histoires : les pains farcis, l'impossibilité de communiquer, les fleurs offertes… L'histoire passée du lieutenant fonctionne comme annonce de ce qui va survenir entre lui et la joueuse.

3 – Le récit montre le parallélisme de deux civilisations proches et qui se combattent. Le lieutenant et la joueuse sont à la fois les héritiers et l'incarnation de cette rivalité : «Est-ce là l'image de la Chine, l'objet de ma passion et de ma haine ?» Leur relation, mélange de désir et de trahison, d'amour et de combat, est à l'image de la relation entre les deux empires.

4 – L'écriture de l'intensité du présent : les sensations visuelles et auditives renvoient à la conscience de la brièveté de la vie et au caractère inéluctable de la mort («Ma félicité éphémère est plus intense qu'un éternel bonheur»). Tout dans le texte suggère la tristesse de la mort : la flûte «expire». La cigale meurt au moment même de sa naissance. Sa mort, du fait de l'association d'idée avec la joueuse et la Chine, fonctionne comme un effet d'annonce dramatique.

5 – Le double récit met en évidence la non-coïncidence des désirs des personnages. Tandis que le lieutenant interprète l'attitude de la joueuse comme une invite amoureuse, le lecteur sait que son mobile est tout autre. Le retour de la joueuse avec un autre homme à l'endroit où est né son amour pour Min inscrit également sa trajectoire dans une forme cyclique comparable à celle que connaît le lieutenant.

6 – L'écriture du rêve se caractérise par celle de l'impossibilité logique (la joueuse vole) ainsi que de constantes métamorphoses : «la maison devient brique, puis grain de sable» ; la joueuse monte, puis dégringole ; le paysage est d'abord céleste, puis infernal, et enfin terrestre et familier.

Des éléments du quotidien de la joueuse se mêlent au fantastique onirique : le pousse-pousse, les collines, l'Inconnu, les larmes versées sont autant d'allusions aux événements que vit la joueuse.

Ce chapitre peut être lu comme un élément symétrique de la rêverie du lieutenant à partir de la cigale et de la fragilité de la vie.

7 – Le discours de la joueuse peut être compris de deux manières différentes en raison de la trahison du lieutenant : « A-t-elle percé mon secret ? Veut-elle simplement savoir mon nom et me connaître ? » La joueuse semble avoir l'intuition d'une vérité qu'elle ignore : « votre main de go m'a paru étrangère ». Elle s'accuse de tricherie, sans savoir que le mensonge de son partenaire est bien pire.

Tandis que le discours de la joueuse est marqué par le double sens, le lieutenant est caractérisé par un double discours : il tient à la joueuse des propos inverses de ceux qu'il se tient à lui-même. « Le jeu est devenu un mensonge qui justifie ma faiblesse. » « J'ai compris que vous n'étiez pas tout à fait vous-même », « je ne suis qu'une succession de masques » : le masque, élément de dissimulation et de protection, en arrive paradoxalement à altérer l'identité de celui qui le porte.

Glossaire

Analogie : ressemblance à partir de laquelle se fondent différentes figures de style comme la métaphore et la comparaison.

Comparaison : figure de style établissant un rapport de ressemblance entre deux notions au moyen d'un terme de comparaison (comme, ainsi que…).

Éponyme : se dit d'un personnage qui donne son nom à l'œuvre. Exemple : madame Bovary, le père Goriot, etc.

Métaphore : figure de style qui substitue à une réalité une autre réalité qui lui est associée par un rapport d'analogie restant le plus souvent implicite.

Métonymie : figure de style consistant à substituer un terme à un autre, auquel il est lié par une relation logique (cause/conséquence, contenant/contenu, etc.).

Narrateur : personnage, ou instance prenant en charge la narration d'un récit.

Omniscient : se dit d'un narrateur dont les connaissances et le point de vue ne sont pas limités, qui sait tout.

Paradoxe : idée ou raisonnement défiant la logique ou une vérité généralement admise.

Périphrase : expression détournée qui décrit une réalité au lieu de la nommer (le « roi des animaux » au lieu du « lion »).

Protagoniste : personnage principal d'un récit.

Scansion : manière de marquer le rythme.

TABLE DES MATIÈRES

Ouvertures 5
    Chine et Japon : les frères ennemis 5
    À propos de Shan Sa 12
    Un accueil particulier : le prix Goncourt des lycéens 13

Chapitre 1 21
Chapitre 36 109

Arrêt sur lecture 1 111
    Un récit à deux voix 111
    Deux portraits en miroir 114
    De multiples intrigues secondaires 117

Chapitre 37 123
Chapitre 65 202

Arrêt sur lecture 2 206
    Les modalités de l'affrontement 206
    Une première victoire du camp japonais 211
    Les marques d'une écriture orientale 215
    Comment écrire un haïku ? 217
    Pour une lecture : le chapitre 64 219

Chapitre 66 223
Chapitre 92 304

Arrêt sur lecture 3 308
    Un dénouement inattendu 308
    Des temporalités multiples 314

Bilans 319
  Le go : un motif aux multiples significations 319
  De l'individuel à l'allégorie : plusieurs lectures possibles 326
  Groupement de textes – Formes et registres du narratif :
    l'Histoire dans le roman 329
  Une adaptation cinématographique 335

Annexes 339
  De vous à nous 339
  Glossaire 343

Dans la même collection

Collège

25 fabliaux (74)

50 poèmes en prose (anthologie) (113)

La Bible (textes choisis) (73)

La farce de maître Pathelin (117)

La poésie engagée (anthologie) (68)

La poésie lyrique (anthologie) (91)

Le ghetto de Varsovie (anthologie) (113)

Le roman de Renart (textes choisis) (114)

Rome (anthologie bilingue) (118)

Victor Hugo, une légende du 19e siècle (anthologie) (83)

Homère, Virgile, Ovide – **L'Antiquité** (textes choisis) (16)

Guillaume Apollinaire – **Calligrammes** (107)

Marcel Aymé – **Les contes du chat perché** (contes choisis) (55)

Honoré de Balzac – **La maison du Chat-qui-Pelote** (134)

Honoré de Balzac – **La vendetta** (69)

Pierre-Marie Beaude – **La maison des Lointains** (142)

Robert Bober – **Quoi de neuf sur la guerre?** (56)

Évelyne Brisou-Pellen – **Le fantôme de maître Guillemin** (18)

Blaise Cendrars – **L'or** (135)

Raymond Chandler – **Sur un air de navaja** (136)

Chrétien de Troyes – **Le chevalier au lion** (65)

Arthur Conan Doyle – **Le chien des Baskerville** (75)

Pierre Corneille – **La place royale** (124)

Pierre Corneille – **Le Cid** (7)

Jean-Louis Curtis, Harry Harrison, Kit Reed – **3 nouvelles de l'an 2000** (43)

Didier Daeninckx – **Meurtres pour mémoire** (35)

Roald Dahl – **Escadrille 80** (105)

Alphonse Daudet – **Lettres de mon moulin** (42)

Michel Déon – **Thomas et l'infini** (103)

Régine Detambel – **Les contes d'Apothicaire** (2)

André Dhôtel – **Un adieu, mille adieux** (111)

François Dimberton, Dominique Hé – **Coup de théâtre sur le Nil** (41)

Alexandre Dumas – **La femme au collier de velours** (57)

Georges Feydeau – **Feu la mère de Madame** (47)

Émile Gaboriau – **Le petit vieux des Batignolles** (80)

Romain Gary – **La vie devant soi** (102)

William Golding – **Sa Majesté des Mouches** (97)

Victor Hugo – **L'intervention** (119)

Franz Kafka – **La métamorphose** (128)

Eugène Labiche – **Un chapeau de paille d'Italie** (17)

Jean de La Fontaine – **Fables** (choix de fables) (52)

J.M.G. Le Clézio – **Pawana** (112)

Gaston Leroux – **Le cœur cambriolé** (115)

Marie de France – **Lais** (146)

Guy de Maupassant – **13 histoires vraies** (44)

Prosper Mérimée – **Mateo Falcone** et **La Vénus d'Ille** (76)

Molière – **George Dandin** (87)

Molière – **L'Avare** (66)

Molière – **Le bourgeois gentilhomme** (33)

Molière – **Le malade imaginaire** (110)

Molière – **Le médecin malgré lui** (3)

Molière – **Les femmes savantes** (34)

Molière – **Les fourberies de Scapin** (4)

James Morrow – **Cité de vérité** (6)

Arto Paasilinna – **Le lièvre de Vatanen** (138)

Charles Perrault – **Histoires ou contes du temps passé** (30)

Marco Polo – **Le devisement du monde** (textes choisis) (1)

Jules Romains – **Knock** (5)

Edmond Rostand – **Cyrano de Bergerac** (130)

Antoine de Saint-Exupéry – **Lettre à un otage** (123)

George Sand – **La petite Fadette** (51)

Jorge Semprun – **Le mort qu'il faut** (122)

Robert Louis Stevenson – **L'île au trésor** (32)

Jonathan Swift – **Voyage à Lilliput** (31)
Michel Tournier – **Les Rois mages** (106)
Paul Verlaine – **Romances sans paroles** (67)
Jules Verne – **Le château des Carpathes** (143)
Voltaire – **Zadig** (8)
Émile Zola – **J'accuse!** (109)

Lycée
**128 poèmes composés en langue française, de Guillaume Apollinaire
à 1968** (anthologie de Jacques Roubaud) (82)
3 questions de dramaturgie (anthologie) (129)
La photographie et l'(auto)biographie (anthologie) (132)
Le comique (registre) (99)
Le didactique (registre) (92)
L'épique (registre) (95)
Le satirique (registre) (93)
Le tragique (registre) (96)
Portraits et autoportraits (anthologie) (101)
Pratiques oulipiennes (anthologie) (147)
Guillaume Apollinaire – **Alcools** (21)
Louis Aragon – **Le paysan de Paris** (137)
Honoré de Balzac – **Ferragus** (10)
Honoré de Balzac – **Mémoires de deux jeunes mariées** (100)
Honoré de Balzac – **Le père Goriot** (59)
Jules Barbey d'Aurevilly – **Le chevalier des Touches** (22)
Charles Baudelaire – **Les Fleurs du Mal** (38)
Charles Baudelaire – **Le spleen de Paris** (64)
Beaumarchais – **Le mariage de Figaro** (28)
Béroul – **Tristan et Yseut** (mythe) (63)
Emmanuel Carrère – **L'Adversaire** (120)
Chrétien de Troyes – **Perceval ou Le Conte du Graal** (125)
Pierre Corneille – **L'illusion comique** (45)
Denis Diderot – **Jacques le fataliste et son maître** (149)
Denis Diderot – **Supplément au voyage de Bougainville** (104)

Annie Ernaux – **Une femme** (88)

Fénelon – **Les Aventures de Télémaque** (116)

Gustave Flaubert – **Un cœur simple** (58)

Jérôme Garcin – **La chute de cheval** (145)

Théophile Gautier – **Contes fantastiques** (36)

Jean Genet – **Les bonnes** (121)

André Gide – **La porte étroite** (50)

Jean Giono – **Un roi sans divertissement** (126)

Goethe – **Faust** (mythe) (94)

Nicolas Gogol – **Nouvelles de Pétersbourg** (14)

J.-C. Grumberg, P. Minyana, N. Renaude – **3 pièces contemporaines** (89)

E.T.A. Hoffmann – **L'homme au sable** (108)

Victor Hugo – **Les châtiments** (13)

Victor Hugo – **Le dernier jour d'un condamné** (46)

Eugène Ionesco – **La cantatrice chauve** (11)

Sébastien Japrisot – **Piège pour Cendrillon** (39)

Alfred Jarry – **Ubu roi** (60)

Thierry Jonquet – **La bête et la belle** (12)

Franz Kafka – **Le procès** (140)

Madame de Lafayette – **La princesse de Clèves** (86)

Jean Lorrain – **Princesses d'ivoire et d'ivresse** (98)

Naguib Mahfouz – **La belle du Caire** (148)

Marivaux – **Le jeu de l'amour et du hasard** (9)

Roger Martin du Gard – **Le cahier gris** (53)

Guy de Maupassant – **Bel-Ami** (27)

Guy de Maupassant – **Une vie** (26)

Henri Michaux – **La nuit remue** (90)

Patrick Modiano – **Dora Bruder** (144)

Molière – **Dom Juan** (mythe et réécritures) (84)

Molière – **L'école des femmes** (71)

Molière – **Le Misanthrope** (61)

Molière – **Le Tartuffe** (54)

Montaigne – **De l'expérience** (85)

Montesquieu – **Lettres persanes** (lettres choisies) (37)

Alfred de Musset – **On ne badine pas avec l'amour** (77)

Franck Pavloff – **Après moi, Hiroshima** (127)

Marcel Proust – **Combray** (131)

Raymond Queneau – **Les fleurs bleues** (29)

Raymond Queneau – **Loin de Rueil** (40)

Jean Racine – **Andromaque** (70)

Jean Racine – **Bérénice** (72)

Jean Racine – **Britannicus** (20)

Jean Racine – **Phèdre** (25)

Jean Renoir – **La règle du jeu** (15)

Shan Sa – **La joueuse de go** (150)

William Shakespeare – **Roméo et Juliette** (78)

Georges Simenon – **La vérité sur Bébé Donge** (23)

Catherine Simon – **Un baiser sans moustache** (81)

Sophocle – **Œdipe roi** (mythe) (62)

Stendhal – **Le rouge et le noir** (24)

Stendhal – **Vanina Vanini, Mina de Vanghel, Les Cenci** (141)

Villiers de l'Isle-Adam – **12 contes cruels** (79)

Voltaire – **Candide** (48)

Francis Walder – **Saint-Germain ou La négociation** (139)

Émile Zola – **La curée** (19)

Émile Zola – **Au Bonheur des Dames** (49)

Cet ouvrage a été composé
et mis en pages par Dominique Guillaumin, Paris,
et achevé d'imprimer
sur les presses de l'imprimerie Hérissey
en janvier 2005.
Imprimé en France.

Dépôt légal : janvier 2005
N° d'imprimeur : 98189
N° d'éditeur : 132014
ISBN 2-07-030507-4

Pour plus d'informations :
http://www.gallimard.fr
ou
La bibliothèque Gallimard
5, rue Sébastien-Bottin – 75328 Paris cedex 07